Far left: With her second husband, Dionys Mascolo, in France, circa 1947.

Left: Duras and her first husband, Robert Antelme, a survivor of Dachau, in 1946, at Bocca di Magre, "the beach of leftist intellectuals in Italy."

à A. Z. L.

ISBN 2-02-012226-X

Pourquoi écrit-on sur les écrivains ?
Leurs livres devraient suffire.
MARGUERITE DURAS

1

Duras Démesure

On me dit que j'exagère. On me dit tout le temps : vous exagérez. Vous croyez que c'est le mot ?

MARGUERITE DURAS

Chant de la mémoire, embrasement du désir, dérive de la douleur, indignation, cri, attente, silence, chez Marguerite Duras tout devient la source irrécusable des livres et leur chair même. Œuvre et vie sont les deux visages d'une unique aventure. La vie y ratifie l'œuvre, et l'œuvre, la vie. Fil d'Ariane dans le labyrinthe : « Il n'y a pas de temps où je n'écris pas, j'écris tout le temps, même quand je dors[1]. »

Exagère-t-elle, comme on le lui reproche parfois ? Qu'importe. Il ne s'agit pas de s'arrêter à l'excès du langage, mais d'accepter le langage et l'excès – saisir l'excès dans le langage – pour parvenir au plus près de la vérité qu'ils figurent[2] : « Elle est dans une création de tous les instants, elle est dans une écriture discontinue, sans fin » (*Le Camion*, p. 123)*. Qu'est-ce que vivre ? ne signifie rien d'autre que

---

* Les références entre parenthèses renvoient aux éditions indiquées dans la bibliographie, à l'exception de *Le Ravissement de Lol V. Stein,* Gallimard, coll. « Folio », n° 210, 1976 ; *Un barrage contre le Pacifique,* Gallimard, coll. « Folio », n° 882, 1977 ; *Le Marin de Gibraltar,* Gallimard, coll. « Folio », n° 943, 1977 ; *Le Vice-Consul,* Gallimard, coll. « L'imaginaire », n° 12, 1977 ; *L'Après-midi de M. Andesmas,* Gallimard, coll. « L'imaginaire », n° 49, 1985.

qu'est-ce qu'écrire ? et cela ne suffit pas. Encore faut-il vivre, écrire, dans un même emportement, dans l'insouciance des conventions, aller au bout de soi en exaspérant la révolte, l'amour ou le désespoir, pour mieux mettre à découvert une violence de l'être, que, tout à la fois, libère et maintient l'écriture. Le dernier état des textes en porte la marque. La conséquence renvoie à la cause : « La violence est une chose que l'on reconnaît. Ce n'est pas une chose qu'on ait à apprendre, c'est une chose (...) dont on a donc toujours, tout au long de sa vie, la vocation profonde (...). Je pense que ce n'est pas étranger au fait que j'écris[3]. »

Cette vocation profonde régit le climat de sa vie et de son expérience créatrice : « Écrire, on croit que c'est facile, c'est le contraire, vous le savez, c'est l'enfer[4]. »

Je crie vers les déserts

Le génie de passer les bornes, où elle découvre la formule de son art et de son existence, est bien trait de caractère, forme de pensée, de travail, d'expression, clef d'une personnalité sans fard dont l'œuvre entretient les métamorphoses[5]. Les témoignages de ses proches convergent : « Elle bouscule, elle violente, affirme Michèle Manceaux, elle brûle pour provoquer des drames, n'importe quoi qui fasse sortir (...) des routines[6]. » Jean-Louis Barrault souligne la malice qu'elle met à éclairer chacune de ses œuvres sous un angle différent : « Tantôt c'est une quête, ouverte à tout, même à l'imaginaire, tantôt c'est une prise âpre, viscérale, grossière, ou bien c'est le butin d'une observation aiguë, dédoublée, comique et dérisoire, ou bien c'est l'aveu humble, lavé de tout amour-propre, d'une âme déchirée (...), c'est une passion gloutonne des réactions animales qui provoquent des conduites extrêmes[7]. » Quant au comédien Gérard Depardieu, il se montre sensible à sa façon de traquer la vie par le verbe sans jamais l'affadir : « Avec ta diction à la fois douloureuse et précise, lui écrit-il, tu emploies les mots justes, ceux animés par tes états d'âme. Un intellectuel se serait expliqué, toi tu trouves. Tu es tout le contraire d'une intellectuelle. Tu as été une femme amoureuse, une aventurière qui a ri, joui, souffert (...). Ta violence, c'est aussi ce qu'on n'ose pas entendre, ton déraisonnable[8]. » Marguerite Duras ranime les vieilles craintes de Platon devant le poète. Elle irrite ou effraie, fascine ou déconcerte et, dans tous les cas, fait violence, contre tout ordre et toute raison donnant à l'instinct sa chance et au désordre sa raison.

Partant, il arrive qu'elle conduise ses lecteurs les plus avertis vers des régions où la sérénité se perd. Marcelle Marini, par exemple : « Rencontrer des textes de Marguerite Duras est pour moi, à chaque fois, cette violence déchirante qui s'empare de soi aux instants où l'on accepte que les boussoles se déboussolent[9]. » Ou Madeleine Borgomano, au sujet du *Ravissement de Lol V. Stein* : « Si la fiction ressemble autant, et sans l'avoir voulu, à la réalité, l'investigation qu'elle tente devient vraiment dangereuse et dangereux aussi le modèle proposé (...). Nous ne (la) suivrons pas jusqu'à ces extrémités[10]. » Ou Madeleine Alleins, qui brusque la fin de son ouvrage : « Elle est allée au bout d'elle-même, a fait exister les livres à sa place. (...). Avec *L'Amour*, à mon avis, s'achève (sa) trajectoire[11]. » Julia Kristeva renchérit et vaticine. Lui opposant Clarice Lispector – comme Madeleine Borgomano Doris Lessing – et conquise par l'humour de la romancière sud-américaine, elle note : « Rien de tel chez Duras. La mort et la douleur sont la toile d'araignée du texte, et malheur au lecteur complice qui succombe à son charme : il peut y rester pour de vrai[12]. » Aliette Armel ne craint pas ce péril, mais on lit au début de son essai : « Bien que je me sois sans cesse référée à l'œuvre, j'ai tenté de me prémunir contre une emprise trop forte de la personne de son auteur[13]. » Ces jugements ont en commun la « gêne » dont parle Madeleine Chapsal : « Il y a, dans tout ce que fait Duras, cet élément de gêne *(Tu me tues, tu me fais du bien)*, elle est trop proche, elle est trop près, elle est trop[14]. » Ensemble, ils définissent l'impression que laisse souvent son œuvre.

Certes, d'autres en littérature ont partie liée avec la violence, qu'ils se nomment Céline, Bataille ou Artaud, mais, sur ce point, la comparaison est approximative. Ici, nulle dérision, nulle mise à distance ou réserve protectrice, nulle allégeance à la théorie. Plutôt la connaissance divinatrice de l'inavouable que l'on attribue à Pierre Jean Jouve. Et, davantage, une attention forcenée à l'avènement de l'écriture, à son épiphanie, la poursuite inlassable d'un comment dire ?, d'un comment faire voir ? Comment restituer la minute éblouissante du surgissement, comment « écrire ça » qui se tient dans le refus tragique de passer à l'écrit ? Des *Yeux bleus cheveux noirs*, elle dit : « Je suis la seule à savoir de quel bleu est l'écharpe bleue de cette jeune femme dans le livre (...), à voir son sourire et son regard. Je sais que jamais je ne pourrai le décrire. Vous le faire voir. Jamais personne » (*La Vie matérielle*, p. 36). Pourtant le bandeau bleu est là : « du même bleu incroyable que celui des prunelles bleues » (*Les Yeux bleus cheveux noirs*, p. 44), trace insuffisante, peut-être, mais simulacre rigoureux, « réverbération de l'état qui précède l'expression, avant la trahison[15] ». Écriture du désastre ? Oui, à condition d'entendre avec Maurice Blanchot que le désastre obscur porte en lui la lumière. Le manque ou l'effacement n'y sont pas fruits d'une feinte élection, d'un pessimisme délétère ou d'un monotone ressassement, mais versant ténébreux du cri. S'il est difficile de révéler la splendeur des découvertes entrevues, reste à écrire la difficulté d'écrire, à faire de cette difficulté l'objet même de l'écriture. Non pas tant dans le désarroi de la perte

« Vous voyez, je ne cherche nullement à approfondir
le sens du texte quand je le lis, non, pas du tout,
rien de pareil, ce que je cherche c'est le premier
état de ce texte, comme on cherche à se souvenir
d'un événement lointain, non vécu mais "entendu dire".
Le sens viendra après, il n'a pas besoin de moi.
La voix de la lecture à elle seule le donnera
sans intervention de ma part. La lecture se propose
à voix haute de la même façon qu'elle s'est proposée
pour vous seul, la première fois, sans voix.
Cette lenteur, cette indiscipline de la ponctuation
c'est comme si je déshabillais les mots,
les uns après les autres et que je découvre
ce qui était au-dessous, le mot isolé,
méconnaissable, dénué de toute parenté,
de toute identité, abandonnée. Parfois c'est la place
d'une phrase à venir qui se propose. Parfois rien, à peine
une place, une forme, mais ouverte, à prendre. »

qu'avec la fièvre d'une conscience entêtée à ne pas vouloir admettre cette perte : « Tout doit être lu, la place vide aussi, je veux dire : tout doit être retrouvé » (*Les Yeux verts*, p. 94).

Marguerite Duras s'acharne à nouer le premier instant de l'inspiration, son « intensité insoutenable », sa « jouissance inexprimable[16] », avec ce qui sera pour autrui, pour elle d'abord, le temps de la lecture. Forçant l'inaccessible, liées à leurs amorces vives, ses œuvres deviennent solution en acte de l'impossible, rappel du moment où l'écriture éclate en esquisses aléatoires, où l'instinct, « perfection inconsciente », s'éloigne vers l'« imperfection consciente », comme Nicolas de Staël le disait de ses tableaux. Elle « crie *vers* les déserts » (*Les Yeux verts,* p. 43), mais ne s'effraie pas du silence[17]. Silence et cri procèdent d'une logique semblable, logique de l'hyperbole qui fait l'unité, déterminant une connexion étroite entre la parturition des textes et leur contenu.

De même qu'il y a à écrire une « situation sans issue », de même les livres ont pour centre un « nœud inextricable[18] ». Ils sont la vaste mise en abyme de leur genèse dont les sujets, les lieux, le temps ou les personnages ne se détachent pas. Ce point de vue, non exclusif, se révèle inaugural. Dès 1943, *Les Impudents* décrit l'ambiguïté des liens familiaux que l'on retrouve dans *L'Amant de la Chine du Nord*. Marguerite Duras indique elle-même le motif principal de *Dix Heures et demie du soir en été* : l'instant où Maria aperçoit sur un toit l'auteur d'un crime passionnel que la police recherche tandis que se confirme l'infidélité de son mari (*Outside*, p. 238-239). Et celui de *Moderato Cantabile* : « L'effet sur Anne Desbaresdes, lorsqu'elle regarde dans le café, de la tendresse folle de l'assassin pour la femme qu'il (vient) de tuer[19]. » Dans *Les Viaducs de la Seine-et-Oise*, c'est le suicide, dans *Une aussi longue absence* ou *Hiroshima mon amour*, le heurt de la mémoire et de l'oubli,

ailleurs, la vaine attente, la souffrance d'une séparation ou la « faculté surnaturelle, éblouissante de
l'amour ». Partout se réfractent des affinités avec
l'écriture encore dans les limbes, là où « on ne peut
pas connaître ce que l'on voit, où la connaissance
est désespérée de connaître[20] ».

Le même phénomène est perceptible dans le
choix des lieux. Ils illustrent le double mouvement
qu'implique la mise en route de l'écrivain. Mouvement premier par lequel elle accueille la « masse de
vécu » et mouvement second, de retrait, qui lui permet d'en rendre le discontinu. D'où un permanent
va-et-vient. Tantôt elle parle d'ouverture et tantôt
de clôture : « Quand j'écris, j'ai le sentiment d'être
dans l'extrême déconcentration, je ne me possède
plus du tout, je suis moi-même une passoire, j'ai la
tête trouée[21]. » Le Fou de *La Femme du Gange* ou la
femme du *Camion* ne sont pas loin d'elle. L'un a
« une forme creuse, traversée par la mémoire de
tout ». Par là, il peut écrire « complètement le fabuleux cheminement à travers les vents et marées, les
forteresses, les océans du vécu et la page à la fin »
(*Le Camion*, p. 125). L'autre

« aurait dit : j'ai la tête pleine de vertiges et de cris.
Pleine de vent
Alors quelquefois j'écris. Des pages, vous voyez »
(*Le Camion,* p. 35).

À la dispersion succède l'engouffrement en soi-
même. La métaphore d'un espace clos s'impose, la
« chambre noire », le « logement en soi » où se
fomente l'écrit (*Le Camion*, p. 103). Dans l'œuvre,
elle a recours à deux types de lieux. Soit un lieu
ouvert, public, comme la plage, le bord des fleuves,
la ville, le parc ou la forêt, le square, soit un lieu
fermé, bar ou paquebot, maison, chambre. Ceux-ci
représentent une « clandestinité et font une invite
particulière ». Or, écrire n'est rien d'autre qu'une
clandestinité[22].

En suivant ce principe, on remarque que le
temps textuel trouve sa correspondance avec le

temps de la création : temps d'une rencontre, d'un ravissement, de longs dialogues, de l'errance. Dans *Le Vice-Consul*, Peter Morgan évoque ainsi le livre qu'il consacre à une mendiante de Calcutta : « Elle, ce serait une marche très longue, fragmentée en des centaines d'autres marches toutes animées du même balancement – celui de son pas – elle marcherait et la phrase avec elle » (p. 180). Synchronie des parcours : celui de la mendiante qui chemine, celui du récit qui avance, l'une et l'autre vers l'inconnu. On ne quitte pas le champ solitaire où, dans une lutte indécise, s'affrontent les puissances nomades de l'inspiration.

Les personnages en sont, au premier chef, les signes ou les témoins épars, sans que, pris dans cette perspective, on les y enferme. Certains d'entre eux sont engagés dans l'« activité même qu'on accomplit en les créant », comme le dit André Gide d'Édouard, le romancier des *Faux-Monnayeurs*. Pas plus qu'Édouard, Peter Morgan n'est le double fictif de l'auteur, mais, à travers lui, Marguerite Duras dessine le filigrane de ses préoccupations. Émily L., personnage éponyme, tient du poète américain Emily Dickinson, « arc tendu entre des extrêmes » et dont l'œuvre est une parade sauvage. Semblable à ce modèle, elle met à nu le déchirement d'avoir entrevu des « rais de soleil » qui blessent « comme des épées célestes » et de ne pas retrouver le poème qui les aurait dits (*Émily L.*, p. 113). Émily L., Emily Dickinson, et, derrière, Hölderlin peut-être. Aurélia Steiner écrit l'histoire « des juifs de tous les temps » (*Les Yeux verts*, p. 160). Jacques Hold invente celle de Lol V. Stein, mêlant le faux et le vrai, ouvrant des tombeaux « où Lol fait la morte » (*Le Ravissement de Lol V. Stein*, p. 37), et, tel l'écrivain, cherche sa terre promise, le lieu d'une coïncidence soudaine et convaincante. Tout se passe comme si elle inscrivait en eux les modalités de l'acte par lequel elle les façonne.

Lorsqu'ils n'ont pas cet emploi, ils lui permettent

d'arracher le lecteur à sa confortable insuffisance. À travers eux, ses regards se portent vers les espaces énigmatiques où entre en jeu le déchaînement des instincts. Si elle se reconnaît fascinée par les prostituées, les fous, les criminels[23], c'est que l'écriture la transporte dans des zones aussi vertigineuses. Ses personnages manifestent donc une certaine conception de la personne qu'elle revendique comme sienne, ils se ressemblent et lui ressemblent. Féminins en majorité parce que, pour elle, l'homme se prive de l'abandon aux émotions là où la femme vit d'elles, sans les médiatiser. Masculins, plus rarement, alors porteurs d'une obscurité « de nature féminine », leur référence se trouve en Blaise Pascal, chez qui elle décèle le progrès d'une possible androgynie « dont il est sorti des fulgurances qui n'ont jamais été dépassées en intensité et en violence[24] ». S'en souvient-elle lorsque Jean-Marc de H. crie son amour pour Anne-Marie Stretter : « Je ne sais que crier. Et qu'ils le sachent au moins qu'on peut crier un amour » (*India Song*, p. 100)? En tout cas : « Les hommes n'auraient pas osé faire crier le vice-consul comme il crie. Ils auraient tout de suite parlé de décence ou d'indécence[25]. » Ignorant ces distinctions, elle dédaigne les masques : « Je n'aime que les gens vulnérables. Je pense que ce sont les seuls à être réellement vivants[26]. » Baudelaire est à l'horizon de la phrase, pour qui la sensibilité de chacun est son propre génie. Cet aspect principal des héros et des héroïnes s'accompagne d'un autre trait chez les secondes : elles se situent loin de toute rationalité, de toute connaissance qui n'emprunterait pas à la plénitude infinie de leur imaginaire. Elles touchent au fond obscur des choses et s'y plaisent, prêtresses de mystérieux cérémonials ou sphynges, certaines et incertaines d'elles : « Quelqu'un qui n'est pas du tout perdu... qui a réponse à tout, c'est épouvantable. Oui, la femme a cette grâce-là, qui est incomparable, d'être dans une perdition constante... être perdu, c'est superbe. Ça

15

relève encore de l'enfance. Tous les enfants sont perdus... J'aime beaucoup ça chez les femmes[27]. » Cette prédilection conduit Marguerite Duras à écarter d'elles tout ce qui les couperait de leur affectivité fondatrice. De la réserve et de la circonspection d'abord : « Ce que je n'ai pas dit, c'est que toutes les femmes de mes livres, quel que soit leur âge, découlent de Lol V. Stein. C'est-à-dire d'un certain oubli d'elles-mêmes. Elles ont toutes les yeux clairs. Elles sont toutes imprudentes, imprévoyantes. Toutes, elles font le malheur de leur vie. Elles sont très effrayées, elles ont peur des rues, des places, elles n'attendent pas que le bonheur vienne à elles » (*La Vie matérielle*, p. 32). De la réflexion ensuite : « La réflexion est un temps que je trouve... douteux, qui m'ennuie. Si vous prenez mes personnages (...), ils précèdent tous ce temps-là », et d'ajouter : « C'est sans doute l'état que j'essaie de rejoindre quand j'écris[28]. » Comme elle en accord avec des pulsions incontrôlables, ses héroïnes en passent par la disponibilité ou par l'attente, qui sont le revers d'une ardeur contenue et non la marque d'une absence au monde. C'est pourquoi, si elle ne décrit pas de femmes *cheerful and gay* et si celles de ses livres incarnent, de manières diverses, la douleur de vivre, la douleur d'écrire, aucune beauté chlorotique ne se glisse parmi elles. Malades ? Oui, mais leur maladie est celle du refus, d'une « transgression impossible[29] ». Folles ? Oui, mais leur folie est symbolique. Qu'elles soient souvent en marge, ailleurs, lointaines, ne fait que corroborer leur rapport à celle qui les invente. L'écrivain n'est-il pas toujours lointain, ailleurs, en marge, pendant qu'il écrit ? Par ailleurs, leur voix, qui tente de concilier le durable et l'éphémère ou de se tenir à leur point d'assemblage, rend à chacun de leurs mots son indétermination suggestive ou sa précision acérée. Si le mot manque, si une détresse s'éprouve à le chercher, elles ne se taisent pas. Comme la Paulina de Pierre Jean Jouve, elles hurlent sans bruit.

L'écrivain au miroir.

Marguerite Duras *possède* ses héroïnes, mais on n'en conclura pas que, déprimées, exsangues, elles sont les victimes évanescentes d'un écrivain qui garde en lui «leur sens, leur sort, leur ressort et leur sang[30]». À l'opposé, elle les leur donne en les reliant étroitement au lieu dérobé de l'écriture. De là leur opacité, de là leur transparence. De là leur puissance prégnante. Ce sont feux enclos.

Parlera-t-on de narcissisme? Le terme est galvaudé. Marguerite Duras n'ignore pas la fonction spéculaire de l'écriture. Mieux, elle l'exhibe dès *La Vie tranquille*, où Françou éprouve que l'ontologie du sujet est problématique : «J'étais couchée lorsque je me suis aperçue couchée dans l'armoire à glace; je me suis regardée (...). Je ne me suis pas reconnue. Je me suis levée et j'ai été rabattre la porte de l'armoire à glace. Ensuite (...), j'ai eu l'impression que la glace contenait toujours dans son épaisseur je ne sais quel personnage, à la fois fraternel et haineux, qui contestait en silence mon identité» (*La Vie tranquille*, p. 122). *La Musica deuxième* reprend une image d'*Aurélia Steiner*. Anne-Marie Roche parle à son reflet dans la glace, elle pleure. On entend son récit «cohérent et terrible, sans commencement ni fin» (p. 92). «C'est emblématique, dit Marguerite Duras. Elle passe à l'éternité. Elle écrit de ça. Elle est en train, devant sa glace, nue, d'écrire l'histoire d'un amour[31].» «Je suis l'autre?» inscrit Gérard de Nerval sous la gravure de Gervais qui le montre, plume et encrier auprès de lui. Aurélia Steiner est placée de la même façon qu'Anne-Marie Roche : «Que je vous aime à me voir. Je suis belle tellement, à m'en être étrangère» (*Aurélia Steiner*, p. 142). Cette dissociation du moi, l'amour porté à l'écriture en train de se faire, à soi-même écrivant, rappellent encore Gide. Rédigeant *La Porte étroite*, il constate dans son *Journal* ne pouvoir écrire et penser qu'en face d'un miroir, sans même passer par le détour de la fiction. Instances et trajets créatifs diffèrent à l'évidence chez ces auteurs, mais tous deux veulent être reconnus pour ce qu'ils ont choisi d'être : des écrivains.

L'histoire de ma vie n'existe pas

Quand écrire devient façon de vivre, bientôt l'œuvre dévore la vie. Marguerite Duras sait en sourire : « C'est vraiment le dernier des métiers », mais, la plupart du temps, la gravité l'emporte : « C'est douloureux, angoissant, cela prend la place (...) d'un certain bonheur[32]. » Ou bien elle s'interroge : « Qu'est-ce que c'est que ce besoin constant, parallèle à la vie, constant d'écrire[33] ? », « qu'est-ce que c'est que cette route parallèle, cette trahison fondamentale de tous et de soi ? Qu'est-ce que c'est que cette nécessité mortelle[34] ? » Pas un mot ne donne le fini de la certitude, sinon celle d'une *ananké* intérieure, qui impose soumission. On ne peut ni la fuir ni la légitimer, et elle conduit vers des royaumes improbables dont les richesses précaires sont les plus espérées, tandis que les plus accessibles pâlissent auprès. Le texte ne s'édifie que sur les ruines de la vie quotidienne : « On a une vie très pauvre, les écrivains, je parle des gens qui écrivent vraiment (...). Je ne connais personne qui ait moins de vie personnelle que moi » (*Le Camion*, p. 125).

Dans l'arsenal des métaphores, fréquentes sont celles qui proclament la destruction, voire l'autodestruction. L'écriture en est troublée qui ramène les éléments du trouble. Marguerite Duras rapporte ces mots du jeune public de *La Femme du Gang* : « Ils ont dit que ce qu'ils cherchaient, c'était être eux-mêmes, et que j'y étais arrivée, moi, à être moi, et que ce fait d'y arriver était un suicide, c'était un suicide de tous les autres possibles de soi[35]. » Être moi, c'est-à-dire être écrivain, implique de se perdre comme la mendiante du *Vice-Consul*. Cependant, se perdre ainsi n'est que sacrifice consenti, espoir que la perte mène au meilleur. Parlant du couturier Yves Saint-Laurent qu'elle considère comme un pair : « Si loin des mots que puisse paraître son travail je ne l'ai jamais séparé de l'écriture », elle observe : « Je dirais qu'il y a des gens comme lui qui sont tentés par la perte de soi, plus encore, par le massacre de cet aspect de soi que certains appellent la vie[36]. » Suicide, perte, massacre et, sur le mode mineur, abandon de soi : « Je peux écrire à la place de me conserver en vie, oublier de manger. Cela a eu lieu pendant que je faisais *Aurélia Steiner* » (*Les Yeux verts*, p. 181). La solitude devient sa patrie : « S'il n'y avait pas de solitude, on n'écrirait pas[37] », et tout son effort porte sur un allégement. Elle se libère de son importance pour que le livre en prenne à sa place[38] :

> « Elle aurait dit savoir ne pas exister. En détenir une certaine preuve... interne.
> Elle dit : comment dire :
> Intérieure ?
> Interne ? » (*Le Camion*, p. 55).

Marguerite Duras prend les mots du personnage à son compte : « J'ai moi-même le sentiment de ne pas exister » (p. 123).

De là que le métier d'écrivain suppose « la plus grande liberté, le plus grand oubli, la plus grande paresse, la folie[39] ». De là qu'autrui n'a guère à y voir. Tout à son objet, elle garde conscience de « manquer » à tel ou tel quand elle écrit, mais passe outre : « Ce qui m'empêche d'écrire, c'est vous. » Si l'autre, réduit au rôle d'obstacle, se révolte : « Je me fous complètement de ce que vous écrivez, ça vous regarde », la réplique est sans appel : « Oui, ça me regarde, moi seule. De toute façon, je ferai ce que je voudrai. » Dans ce dialogue d'*Émily L.* (p. 56-60), l'intransigeance joue à proportion de la place accordée à la création littéraire, démesurées toutes deux. C'est contre d'autres passions, amoureuses par exemple, qu'elle assure l'empire de l'écriture. Maris ou amants doivent pouvoir s'entendre dire ce que dit au vice-consul le romancier Peter Morgan : « Excusez-nous, le personnage que vous êtes ne nous intéresse que lorsque vous êtes absent » (p. 147). Inscription dans le texte de faits vécus : « Même quand j'étais embarquée dans des histoires avant, si violentes qu'elles soient, ça a rarement remplacé cette autre passion de n'être rien qu'une mise à disposition totale vers le dehors[40] » (*Le Camion*, p. 125). Édifice hiérarchique dont le plus haut palier appartient, envers et contre tout ou tous, à l'écriture. Marguerite Duras ne se lasse pas d'en explorer l'extraordinaire domination sur elle.

Dans ce théâtre expérimental, il arrive que l'être se dédouble et, cette fois, sans le plaisir du jeu de miroir. En lui, l'un hésite, trébuche, l'autre installe l'éternité. La subversion du principe d'identité, jeu irrespectueux chez Borges, prend, ici, un tour tragique. Affirmant : « Je sais bien que j'écris. Je ne sais pas très bien qui écrit », elle raconte, après *L'Été 80* : « J'étais dans un malheur total parce que je ne pouvais en aucun cas rejoindre celle qui avait écrit ça. J'étais bouleversée par celle qui avait vu la mer, qui avait vu cet enfant, qui avait couru sur les collines d'argile, le long de la mer. J'étais dans un état de colère, comme ça, de la vie, que la vie vécue ne puisse pas rejoindre ça. J'étais jalouse de moi[41]. » Ce moi-là, quand elle en soupçonne les pouvoirs, ne se présente que comme un rival effrayant. Il participe d'un ordre ressenti comme l'état supérieur d'un désordre et renvoie l'existence à son insignifiance. En revanche, il magnifie un présent qui, sans lui, se dissémine. Il donne une connaissance que la vie disperse : « Ma vie est un film mal doublé, mal monté, mal interprété, mal ajusté, une erreur en somme » (*La Vie matérielle*, p. 139). Marguerite Duras est ainsi amenée à vider de son sens le mot « histoire ». Il ne rend compte d'aucune vérité profonde. Ni dans la vie : « Mon histoire elle est pulvérisée chaque jour, par le présent de la vie et je n'ai aucune possibilité d'apercevoir clairement ce qu'on appelle ainsi : la vie » (*La Vie matérielle*, p. 88). Ni dans les livres : « Écrire, ce n'est pas raconter des histoires. C'est le contraire de raconter des histoires. C'est raconter tout à la fois » (*La Vie matérielle*, p. 14). Lorsqu'on la questionne à propos d'*India Song* ou d'*Agatha*: « Comment arrivez-vous à vivre avec l'intensité de l'amour dont vous parlez ? », elle répond : « L'intensité, elle est dans mes livres, dans mes films. Je ne la vis pas[42]. » Le livre est donc souvent réceptacle de l'événement d'hier, non d'aujourd'hui, mais aussi moyen d'exalter ce que l'on a mal connu, pour cause de douleur ou de malheur trop grands. Tel est le cas de *L'Été 80* où l'écrit vient au secours de la vie, tente d'en compenser le défaut, et la condamne par contumace. Là ne se bornent pas ses fonctions.

Dans *Les Yeux bleus cheveux noirs*, le personnage féminin se pose en « écrivain » (p. 39), terme que Marguerite Duras commente ainsi : « C'est la chose qui rend le plus supportable la vie[43] », retrouvant l'implicite éventualité du suicide, ici recours contre l'inanité du monde. La récurrence du parallèle établi entre écrire et mourir témoigne d'une résolution foncière : « Le remplacement physique du moi par le livre ou par la mort[44]. » Admettant qu'en toute logique elle devrait s'être tuée comme Anne-Marie Stretter dans *India Song* pour manifester un refus non « social » mais « religieux », le refus global de la condition humaine, elle choisit l'autre voie : écrire. En sorte que, malgré la valeur suprême qu'elle accorde à l'écriture, elle n'y voit pas la « justification profonde (qui) serait peut-être de se tuer tout simplement, d'oser affronter cette vacance, cette absurdité phénoménale qu'est l'existence[45] ». Elle l'illustre dans *La Vie matérielle*. Sur une plage de Cabourg, elle observe un enfant immobile. Le soir vient. Il ne quitte pas sa place. À force de scruter cette image insolite, elle comprend : l'enfant est paralysé – ses deux jambes « maigres comme des bâtons ». Il attend qu'on vienne le chercher. Elle

22

écrit : « Quelquefois on dit je vais me tuer, et puis on continue le livre » (p. 71), ce qui éclaire une autre formulation : « Écrire c'est se tuer mais pas par la mort[46]. » L'intelligence de l'« ineptie grandiose, incommensurable de la vie » (*Les Yeux verts*, p. 143), que les protagonistes du *Vice-Consul* ou d'*India Song* possèdent à parts égales entre eux et avec l'auteur, renvoie à l'alternative : écrire, mourir. Anne-Marie Stretter se noie dans la mer indienne « parce qu'elle n'écrit pas[47] ». Jean-Marc de H., qui vit dans une suite d'actes désespérés, est « quelqu'un qui a oublié qu'on pouvait écrire[48] » et Claire Lannes dans *L'Amante anglaise* « a envie de tuer comme nous tous. Si elle écrivait elle ne tuerait pas. Son crime est plus signé encore qu'un livre[49]. » L'écriture fonctionne comme un substitut de la mort. Elle est l'œil de la catastrophe. C'est là son office majeur ou plutôt sa seule raison d'être.

La vision pathétique d'un monde où, pour reprendre le mot d'Artaud, le mal est la permanence, surgit au centre de tous les textes de Marguerite Duras et fait de chacun une complexe anamorphose. Ils pourraient être messages, invites au lecteur et ils le sont, mais de biais, par raccroc, sans intention de partage. Le livre n'est pas tributaire de la communication qu'il assure. Marguerite Duras approuve Blanchot quand il considère que la véritable écriture est autarcique. Irait-elle jusqu'à dénoncer avec lui l'« insignifiance des œuvres faites pour être lues[50] » ? Non, sans doute, mais, pour elle, l'écrivain n'est proie que de lui-même, « dans ces lieux limitrophes de ceux de la passion, impossible à cerner, à voir et dont rien ne peut le délivrer » (*Les Yeux verts*, p. 166). Au demeurant, souhaite-t-il cette délivrance ?

Écrire, c'est
ne pas pouvoir éviter de le faire

À quel moment Marguerite Duras a-t-elle commencé à écrire ? Les réponses varient : à dix ans, à douze ans en composant des poèmes, à dix-huit ans, ou bien avec *Les Impudents* par ennui de la guerre. Le plus juste est ceci : « Je ne peux pas me souvenir d'un âge où l'idée m'a traversée que je pourrais être autre chose qu'un écrivain[51]. » Écrire, est-ce un travail ? Oui et non : « Je travaille comme une brute », dit-elle dans *Le Camion* (p. 125), et dans *Outside* : « À ce moment-là, j'écrivais des livres huit heures par jour » (avant-propos), assertions qui se résument ainsi : « Le mot écrire, c'est être là à cette table tous les jours que Dieu fait, tous les jours, tous les jours. » La suite étonne : « Oui, c'est être là tous les jours, à être comme ça à ne rien faire[52]. » Ne rien faire ? Travailler ? Il y a travail et travail. Occupation conviendrait mieux : « Le véritable travail est imposé de l'extérieur. Horaire et horreur : pour moi deux mots équivalents[53]. » *Les Yeux verts* résout le dilemme : « Écrire, non plus, non, je ne crois pas que ce soit du travail. Je l'ai cru longtemps, je ne le crois plus. Je crois que c'est un non-travail. *C'est atteindre le non-travail.* » (p. 17). Et encore, écrire, est-ce plaisir ? Jeu d'enfant ? Tour de force ? Parlant des *Petits Chevaux de Tarquinia,* elle concède : « Oh, je pourrais en faire un en quinze jours, des livres comme ça. J'ai cette vulgarité en moi, je l'ai. C'est une sorte de facilité que j'ai, que j'avais à l'école, vous savez, la même. Je peux torcher un livre en trois semaines, n'importe quoi. *La Musica,* qui s'est jouée dans le monde entier, elle est de cette veine-là[54]. » Facilité, vulgarité, les mêmes mots sont dits à Montréal : « C'est une facilité d'écrire. C'est une vulgarité aussi[55]. » Leur portée est différente. Écrire, alors qu'autour de soi le monde lutte contre sa faillite, paraît, certains jours, dérisoire. Pourtant, tenue par l'écriture, qui n'est

Marguerite Duras, en 1955,
dans son appartement de la rue Saint-Benoît.

pas, dans son expérience, hétérogène à l'expérience du monde, elle connaît aussi le tourment d'écrire : « J'écrivais comme on va au bureau, chaque jour, tranquillement, je mettais quelques mois à faire un livre et puis tout à coup, ça a viré. Avec *Moderato Cantabile*, c'était moins calme. Et puis, après Mai 68, avec *Détruire,* alors c'était plus du tout ça, c'est-à-dire que le livre s'écrivait en quelques jours et c'est la première fois que j'ai abordé la peur avec cela. Si enfin, ça avait commencé avec *Le Ravissement de Lol V. Stein*[56]. » Cette peur a des causes différentes, causes extérieures, inculquées, et causes intérieures.

Parce qu'elle est femme et écrivain, elle dit avoir subi des brimades en raison de cette double condition. Ou bien l'on refusait de prêter attention à sa recherche romanesque : « C'était une chose dont on ne parlait pas, comme une syphilis cachée[57]. » Ou bien on lui adressait des recommandations. Dans *La Création étouffée,* elle en instruit le procès : « Pendant toute ma jeunesse, j'ai été ensevelie sous les conseils des hommes qui m'entouraient (...) : "Ne te fais pas remarquer. Ne te ridiculise pas. (...). Refuse de parler à la radio, à la télévision, refuse les interviews. (...). Travaille plus. (...). Ne parle pas de tes livres comme tu le fais, ça ne se fait pas, on ne parle pas de ses propres livres. Ne fais pas de journalisme. (...). Ne fais plus de cinéma, tu vois bien que tes films ne marchent pas. Tiens-toi tranquille, ne fais pas la folle de Chaillot. (...). Écris dans ton coin, c'est tout." » (p. 175). Elle n'écoute rien et retient tout pour en prendre le contre-pied exact. Non point chêne, mais roseau. Elle conquiert sa « première liberté » avec *Moderato Cantabile* – « J'avais mis des années à y arriver » – et rencontre des craintes pires.

Moderato Cantabile naît d'une aventure érotique qui la conduit à une crise suicidaire et lui impose le choix d'une « forme d'autant plus rigoureuse que l'expérience (a été) vécue violemment[58] ». À partir de là, elle va vers ce qu'on laisse d'ordinaire dans le demi-jour comme malséant. Contre les multiples académismes, elle défend les puissances premières : désir d'amour, désir de mort. Vouloir exprimer par le langage ce qui n'entre pas dans l'entendement, la confusion pléthorique des sensations ou des sentiments ou, comme le dévide un long monologue de *L'Amante anglaise*, le « grouillement multiplication, et division, (...) le gâchis et tout ce qui se perd et cætera et cætera » (p. 162), bref, calmer sans le tarir le torrent des mots la plonge dans un état dangereux. D'abord, il faut reprendre le livre interrompu, en passer par l'inquiétude avant de renouer les fils abandonnés la veille : « L'épreuve d'écrire, c'est de rejoindre chaque jour le livre en train de se faire et de s'accorder une nouvelle fois à lui, de se mettre à sa disposition[59]. » Le rejoignant, elle éprouve un trouble physique : « Je sais que le lieu où ça s'écrit, où on écrit – moi quand ça m'arrive –, c'est un lieu où la respiration est raréfiée, il y a une diminution de l'acuité sensorielle[60]. » S'élève une appréhension : « Je ne sais pas ce que ce livre va être, je ne sais pas ce qui arrivera dans une heure, dans trois heures, dans quinze jours, je ne sais rien de ça[61]. » Elle s'en ouvre à Luce Perrot pendant l'été de 1988 : « Des fois on a peur de mourir avant que la page soit pleine. (...). On connaît les repères, on connaît l'événement auquel on veut aboutir, mais il faut amener le texte à ça. (...). Je pense que c'est, effectivement, l'activité qui fait que la pensée de la mort est là chaque jour[62]. »

Pour se prémunir contre ces bouleversements, cherche-t-elle une aide dans quelque démarche apaisante ? Non. Ses textes, comme les poèmes d'*Émily L.*, peuvent, dans le temps de leur gestation, n'avoir aucun début, s'écrire par le milieu ou par la fin, sans règle aucune. La quête engendre d'autres quêtes, qui sont parties intégrantes du livre, et ne dépend d'aucun système. La désorientation se projette à l'avant d'elle-même, à l'avant du livre, scellant dans une économie fluctuante ce double élan. Ce qui se dévoile de soi s'oublie sitôt dévoilé. Là réside un égarement plus essentiel pour l'écrivain, là résident, selon la parole de René Char, « sa nouveauté, son infini et son péril ». Une certitude naît cependant de tant d'incertitudes. Le lieu de l'écrit est toujours désigné comme l'« endroit de la passion[63] », car on n'y atteint rien de même que « dans l'invivable du désir » (*Les Yeux verts*, p. 167).

Dire l'importance de la passion et de la folie chez Marguerite Duras est un cliché nécessaire. Elle y porte tout l'aigu de son attention. Passion, folie, enthousiasme – si l'on s'en rapporte à l'étymologie : un dieu au-dedans de soi – ne la laissent pas indemne. À trop s'approcher de leurs feux, elle en est prise d'angoisse au moment du *Ravissement de Lol V. Stein* : « J'écrivais et tout d'un coup, j'ai entendu que je criais, parce que j'avais peur. (…). C'était une peur (…) de perdre un peu la tête…[64]. » La folie désigne aussi, chez elle, l'inconvenance fondamentale de l'écrit à laquelle fait allusion *L'Amant* : « Il faut être fou pour exposer, comme ça, son écriture. Se mettre dans le livre et vendre le livre. Il y a plus de pudeur chez la pute du bois de Boulogne qui se montre toute nue. Écrire est plus impudique. (…). On le fait très naturellement quand c'est là, quand pour vous, il n'y a plus de choix[65]. » Baudelaire consigne dans ses *Journaux intimes* : « Qu'est-ce que l'art ? Prostitution. »

Pour Marguerite Duras, cependant, pas d'autre route que l'écriture, « injonction interne », appel impérieux, voix des sirènes, corrosion de l'être et, bien plus encore, ascension vers le matin de l'existence : « En vivant *L'Amant*, je devais vivre l'écriture avant la lettre (…). C'était ça, cette hardiesse, cette insolence de l'enfant au feutre d'homme et aux souliers de bal[66]. » Comparée à Jean Cocteau, elle s'étonne à peine : « Peut-être que Cocteau avait ça aussi, cette liberté, disons le mot, cette enfance que j'ai encore. Que j'aurai toujours[67]. »

2
Les enfances Duras

> Enfants, à la pleine lune, on lisait la nuit
> sur la vérandah du bungalow, face à la forêt
> du Siam.
>
> Marguerite Duras

Les plus anciens souvenirs conservent dans les écrits de Marguerite Duras la lumière aurorale propre à toute genèse et ne semblent pas peupler d'abord une nostalgie. Le passé, elle l'assiège et le circonvient afin d'en mieux saisir les qualités incomparables. L'enfance devient ainsi pierre angulaire de l'œuvre. Un autre moment de sa vie inspire-t-il ses romans ? « Non. Rien en dehors de mon enfance[68] », « tout ce que j'ai vécu après ne sert à rien. Il a raison Stendhal : interminablement l'enfance[69]. »

Née en Cochinchine, mais installée en France à dix-huit ans, elle ne s'est jamais déliée ni des « Flandres tropicales » (*L'Amant de la Chine du Nord*, p. 48), ni de ses années d'autrefois : « Ce n'est pas parce qu'on se déplace qu'on est coupé de son enfance (...). Le lieu natal que j'ai, il est pulvérisé. Et si vous voulez ça, ça ne me quitte jamais » (*Les Yeux verts*, p. 199). Toute l'écriture dépend d'une recherche de l'espace aussi bien que du temps perdus. Par elle, promis à une durée sans péripétie, ils gardent une aura intacte. Sans les borner à l'exotisme dont ils auraient pu se parer, la rupture les recompose et les glorifie. À partir d'eux se dessine

« *On mangeait les fruits, on tuait les bêtes,
on allait pieds nus dans les sentiers, on nageait
dans les petites rivières, on allait chasser le crocodile,
on avait douze ans.* »

l'horizon de l'œuvre. Au long des livres ou des films, divers motifs s'ordonnent, feignent de s'égarer, puis réapparaissent au détour d'une phrase : moteur visible ou invisible, toujours profond. Écheveau à démêler. Mais le démêlage est arbitraire, qui efface les interférences et ôte son unité à un ensemble gouverné par la luxuriance des paysages, la misère, la richesse, l'inégalité, la mère et les frères, le désir, la vie difficile, la précocité amoureuse, la chaleur, les oiseaux, la lèpre, la peur, la pluie. Sorte d'épopée dont le récit aurait presque disparu, fragmenté dans des images, des sons, des couleurs et des instants, une épopée de tous les possibles : « Qui ne serait pas tombé dans l'épopée avec une enfance comme ça[70] ? »

Cette mythologie qu'est l'enfance

Annamite, enfant maigre et jaune (*Outside*, p. 277), jeune fille d'Indochine (*L'Amant*, p. 120), créole[71], c'est sous cet aspect – la *species* du miroir – que se désigne Marguerite Duras. Son attachement indestructible à une terre où la nature et le climat semblent « comme faits pour les enfants » (*La Vie matérielle*, p. 70) est à l'origine d'une double détermination : ne pas se souvenir, ne pas oublier. Ne pas vouloir se souvenir : « Je ne me sens pas française », dit Marguerite Duras à Elia Kazan (*Les Yeux verts*, p. 200), et à Xavière Gauthier : « Peut-être que je suis en sursis depuis que je suis en France dans cette patrie pourrie[72]. » Ne pas pouvoir oublier : « C'est ça que je découvre maintenant, c'est que c'était faux, cette appartenance à la race française, pardon, à la nationalité française. (...). On était plus des Vietnamiens, vous voyez, que des Français[73]. »

Dans cet écartèlement – « Je ne suis née nulle part » (*La Vie matérielle*, p. 70) –, elle trouve le principe de son rapport au monde et à la création litté-

*Sur ce collage composé par Marguerite Duras,
on distingue, de haut en bas et de gauche
à droite, l'écrivain et son fils Jean, sa mère, elle-même
seule ou en compagnie du « petit frère », son père
et la photographie d'une promenade
en calèche à Vinh-Long.*

raire. Trois circonstances en forment le soubassement : n'être pas née dans des « pays accessibles » (*Les Yeux verts*, p. 200), avoir goûté la liberté, avoir connu la pauvreté. Les sensations, voire les spectacles qu'offrent les continents lointains aux imaginatifs, elle les porte en elle depuis toujours. Par ailleurs, sa mère, préoccupée par le lotissement incultivable qu'on lui a attribué, ne dispense pas d'éducation stricte. Ainsi se déroule une enfance préservée de toute obligation : « Là-bas on vivait sans politesse, sans manières, sans horaires. Moi, je parlais la langue vietnamienne. Mes premiers jeux c'était d'aller dans la forêt avec mes frères. Je ne sais pas, il doit en rester quelque chose d'inaltérable, après[74]. » Enfin, écartée de la société blanche qui faisait fortune en pratiquant trop souvent la « filouterie colonialiste[75] », elle n'en garde pas de véritable amertume : « À cause de la profession de ma mère, on a eu cette chance d'être relégués au rang des indigènes. (...). C'est pour cela, par la suite, que j'ai pu écrire, soulever tout ce que ça recouvrait[76]. » Cependant, avant que sa mère ne soit réduite à vivre « de ses pensions de veuve et de retraitée de l'enseignement colonial » (*L'Éden Cinéma*, p. 23), s'amorcent autour d'elle des conflits, larvés puis violents. Deux conséquences, au moins, en découlent.

Dans son œuvre comme dans sa vie, Marguerite Duras manifeste une vive sensibilité à l'égard de tous les opprimés, de toutes les oppressions. Plus largement, se développe en elle la conviction que la vie n'est qu'un « accident mathématique », qu'il y a une malfaisance « définissante de l'homme » et que tout cela est irrémédiable[77]. Rançon d'une épreuve qui, prenant place très tôt dans l'histoire personnelle, s'y incruste définitivement. Présentant les textes de *La Vie matérielle*, elle écrit : « Aucun ne reflète ce que je pense en général du sujet abordé parce que je ne pense rien, en général, de rien, sauf de l'injustice sociale » (p. 7). Mais l'apitoiement n'est pas plus de rigueur que les antagonismes canoniques entre riches et pauvres, bourgeois et ouvriers, colons et colonisés. Si elle se place du côté de la dignité bafouée, elle sait de quoi il retourne lorsque la parole de l'individu devient langue de bois. Elle maudit la malhonnêteté du vampirisme colonial, mais observe aussi : « Sur certains points, je suis toujours un peu réticente quand on me parle de colonialisme. Les instituteurs étaient vraiment des fonctionnaires passionnés qui se tuaient au travail et qui avaient des soldes de misère[78]. » Alors, procès des plus favorisés ? Cette vue serait rapide et fallacieuse. Dans *Véra Baxter*, bien que Jean soit un promoteur fortuné, elle ne se sert pas de lui pour verser dans les accusations simplistes : « Il y a aussi un racisme vis-à-vis des riches. Les riches ne sont pas que ça, riches. Personne n'est que pauvre ou que riche ou que menteur, ou que sincère, bon, mauvais, personne » (*Le Camion*, p. 118).

La seconde conséquence est d'un ordre un peu différent. On l'a vu, c'est comme d'une « chance » qu'elle parle des revers familiaux, et l'on n'a pas de mal à reconnaître le parti qu'elle en a tiré : « Il y a infiniment plus de variété, de richesse finalement, comment dirais-je de vastitude – si on peut dire – dans la pauvreté que dans la richesse. (…). J'ai vécu ça en Indochine (…). C'était une région très très pauvre et c'est peut-être là le pays le plus gai que j'aie traversé dans ma vie » (*Les Yeux verts*, p. 208). Dégagée de la chronique réaliste d'une enfance, elle en charge à vif les survivances dont *Un barrage contre le Pacifique* porte témoignage. Là, pour la première fois, coïncident le cadre géographique et l'aventure familiale, mais le livre n'en donne pas l'exacte image. « Je voulais que ce soit harmonieux (…). C'est beaucoup plus tard que je suis passée à l'incohérence[79]. » Réorganisés, transposés, viennent pourtant au jour les plus grands moments. Encore a-t-il fallu apaiser la souffrance que certains d'entre eux avaient entraînée. Demeure

Paysage du Vietnam.
« *Et ce fleuve, cet enchantement, toujours, et de jour
et de nuit, vide ou peuplé de jonques, d'appels, de rires,
de chants et d'oiseaux de mer qui remontent jusque-là
de la plaine des Joncs.* »

une mémoire éblouie, moins souvenir que devenir. Mais aucun détail, pris à part, n'explique l'ensemble. C'est l'ensemble montré, caché, tremblé, comme on le dit d'une photographie, qui impose des vérités progressives enchaînées jusqu'à *L'Amant* et alors libérées : « J'y ai mis le tout de moi à la vitesse extérieure (...). Il n'y a pas de reste. Ni de moins ni de plus[80]. » Entre *Un barrage contre le Pacifique* et *L'Amant de la Chine du Nord, Des journées entières dans les arbres, L'Éden Cinéma* et *L'Amant* assurent le passage des éléments assignés à rendre compte d'un espace-temps ineffaçable : « J'ai des souvenirs... ah ! plus beaux que tout ce que je pourrai jamais écrire[81]. »

Ces souvenirs s'élèvent de paysages où se conjoignent l'eau et la forêt que l'on retrouve d'œuvre en œuvre, comme un contrepoint obligé jusque dans *Le Ravissement de Lol V. Stein, Le Vice-Consul, Détruire, dit-elle, Nathalie Granger* ou *L'Amour*. L'eau, à la fois matière, forme, symbole, y prend plusieurs sens. Fluviale, maritime, de delta, mariée à d'autres éléments, changée en boue, en brume, attirante, destructrice, elle connote tout le temps de l'enfance : « Mon pays natal c'est une patrie d'eaux » (*La Vie matérielle*, p. 69). Dans *Un barrage contre le Pacifique*, Suzanne et Joseph jouent auprès des *racs*, comme Marguerite Duras dit avoir passé là des heures avec son plus jeune frère, y chassant des singes et des caïmans qui se mangeaient cuits à la saumure ou des oiseaux de mer à l'odeur de poisson[82]. À Sadec, sur le Mékong, les sampans noirs, les jonques, le fleuve « parfumé par le feu et les herbes bouillies » (*Outside*, p. 279) sont le décor des loisirs adolescents. Dans *L'Éden Cinéma*, les mêmes Suzanne et Joseph esquissent à nouveau, dans leur dialogue, ce qui apparaît, à ce stade, comme un merveilleux haut en couleur où l'accélération du défilé des images et les sonorités des noms propres prouvent que la vision s'amplifie, restituant au-dehors le secret de ce qui n'est que pour soi :

« Joseph : – L'endroit s'appelle Prey-Nop. Ce nom est sur les cartes d'état-major. Prey-Nop.
Un village de quarante paillotes.
C'est à quatre-vingts kilomètres de Kampot, le premier poste blanc. Kampot.
Suzanne : – La mer est moins loin. Elle est à trente kilomètres. C'est le golfe du Siam » (p. 28).

Le destin a de nombreuses indifférences. L'équilibre fragile du barrage, menacé par les crabes et sous la poussée du Pacifique, rompu, rebâti, rompu encore jusqu'à la ruine et au dénuement de la mère, laisse penser que la conjuration de l'océan contre la famille double la conjuration des agents cadastraux dont elle est victime. L'eau de l'enfance et des jeux apporte aussi la destruction et la mort. Ambivalence déjà présente dans *La Vie tranquille* où Françou, venue au bord de la mer, est absorbée par sa contemplation : « Je ne voyais qu'elles, les vagues. Bientôt elles étaient ma respiration, les battements de mon sang » (p. 175), devançant ce propos de l'auteur : « Il y a une chose que je sais faire, c'est regarder la mer » (*La Vie matérielle*, p. 11). Et s'il y a noyade : « Je la regarde de ma fenêtre, elle, la mer, elle, la mort » (*La Vie tranquille*, p. 146). La mère, la mer, la mort dans une même équivalence. Mais rien ne se réduit à cette explication. Anne-Marie Stretter se noie aussi dans *India Song* : « Je ne sais pas si c'est un suicide. Elle rejoint comme une mer, elle rejoint la mer indienne, comme une sorte de mer matricielle[83]. » Mort sans tragique cette fois, logique, par quoi une boucle se ferme, laissant subsister les ambiguïtés. Celles-ci disparaissent lorsque Marguerite Duras rappelle sa peur de l'eau – peur qu'elle prête à Sara dans *Les Petits Chevaux de Tarquinia* : « C'est la chose dont j'ai le plus peur… Mes cauchemars, mes rêves d'épouvante ont toujours trait à la marée, à l'envahissement par l'eau[84]. » Cette peur crée un lien attendu avec la forêt puisque *Un barrage contre le Pacifique* établit déjà le rapprochement : « Les lianes et les orchidées, en un envahissement monstrueux, sur-naturel, enserraient toute la forêt et en faisaient une masse compacte aussi inviolable et étouffante qu'une profondeur marine » (p. 157). Pourtant, la forêt est comme l'eau, lieu ludique où, enfant, Marguerite Duras écoutait le tigre dans l'ombre des palétuviers : « C'était extraordinaire quand on marchait là-dedans, pieds nus, pieds nus alors que ça pullulait de serpents[85]. » Dans *Les Petits Chevaux de Tarquinia*, Sara et Diana n'osent pas regarder le fond de la mer, l'« envers du monde », car « une ombre bleue s'en élevait, délicieuse, qui était celle d'une pure et inéluctable profondeur, aussi probante sans doute de la vie que le spectacle même de la mort » (p. 43-44). Dans *Détruire, dit-elle*, Élisabeth Alione refuse d'entrer dans la forêt : « La forêt, c'est la forêt de mon enfance (...) interdite parce que dangereuse[86] (...). Quand j'ai peur de la forêt, j'ai peur de moi-même, bien sûr, voyez-vous, j'ai peur de moi depuis la puberté[87]. » Peur qui ne cessera plus : « Je n'ai jamais pu dans ma vie, une fois, faire cinq cents mètres dans une forêt, seule, sans en être épouvantée[88]. » Les eaux et les forêts tracent des frontières intérieures sur lesquelles se fonde l'homogénéité des espaces de l'œuvre.

Avant *Un barrage contre le Pacifique*, *Les Impudents* et *La Vie tranquille* rappellent des paysages différents, comme s'il avait fallu déloger les drames et les bonheurs de l'enfance, les drames surtout, ou plutôt les faire revivre ailleurs avant de leur rendre leur vraie place. Elle choisit les confins de la Dordogne où elle a passé une année entière pour son « premier bachot[89] » et du Lot-et-Garonne, communes vigneronnes et fruitières des *Impudents*, tandis que *La Vie tranquille* a pour cadre le Périgord. Mais ce ne sont pas les mœurs rurales qu'y peint Marguerite Duras. Bien que ces livres, le premier davantage, comportent des descriptions élaborées qu'elle abandonnera par la suite, ils reflètent déjà un sentiment tenace de la précarité de la vie, de la fragilité de l'amour, des violences familiales. Leur intérêt vient aussi de ce que les principaux personnages féminins, Maud dans *Les Impudents*, Françou dans *La Vie tranquille*, ont un contact sensuel, charnel, avec la terre du Sud-Ouest qui rend, certains soirs, l'éternité accessible à l'âme : « On la sentait qui se déroulait lentement, chaude, sensible, comme un chemin toujours tiède des pas des derniers venus et silencieux, d'un silence creusé toujours plus par le bruit des pas à venir et des corps en marche » (*Les Impudents*, p. 44). Le mystère ressort de la trame du quotidien, comme plus tard dans l'œuvre, mais il est encore tributaire d'une phrase continue où la psychologie trouve à s'installer. Cette technique classique s'épure à partir des *Petits Chevaux de Tarquinia*, tandis que se réduit la part de l'intrigue déjà très dépouillée et dont il ne subsiste rien dans *L'Amant*, point de convergence des chemins suivis jusqu'alors qui ont conduit à l'évocation d'une société à part : la famille.

Une famille en pierre

Léon Tolstoï disait que les familles heureuses se ressemblent tandis que les familles malheureuses sont malheureuses chacune à leur façon. On connaît par plusieurs livres et par divers propos de Marguerite Duras ce qui fait le propre de son malheur familial. Mais une chose est d'en répéter les épisodes – et cela relève du biographique –, autre chose de remarquer que l'union avec le clan dépasse les déchirures par lui provoquées. Autre chose encore de constater qu'à travers lui s'est formée une personnalité d'écrivain. Son premier manuscrit s'intitule *La Famille Taneran*. Remanié, il devient *Les Impudents*. Le changement de titre est significatif. De la simple nomination d'un groupe – mais pas de n'importe quel groupe – on passe à l'un de

La famille Donnadieu vers 1917.

ses traits distinctifs, consigné dans *L'Amant* sous cette autre forme : « Famille de voyous blancs » (p. 109). Cela, qui pourrait être pris pour une attaque, a la valeur d'une défense. Si mal définis que soient les liens avec la mère ou avec les frères – haine et amour mêlés – c'est « cette histoire commune de ruine et de mort » qui donne sens au « lent travail » de toute une vie (*L'Amant*, p. 34). Là, rien n'a de clarté, donc tout offre l'inépuisable : « Comment atteindre cette famille qui est l'image la plus proche de l'univers ? On ne le sait jamais[90]. » *Les Impudents* s'ouvre sur cette dédicace : « À mon frère Jacques D. que je n'ai pas connu », *La Vie tranquille* sur cette autre : « À ma mère. » Deux fois se retrouve, certes pris au filet du romanesque, l'« attachement fait de reniements[91] » duquel Marguerite Duras dit se sauver sans jamais le perdre. Deux fois des drames autour d'une jeune fille, deux fois les images fraternelle et maternelle, deux fois des contes noirs. *Les Impudents* laisse entrevoir la philosophie de la famille : « L'inanité de l'existence humaine lui était devenue un article de foi » (p. 95), et *La Vie tranquille* le dissentiment douloureux : « Et les autres, mes parents, ne pas les aimer au point d'attendre d'eux seuls un ordre, un plaisir, un chagrin. Puisque eux n'attendaient que du dehors quelque changement et qu'ils m'ont abandonnée pour n'importe quoi, je ne sais pas. Pour la mort, la folie, le voyage » (p. 131). Livres-préambules qui disent uniment le silence, le désespoir, l'impossible et nécessaire séparation d'avec les siens, la pétrification des élans affectifs : « Jamais bonjour, bonsoir, bonne année. Jamais merci. Jamais parler. (...). Chaque jour nous essayons de nous tuer, de tuer. (...). Nous sommes ensemble dans une honte de principe d'avoir à vivre la vie » (*L'Amant*, p. 69). Cette atmosphère révèle une loi de l'espèce. Les rapports entre proches comportent toujours une dimension haïssable, mais naturelle : « Dans une famille, lorsque les relations sont bonnes, amicales, charmantes, c'est que la nature a été contournée. La vocation directe, native, de la famille est une vocation animale, effrayante. On n'est pas destiné à vivre ensemble[92]. » C'est ce fait qu'éclaire la plupart des textes, et il ne faut pas y voir une charge. Elle n'en vient jamais au *Familles, je vous hais !* de Gide, exclamation qu'elle juge ainsi : « C'est un mot stupide. Qu'aurait-il fait sans elle ? C'est de son refus qu'il écrit. Si elle ne se tenait pas là, gardienne de l'indéchiffrable, il n'y aurait pas de livres du tout dans le monde[93]. » Au-dessus de la famille, un mythe de la famille en recouvre exactement la vérité noire, mais trahit aussi l'obsession d'une destinée avant tout vouée à l'écriture. Des *Impudents* à *L'Amant de la Chine du Nord*, ce mythe connaît des avatars ; cependant les enfants y constituent toujours « un corps unique, une grande machine à manger et à dormir, à crier, à courir, à pleurer, à aimer » qui les garde hors de la mort (*La Pluie d'été*, p. 44).

Dans *La Pluie d'été*, un père est présent – accident rare –, même s'il n'occupe pas la place accordée à la mère, à Ernesto et à Jeanne, le frère et la sœur. L'absence ou la défaillance de la figure paternelle, à l'exception de *L'Après-midi de M. Andesmas,* où elle est centrale, pousse François Péraldi à en tirer une interprétation à partir de ce que Marguerite Duras lui a confié : « J'étais très jeune lorsque mon père est mort. Je n'ai manifesté aucune émotion. (...). Aucun chagrin, pas de larmes, pas de questions. (...). Il est mort en voyage. Quelques années plus tard, (...) j'ai perdu mon chien. (...). Mon chagrin fut immense. C'était la première fois que je souffrais tant. » Qu'il y ait eu un transfert de la douleur, que celle-ci paraisse exorcisée par *L'Après-midi de M. Andesmas,* où, en effet, un chien conduit le lecteur vers M. Andesmas dans l'attente de sa fille Valérie, vient à l'appui des hypothèses de François Péraldi : « (Le chien) semble n'avoir d'autre fonction que de (nous) mener à

M. Andesmas, à cet autre signifiant : le signifiant du Père, le nom du Père[94]. » Quoi qu'il en soit, bien après la publication de ce livre, Marguerite Duras répète qu'elle n'a pas souffert du manque de père : « Je n'ai pas eu de père (...). Enfin, je l'ai eu très peu... suffisamment longtemps[95]. » Dans *Nathalie Granger*, le père quitte la maison au tout début du film. À aucun moment sa présence n'a « manqué lors d'une scène quelconque ». Au contraire, sa sortie libère l'espace, permet des actions plus silencieuses, plus instinctives, plus naturelles (p. 89-91). Le modèle parental, le « Responsable », est éliminé. « Les évidences nocturnes » – notes sur les personnages de *Hiroshima mon amour* – présentent la mère de l'héroïne comme une femme d'une « tendresse brutale », mais sans limites. Le père, lui, est brièvement évoqué ; homme fatigué par la guerre, il est éteint, en un mot : exclu (p. 119).

Ce n'est d'ailleurs pas sous son patronyme, Donnadieu, que Marguerite Duras publie ses ouvrages, patronyme qu'elle dit avoir en horreur. Mais rien ne va de soi. Si elle abandonne ce que l'on appelle curieusement un « nom propre », alors qu'il est le seul nom qu'on ne s'attribue pas soi-même, si, à l'instar de Lol V. Stein, « son vrai nom c'est elle qui se le donne[96] », pourquoi a-t-elle choisi le nom de Duras ? « C'est ce pays de vin blanc : le côte-de-Duras, tout près de Pardaillan, de cette région du Lot-et-Garonne. Cette région de vignes, de tabac et de prunes. C'est l'entre-deux-mers, le pays de mon père[97]. » Retour au père par pseudonyme interposé. Dans *La Vie matérielle*, il semble s'incarner encore dans un homme en pardessus noir (p. 158), mais, plus sûrement, il se confond avec la figure du frère aîné, au moins dans l'analyse qu'elle développe autour de *La Nuit du chasseur*, le film de Charles Laughton.

Ce frère aîné dont elle décrit l'attitude dominatrice et le comportement maléfique sous couvert du héros de l'écran apparaît « charmant, beau, rieur, campé sur son cheval noir, doué d'une carrure athlétique, si jeune... la figure même du mal » (*Les Yeux verts*, p. 158). Ailleurs, le portrait se précise : « Il n'éprouvait jamais aucun remords. Il n'avait jamais aucun scrupule. J'appelle ça : malfaisance. Il régnait sur la famille, il faisait peur[98]. » *L'Amant* confirme ce statut : « Mon désir obéit à mon frère aîné » (p. 66) et en offre plusieurs images : fouilleur d'armoires, joueur, voleur, assassin sans armes (p. 94-96).

Mais la blessure la plus cruelle est que ce frère aîné soit devenu l'enfant préféré de la mère. Dès *Les Impudents*, la passion que Mme Pecresse porte à son fils Jean annonce un aveu plus tardif et plus direct : « (Ma mère) aimait son fils aîné comme on aime un mec, un homme, parce qu'il était grand, beau, viril, un Valentino[99]. » Cette dilection entraîne une souffrance et une agressivité extrêmes, qui culminent dans un désir de meurtre où s'entrelacent le besoin de se venger et celui de protéger le plus jeune frère : « Je voulais tuer mon frère aîné. (...). C'était pour enlever de devant ma mère l'objet de son amour, ce fils, la punir de l'aimer si fort, si mal, et surtout pour sauver mon petit frère, je le croyais aussi, mon petit frère, mon enfant, de la vie vivante de ce frère aîné posée au-dessus de la sienne, de ce voile noir sur le jour » (*L'Amant*, p. 13).

Ce petit frère, mort jeune durant la guerre sino-japonaise, faute de médicaments, est tout différent de l'aîné. Marguerite Duras voit en lui son « seul parent : ce petit frère agile, si mince, aux yeux bridés, fou, silencieux, qui à six ans monte dans les manguiers géants et à quatorze ans tue les panthères noires des rivières de la chaîne de l'Éléphant » (*Outside*, p. 277). Il est le héros du *Barrage contre le Pacifique* et de *L'Éden Cinéma*, et le pathétique des dernières pages de *L'Amant* vient, pour une large part, de son souvenir. S'y entendent les accents tragiques d'un thrène : « L'immortalité était morte avec lui » (p. 127) et une détresse infinie

Marguerite Duras au début des années 30,
entre le frère « voyou » à droite
et le « petit frère » à l'extrême gauche.

déjà rappelée auparavant : « Enfant, que d'amour. Que d'amour pour toi petit frère mort » (*Outside*, p. 277). Cet amour passionné, creusé au fil des livres, mène jusqu'à *Agatha,* jusqu'à *La Pluie d'été* et revient dans *L'Amant de la Chine du Nord.* Il débouche sur le thème de l'inceste.

De sa mère, Marguerite Duras a beaucoup écrit, souvent marqué ses ressemblances avec cette femme du Nord, d'origine paysanne, tenant d'un grand-père espagnol ses cheveux noirs et ses yeux verts, institutrice d'école indigène, « petit capitaine de l'enseignement primaire » (*Outside*, p. 231) dont le maître était Jules Ferry. C'est elle qui, dans l'enfance, occupe le lieu du rêve. « Le rêve c'était ma mère et jamais les arbres de Noël, toujours elle seulement, qu'elle soit la mère écorchée vive de la misère ou qu'elle soit celle de tous ses états qui parle dans le désert, qu'elle soit celle qui cherche la nourriture ou celle qui interminablement raconte ce qui est arrivé à elle, Marie Legrand de Roubaix » (*L'Amant*, p. 58-59). Un souffle neuf traverse les récits maternels, une étrangeté aussi, celle d'avoir à y connaître ces cousins lointains, ces oncles et ces tantes, ces ouvriers agricoles et la ferme nommée « Croisette », près de Frévent, Pas-de-Calais (*Le Camion*, p. 102, 130-131), « le cinéma (d'une) enfance dans les Flandres françaises » (*L'Éden Cinéma*, p. 150). Paroles d'une mère pourvoyeuse d'images, ouverture et passage, mouvement, repères et repaires des origines, modèle pour l'avenir.

Il est d'autres cinémas fondés sur une réalité plus âpre qui, par elle, s'impose, indélébile, à l'esprit des enfants : le cinéma « du meurtre des blancs colonisateurs », fait avec « la minutie, la précision d'un gangster » (*L'Éden Cinéma*, p. 150-151) dont *Un barrage contre le Pacifique* donne l'idée. Dans la lettre écrite par la mère aux responsables de la vente des terres pourries de sel, bientôt régulièrement noyées par l'océan, on lit : « Si je n'ai même pas l'espoir que mes barrages peuvent tenir

46

cette année, alors il vaut mieux que je donne tout de suite ma fille à un bordel, que je presse mon fils de partir et que je fasse assassiner les trois agents cadastraux » (p. 297). Reprise sous une forme à peine modifiée dans *L'Éden Cinéma*, cette lettre s'achève ainsi : « Je vous le répète une dernière fois, il faut bien vivre de quelque chose et si ce n'est pas de l'espoir, même très vague, de nouveaux barrages, ce sera de cadavres, même de méprisables cadavres de trois agents cadastraux de Kampot » (p. 125). Lorsqu'elle donne cette pièce de théâtre, en 1977, Marguerite Duras hésite à garder ces incitations au meurtre, puis : « J'ai décidé de les laisser. Si inadmissible que soit cette violence, il m'est apparu plus grave d'en mutiler la figure de la mère. Cette violence a existé pour nous, elle a bercé notre enfance » (p. 150). La démarche est justifiée par la fidélité autant que par une secrète identification à la mère dont le « dernier des cinémas » informe sa pensée. Restent gravées des scènes d'épouvante lorsque, parvenue au bout de l'affliction, la mère manque de sombrer dans la démence[100]. Revenant sur le drame du barrage, ce dernier cinéma montre « un doute fondamental quant à l'utilité quelconque des meurtres de cet ordre, face à l'inacceptable définitif, inaltérable, l'injustice et l'inégalité qui règnent dans le monde » (p. 151). Dans un article intitulé « Mothers », l'écrivain trace encore le portrait de la « trimardeuse des rizières » qui savait, comme personne, faire de « chaque jour une nouveauté aussi violente ». Mais, dans l'admiration et l'émotion, transparaît toujours la peine infinie d'avoir été moins aimée que le frère aîné, seul réclamé par la mère au moment de sa mort : « J'étais dans la chambre, je les ai vus s'embrasser en pleurant, désespérés de se séparer. Ils ne m'ont pas vue[101]. » Une dizaine d'années après, elle écrit : « Aujourd'hui elle est enterrée avec lui. Il n'y avait que deux places dans le caveau. Il est impossible que cela n'ait pas dégradé l'amour que j'avais pour elle (…).

*Vers 1928, Marguerite Duras (assise) vêtue à l'annamite.
Une « appartenance indicible à la terre des mangues,
à l'eau noire du Sud, des plaines à riz ».*

Aujourd'hui ma mère, je ne l'aime plus[102]. » Toutefois, en matière de littérature, elle admet qu'aucune mère d'écrivain ne vaut la sienne, parce qu'elle avait tous les attributs d'un grand personnage. Très tôt, en outre, elle est au centre de deux forces capitales : l'amour et l'écriture.

Écrire et aimer

Des journées entières dans les arbres, publié en 1954, porte en couverture la mention « roman ». En fait, le livre réunit quatre nouvelles. L'une présente un intérêt particulier. Sous l'affabulation probable, Marguerite Duras fait le récit d'une double expérience située dans l'adolescence. En effet, la narratrice du « Boa » a treize ans vers 1928 et vit dans une grande ville coloniale. Fille d'une institutrice à l'école indigène, pensionnaire, trop pauvre pour sortir avec ses camarades le dimanche, elle est contrainte, ce jour-là, d'assister à deux spectacles. Au jardin botanique, elle va voir un boa avaler un poulet vivant. Rentrée à la pension, elle doit contempler la quasi-nudité septuagénaire de la directrice, Mlle Barbet, dont c'est le seul plaisir : « Elle se tenait bien droite pour que je l'admire, baissant les yeux sur elle-même, amoureusement (…). Elle ne s'était jamais montrée ainsi à personne dans sa vie, qu'à moi » (p. 103). La succession constante de ces événements conduit l'héroïne à opposer le comportement du boa, monstre du jour, et celui de Mlle Barbet, monstre nocturne. D'un côté s'accomplit un échange charnel qui prend la forme d'une dévoration avec « cette tranquillité des choses de dessous le soleil et de dedans la lumière » (p. 110). De l'autre se déroule une étrange cérémonie qualifiée « d'horreur par excellence, noire et avare, soumise et souterraine » (p. 109). Au confluent de ces deux univers, la jeune fille adopte le parti du boa. Contre les gens qui jugent tous les serpents « froids et silencieux », tous les chats « hypocrites et cruels », elle aperçoit, dans le reptile du zoo, la manifestation d'une innocence enviable. Contre les morales du caché : idée cachée, vice caché, maladie inavouée, elle applaudit à l'« impudeur des tempéraments de fatalité » (p. 112), tempéraments d'assassin, de prostituée, qui lui inspirent une égale admiration. L'alternative ainsi supprimée, demeure pour elle « le monde de l'impérieux, le monde fatal, celui de l'espèce considérée comme fatalité, qui était le monde de l'avenir, lumineux et brûlant ». Et de conclure sur l'espoir d'une vie « prise et reprise, et menée à son terme, dans des transports de terreur, de ravissement, sans repos, sans fatigue » (p. 115). Inutile d'insister sur la symbolique sexuelle de cette nouvelle. Elle est limpide.

Si l'on remonte au rapport que Marguerite Duras entretient, dans l'enfance, avec sa famille et avec sa mère en particulier, « Le Boa » peut apparaître comme le récit d'un arrachement progressif aux emprises que les parents tissent autour des adolescents. Non point seulement, dans ce cas, par des menaces ou par des conseils, mais plutôt parce que le seul exemple maternel est, en soi, redoutable. Selon Marguerite Duras elle-même, l'un des « problèmes » de sa mère est qu'elle n'a « jamais eu d'histoires avec des hommes » et elle en déduit : « J'ai le sentiment qu'elle était dans l'ignorance totale de ce que cela pouvait être[103]. » Sans hésitation, elle écrit dans *L'Amant* : « La mère n'a pas connu la jouissance » (p. 50). Ce qui fait dire à Abdelkébir Khatibi : « Ici tout semble revenir à une *abjection*, à une relation abjecte entre la mère et la fille[104]. » Opinion subjective qui se heurte à l'expression d'une autre subjectivité. *L'Amant* fait éclater la différence fondamentale entre mère et fille, non pas subie par la fille, mais accusée, poussée au paroxysme : « J'avais à quinze ans le visage de la jouissance » (p. 15), c'est-à-dire : « Je ne la connais pas encore mais je suis prête pour cela. Puisque j'ai déjà le

50

chapeau d'homme couleur bois-de-rose, les souliers strassés et la ceinture de cuir qui déforme les robes de ma mère jusqu'à les faire miennes[105]. » Métaphore explicite d'une révolte muette, la déformation des robes de la mère est une façon de se poser en s'opposant, de s'affirmer sans rompre et, par ailleurs, de revendiquer un droit que « Le Boa » appelle : celui de se faire découvrir le corps. D'où ensuite, dans l'imaginaire enfantin de l'héroïne, cette représentation du bordel : temple de la défloration, temple de l'impudeur où « on allait se faire laver, se nettoyer de sa virginité, s'enlever la solitude du corps » (p. 113). Des histoires du Nord que lui racontait sa mère l'écrivain a retenu celle d'une tante qui agrémentait ses retours du marché d'Arras en faisant l'amour « avec des gens qu'elle rencontrait, sous sa carriole » pendant que ses parents l'attendaient. La honte de la famille, ajoutait la mère, tandis qu'elle décide : « Pour moi, la vie était plus forte que tout, et, ce qui se dégageait de ça, je l'ai tout de suite appréhendé » (*Le Camion*, p. 130). Révoquée la mère, « rangée comme une veuve » (*L'Amant*, p. 29), congédiée Mlle Barbet, caricature d'une virginité séculaire et, en face, sur l'autre rive, une « image absolue », car tel était le titre prévu pour *L'Amant*. Image absolue d'une très jeune fille brusquement « mise à la disposition de tous les regards, mise dans la circulation des villes, des routes, du désir » (*L'Amant*, p. 20). Enfant et amante qui laisse le Chinois s'embarquer avec elle dans cette ambiguïté : « J'avais déjà ça en moi, le goût de ce danger-là[106]. » Ce goût n'abuse personne. L'amant sait qu'il sera trompé, trompés ceux qui le suivront. Aussi son rôle n'est-il pas d'éveiller quelque effusion du cœur et des sens, mais de permettre à l'adolescente précoce une entrée violente dans la relation du désir, désir meurtrier de lui-même, vécu hors de tout sentiment, sauf celui, tragique, d'une séparation future, obligatoire et certaine, d'avance acceptée par tous deux, en quoi

Lycée Chasseloup-Laubat, classe de philosophie, 1932.
Marguerite Duras est la première en bas à gauche.

réside implicitement l'amour[107]. Par la suite, Marguerite Duras dit n'avoir pas pu se passer d'aimer, même avec des amants de rencontre. Le souvenir de l'histoire éclaire grandement la visée de l'écrivain quand – et c'est presque toujours le cas – l'amour, le désir, sont au centre des textes. Ce qui a été découvert là est, en même temps qu'un besoin d'aimer jusqu'alors inavoué, l'impersonnalité du désir amoureux : « Quand l'amour n'est pas déclaré, il a la force du corps, celle tout entière de sa jouissance[108]. »

Le désir cristallise ici une somme d'autres désirs, plus vagues, comme en attente de lui. *La Vie matérielle* évoque d'érotiques jeux d'enfants où « la jouissance est déjà là, dans sa nature, dans son principe, inoubliable » (p. 28), et Hélène Lagonelle, l'amie de pension, appelle ces mots : « Je suis exténuée par la beauté du corps d'Hélène Lagonelle allongée contre le mien[109] » (*L'Amant*, p. 89). Dans des termes voisins, Marguerite Duras décrit l'impression reçue d'une rencontre fortuite avec une inconnue, en 1926, à Saigon. L'esquisse de cette silhouette est d'autant plus intéressante qu'elle fixe le type de plusieurs héroïnes : « Elle avait une robe noire, très fluide, très légère, comme en soie satinée (...). Les cheveux noirs étaient lisses, coupés à la garçonne. La robe et le corps étaient indissociables, un seul objet confondu, porté par la marche d'une élégance bouleversante, nouvelle (...). Elle était d'une beauté inoubliable. J'avais le sentiment d'avoir été brûlée par son passage. J'en suis restée interdite[110]. » La franchise avec laquelle se montrent ces premières manifestations de la sensualité est à la mesure d'une indispensable dissimulation dans l'enfance et même dans une part de l'âge adulte. Quand Marguerite Duras écrit *Un barrage contre le Pacifique*, l'amant chinois n'est que M. Jo. Du vivant de sa mère, rien ne peut être écrit d'une aventure aussi essentielle. Au demeurant, durant ce temps de la jeunesse et sitôt après le premier amant, rien ne

Marie Donnadieu, la mère de Marguerite Duras.

pouvait même être dit. Ni le désir d'aimer ni le désir d'écrire. Et c'est peut-être pourquoi la mère se tient à la jonction de ce double désir qui est désir unique, comme la figure même du refus.

Différentielles, donc différées, les paroles, devant elle, sont menteuses ou tues. Aucune n'aurait pu avoir raison des interdits posés. Aucune n'aurait pu appeler la tendresse dont chacun se méfie dans la famille : « C'est après que je me suis aperçue que ça me manquait. Quand je suis arrivée en France, il fallait s'embrasser, se demander comment ça allait, tout ce cirque, je n'y arrivais pas[111]. » On ne se confie donc pas à la mère. Mais la mère devine, n'accepte rien et fait, avec son fils aîné, une vie « invivable » à sa fille : « Poussée par lui, elle me battait. Il la regardait et disait : "Vas-y plus fort", et il lui tendait des morceaux de bois, des manches à balai. Elle m'en a foutu des coups, oui, elle se jetait sur moi quand je couchais avec des types[112]. » Avec le désespoir, le calme, la détermination que met en évidence *L'Amant*, la jeune fille n'en continue pas moins d'être ce que maintenant elle sait être tout en restant à la charnière de deux mondes : entre l'argent du jeune Chinois et la pauvreté familiale, entre le dit et le non-dit, entre l'élan vers la mère et la colère contre la mère : « La saleté, ma mère, mon amour » (p. 31). Rien n'est perdu : « Il n'y a pas de déchets, les déchets sont recouverts, tout va vers le torrent, dans la force du désir » (p. 55), qu'il s'agisse de l'amour ou de l'écriture.

Dans ce dernier domaine, il est possible que l'origine de l'activité littéraire soit à rechercher dans la préférence que sa mère avait non seulement pour son fils aîné, mais pour ses deux fils. N'ayant pas été le troisième garçon attendu, l'écrivain se serait trouvé dans une position d'excuse vis-à-vis d'elle. Par ses études, par la publication de ses livres, elle aurait inconsciemment espéré « être admise dans sa royauté[113] ». Toute l'œuvre, née d'une exclusion, pourrait être interprétée comme une construction

« *On ne peut pas lire dans deux lumières à la fois,*
celle du jour et celle du livre.
On lit dans la lumière électrique, la chambre
dans l'ombre, seule la page éclairée. »

destinée à masquer cette exclusion ou encore comme une déclaration d'amour. Le message n'est pas compris. Ni au départ, lorsque s'annonce la décision d'écrire. Ni plus tard. Si le seul sujet de *L'Amant* tient dans l'écriture, c'est par le tracé même de son écriture et parce qu'elle « innocente » tout. Mais aussi parce que s'y décèle un aveuglement majeur. Le « maillon manquant », en ce début de vie, n'est-ce pas une parole brisée par d'autres paroles dissuasives, celles de la mère quand elle apprend la vocation naissante de sa fille ? À peine arrive-t-elle au jour que cette vocation se voit bafouée : « Ce que je veux c'est ça, écrire. Pas de réponse la première fois. Et puis elle demande : écrire quoi ? Je dis des livres, des romans. Elle dit durement : après l'agrégation de mathématiques, tu écriras, si tu veux, ça ne me regardera plus » (*L'Amant*, p. 29, 31). Le désir d'écrire ne se renforce-t-il pas de cette opposition ? Quand *Un barrage contre le Pacifique*, conçu comme un hommage au courage opiniâtre de la mère, sera publié, celle-ci n'acceptera pas l'image d'elle-même que lui renvoie le regard de sa fille. Elle n'y lira pas l'admiration pour sa tragédie personnelle, ni l'amour de ses enfants : « Pour elle, dans le livre, j'accusais sa défaite. Je la dénonçais ! Qu'elle n'ait pas compris cela reste une des tristesses de ma vie[114]. » La plus énigmatique phrase de *L'Amant* : « Je n'ai jamais écrit, croyant le faire, je n'ai jamais aimé, croyant aimer, je n'ai jamais rien fait qu'attendre devant la porte fermée » (p. 35), où se dit, en parallèle, une double privation, en dénote une autre, fondamentale. Aucun commentaire ne peut être plus douloureusement exact que celui de Marguerite Duras elle-même : « Cette phrase (...) veut dire que j'étais à la porte de la famille, devant la porte du sanctuaire qui contient mon corps même, celui où elle se trouvait, elle, la mère qui avait interdit d'écrire des livres[115]. »

Longtemps après la mort de sa mère, elle fait un rêve, rapporté à Michèle Manceaux[116], et dont elle donne une version légèrement différente dans *Les Yeux verts*, mais l'essentiel y demeure. Elle se retrouve dans une maison à colonnades, près des « vérandahs » d'autrefois. Sa mère joue du piano : « Comment est-ce possible ? Tu étais morte. » Et la mère : « Je te l'ai fait croire pour te permettre d'écrire *tout ça* » (p. 112-113). Ce que Marguerite Duras appelle parfois le « crime d'écrire » prend ici tout son sens. D'une façon ou d'une autre, comme la mer, comme l'amour, l'écriture est définitivement liée à la mère, à la mort.

3
Entre mourir et vivre

> Je me suis dit qu'on écrivait toujours sur le corps mort du monde et, de même, sur le corps mort de l'amour.
>
> MARGUERITE DURAS

André Malraux dit avoir « vécu dans le domaine incertain de l'esprit et de la fiction qui est celui des artistes, puis dans celui du combat et dans celui de l'histoire[117]». Chez Marguerite Duras, impossible de séparer ainsi les deux phases d'un destin pareillement traversé par l'épreuve nationale de 1939. C'est toujours au travers de l'écriture médiatrice qu'elle mène son combat lorsque celui-ci la confronte aux combats de l'Histoire, lorsque, à la tristesse de tous, s'ajoute une souffrance qui ne se partage pas. Et comme les moments les plus tragiques d'une vie ne peuvent résider en permanence dans la mémoire, c'est de leur oubli qu'elle se constitue, de leurs vestiges, d'une trace négligée.

Sur cette ambiguïté se fonde le scénario de *Hiroshima mon amour*, écrit treize ans environ après la guerre, premier texte avec lequel elle accepte de venir au temps de la confusion, des crimes et du chaos. Encore est-ce sur la demande du cinéaste Alain Resnais et non par décision personnelle[118] : « Qu'importe de parler d'un "moment de tombe" quand chaque parole n'est rien puisqu'elle n'atteint pas l'au-delà des mots[119]. » Pour atteindre cet au-delà, à l'évocation de l'horreur nucléaire, elle mêle

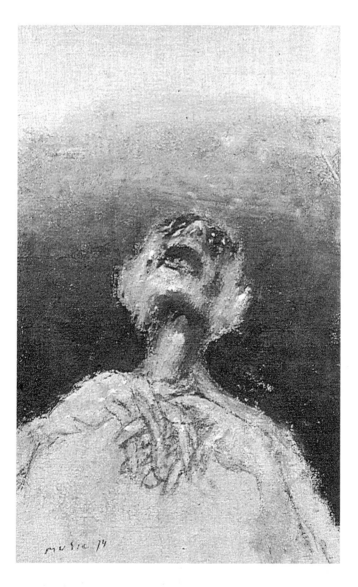

Zoran Music, Nous ne sommes pas les derniers.

le récit d'un amour. Avec quelques variantes, cette manière reste la sienne dans les textes qui ont trait à l'Histoire : *Césarée*, *L'Été 80*, *Dialogue de Rome*, la série des *Aurélia Steiner* ainsi que *Yes, peut-être*, allégorie sur la guerre américaine au Vietnam. En revanche, *La Douleur* et les nouvelles qui l'accompagnent ressortissent à des faits si intimes que le mot « écrit » ne convient pas (p. 10). « Albert des Capitales » et « Ter le milicien » ont été séparés de *La Douleur* pour que « cesse le bruit de la guerre, son fracas » (p. 134). L'avertissement au lecteur dévoile le trouble dans lequel ils ont été rédigés : « Apprenez à lire : ce sont des textes sacrés » (p. 104).

Aux raisons que l'on devine s'ajoute ceci : Marguerite Duras reconnaît que son appartenance à la France date de la guerre. Jusque-là, elle s'y sent étrangère (*Les Yeux verts*, p. 239). En dépit de son activité dans la Résistance, même ce temps lui semble avoir été un long sommeil : « Il y a eu la guerre, puis la Libération et, tout d'un coup, je me suis réveillée et il y avait Auschwitz[120]. » Ce sommeil est-il autre que le masque d'une ignorance si brusquement dissipée, quand le tumulte s'apaise, qu'apparaît alors un sentiment de culpabilité? Ou bien encore, n'est-ce pas dans le passage du temps que les événements ont pris leur incommensurabilité? Il faut attendre 1976 pour qu'elle donne à la revue *Sorcières* quelques pages d'un Journal, probablement écrit en 1945 ou 1946, qui deviendra *La Douleur*. Et, ce qui ne peut pas passer pour un simple hasard, un texte sur la mort de son premier enfant en 1942 (*Outside*, p. 288, 280).

Ces années de larmes ont mûri une triple expérience dont aucune n'est dissociable des deux autres : l'expérience d'un drame collectif, celle de l'Holocauste et celle, intime mais sans mesure, d'une maternité qui s'achève dans le deuil. C'est pourquoi des œuvres témoignent, qui se rapprochent par les points où elles touchent au malheur. Et parce qu'entre le mourir et le vivre ne demeure que la mémoire, « une inconsolable mémoire, une mémoire d'ombres et de pierre » (*Hiroshima mon amour*, p. 24), s'y détermine une pensée antithétique, perceptible dans leur contenu et dans leur forme. Le passé fait irruption dans le présent et, de ce passé, le présent ne peut que constater le caractère insaisissable. De sorte que la vanité de la mémoire et la vérité de l'oubli se disputent les temps vides de l'existence quotidienne et les temps pleins de la douleur et de l'amour, tandis que le langage s'efforce de couper et de recouper dans ces temps jusqu'à en filtrer l'essentiel, jusqu'à retrouver un espoir au cœur des pires désespoirs.

Une inconsolable mémoire

Entre le « donner à voir » et le « pouvoir tout dire » des écrivains, la relation de Marguerite Duras aux événements historiques non seulement vus ou sus, mais perçus par tous les sens, définis par l'intelligence et transfigurés par l'imagination ou le souvenir lézardé, est de nature telle qu'elle devient le garant de ses pouvoirs et de ses devoirs. *Yes, peut-être* prend fin sur ce dialogue :

« Pour quoi ces mots ?
– Pour les enfants plus tard » (p. 182).

Dans l'affadissement des consciences, quand chacun nomme liberté ce qui est course à fleur de monde, elle ne se contente pas de cerner le contour des faits. Elle taille dans le réel à quoi appartiennent autant les mots que les choses. C'est même de là que vient l'infaillibilité qu'elle accorde à son écriture. Elle *sait*. Et paye d'exemple. Comme s'il lui fallait redécouvrir le sens du terme « gravité », elle arrache, par des paroles graves, le lecteur à ses légèretés inavouées. Elle met en doute les obstacles qu'il dresse, le ramenant à un face à face avec ce qu'il n'avait pu ou voulu voir. Lorsqu'une obscurité quasi chthonienne s'abat sur les plages indifférentes de *L'Été 80*, elle définit sa tâche : « J'étais là pour cela, pour voir ce que les autres ignoreraient toujours, cette nuit entre les nuits, celle-ci comme une autre, morne comme l'éternité, à elle seule l'invivable du monde » (p. 67). Cependant, elle n'y accède pas par une voie royale qui mènerait vers une juste et immédiate saisie des phénomènes historiques. En elle, comme en tous, il y a parfois une méconnaissance ou une incompréhension : « Vous avez vécu des choses comme ça dans votre vie, des événements mondiaux qui vous échappent[121]. » Et puis la guerre n'est pas une suite d'actions d'éclat. Quand on désespère de son issue, quand l'habitude s'installe, quand les soldats sont au front, il arrive que la lassitude domine : « On ne parle pas assez de l'ennui de la guerre. Dans cet ennui, les femmes derrière des volets clos regardent l'ennemi qui marche sur la place. Ici l'aventure se limite au patriotisme » (*Hiroshima mon amour,* p. 109). De même, elle n'interdit pas le désir amoureux. Tel est le sens de « Ter le milicien » et, déjà, d'*Hiroshima mon amour.* Quant aux rêves nocturnes qu'elle provoque, Marguerite Duras dévoile leur caractère compensatoire. Le trop-plein de haine s'y déverse. Mais, selon elle, ils n'enrichissent pas l'imaginaire. Seule l'insomnie « creuse l'intelligence[122] ». Des rêves diurnes, elle se méfie plus encore : « C'est le grand alibi, le rêve, de la pensée. C'est la pornographie. C'est l'empêchement de passer à l'action, en politique par exemple, c'est le grand ennemi[123]. » Dans ces phrases apparaissent son esprit concret, solide, sa façon de garder « les pieds sur la terre[124] ».

D'autant plus remarquable est l'émergence d'un rêve revenu souvent pendant la période de la guerre : le rêve heureux du crime : « Je rêvais de l'extermination de l'Allemagne (…). Je créais la destruction de l'éden nazi – oui, il s'agissait bien de la destruction d'une entité édénique – *je faisais* le désert » (*Outside*, p. 283). Mais ce n'est ni par

En 1939, Marguerite Duras épouse Robert Antelme.

l'ennui, ni par le rêve, ni même dans le désir amoureux que l'écrivain « lâche les monstres qui l'habitent ». C'est par l'écrit. Que cet écrit soit monnaie courante ou qu'il prenne le large de la littérature. Dans un cas, il se morcelle en textes brefs, publiés au jour le jour. Leur unité la moins arbitraire tient dans ces mots : « Il n'y a pas de journalisme objectif, il n'y a pas de journaliste objectif » (*Outside*, avant-propos). Dans l'autre cas, quand la portée des faits est plus vaste, quand elle touche un peuple ou une nation, comment raconter la « concomitance de sa propre vie et de cette horreur[125] » ? Et quand ? *Yes, peut-être* apporte à cette dernière interrogation une réponse sans détour :

> « Y avait le désert à guerre. Pour l'engeance à guerre (...). Puis l'écriture "désert à guerre" ?
> – Non, l'écriture "défense de rentrer défense de sortir", pas d'écriture pour dire quoi c'était. Vous comprenez ? » (p. 156).

Les Impudents a été rédigé avant la guerre et *La Vie tranquille*, au titre paradoxal, pendant la guerre, mais ils ne parlent pas d'elle. Le premier contient ces mots prophétiques : « Des temps de colère étaient proches » (p. 191). Le second, ceux-ci : « Je rêvais qu'il était arrivé ce qui devait nous rendre libres » (p. 26). Détails fugaces. Le tragique est « ce qui laisse muet tout discours[126] ». Plus tard, si Marguerite Duras ouvre les vannes de sa mémoire hallucinée, le rappel des faits coïncide avec une déchirure ou avec ce que d'aucuns appellent la conscience malheureuse. Leur mise à distance temporaire de l'écriture ne les a pas rendus objets abstraits. Sur ce point, elle s'oppose à Robert Antelme. Chez lui, l'œuvre publiée en 1947, soit deux ans après son retour de déportation, est un témoignage qui enclôt une méditation humaniste : « Il a écrit un livre sur ce qu'il croit avoir vécu en Allemagne : *L'Espèce humaine*[127]. Une fois ce livre écrit, fait, édité, il n'a plus parlé des camps de concentration allemands » (*La Douleur*, p. 77). On peut être surpris par la tournure modalisée : « croit avoir vécu ». Comment l'expliquer sinon en comparant la manière de Robert Antelme et celle de Marguerite Duras ? Lui a connu l'abomination, elle l'attente et la solitude, mais il en tire une sorte de leçon, et elle ne veut que hurler sa frayeur. Pour elle, la guerre demeure ombre sur fond de lumière retrouvée, tache pourpre sur le blanc des années pacifiées. Au moment de l'écrit, rien ne la sépare du brûlant de l'expérience passée. Les concepts valent moins que leur contenu. Le contenu de *La Douleur* (ou de la douleur), c'est qu'une femme y est « coupée du reste du monde avec un rasoir » (p. 55), c'est qu'elle dise « une des choses les plus importantes de (sa) vie » (p. 10), c'est qu'elle pense : « Ceux qui vivent de données générales n'ont rien de commun avec moi » (p. 14). La douleur devient elle-même son propre espace. Elle est à l'état brut, comme l'écriture qui la porte et s'exprime dans un « désordre phénoménal de la pensée et du sentiment » (p. 10).

Malgré le caractère spécifique de ce texte, ce n'est pas autrement, dans l'intention sinon dans la forme, que Marguerite Duras s'approprie un monde où règne le principe de la destruction : « Nous voyons l'histoire comme nous voyons notre enfance, nos parents, sans finalité autre que celle de notre avènement. Pour nous, en vie, sa durée a toujours été illusoire, elle n'a de sens que de notre fait, qu'apparentée à nous, à notre corps, à l'absolue finalité que nous sommes à nos propres yeux » (*L'Été 80*, p. 55). C'est pourquoi il lui faut partir d'elle pour écrire, jamais des seuls événements, ou plutôt plier les événements à son ordre : « J'ai mis face au chiffre énorme des morts d'Hiroshima l'histoire de la mort d'un seul amour inventé par moi » (*Les Yeux verts*, p. 81). Alors, l'écriture se fait signe du sens et vrai sens du vrai sens. Les premiers mots des amants de *Hiroshima mon amour* sont : « Tu n'as *rien* vu à Hiroshima. *Rien*. – J'ai *tout* vu. *Tout*. » Rien, dit le Japonais, parce que ni les ruines de la ville, ni les documents d'actualité, ni le musée ne peuvent donner l'idée de cette apocalypse. Tout, répond la Française parce que la mort de l'Allemand aimé, au même moment, à Nevers, est, pour elle, un drame comparable qui l'a ouverte à tout autre drame. Les images du film d'Alain Resnais sont conformes au synopsis de Marguerite Duras. Rien de commun, en apparence, entre les corps épris, baignés de sueur, des deux personnages et ceux, mutilés, agonisants, des victimes du bombardement. Tout, cependant : c'est au travers de cette évocation « sacrilège » que peut se dire l'absolu du malheur : « On peut parler de Hiroshima partout, même dans un lit d'hôtel, au cours d'amours de rencontre, d'amours adultères (…). Ce qui est vraiment sacrilège, si sacrilège il y a, c'est Hiroshima même » (*Hiroshima mon amour*, p. 3).

Attachée à une donnée autre que celle de l'Histoire proprement dite et ne quittant pas le plan de l'extrême subjectivité, Marguerite Duras en donne une image prenante. La conjonction guerre-amour, centre nodal du film et du livre – le titre seul l'explicite – sous-tend aussi *La Douleur*, « immense histoire d'amour » (*Les Yeux verts*, p. 236), et se fait toile de fond dans *Césarée. Dialogue de Rome* est une méditation sur la puissance d'une civilisation dont il ne reste rien que des ruines, des stèles, des « cavités dans la terre ». Pour que subsiste cet « avatar parfait de l'immortalité », des mots s'échangent, voix d'homme, voix de femme, qui mettent « de l'air dans cette ville », qui « l'aèrent d'un amour » présent[128]. Dans *L'Été 80*, l'Histoire prend un autre tour, mais on note que la passion de la jeune monitrice et de l'enfant aux yeux gris, doublée de celle de la narratrice pour un jeune homme vers elle venu, d'une part, et, de l'autre, le soulèvement de Gdansk ne sont pas des domaines étanches : « Gdansk me fait trembler comme me fait trembler l'enfant », « sur Gdansk j'ai posé ma bouche et je vous ai embrassé » (p. 55, 97).

Hiroshima mon amour et *La Douleur* ont ceci de commun qui trouverait avec le mythe du Phénix un emblème adéquat : la persévérance du survivre et sa suprématie finale sur les forces mortelles. Dans la ville anéantie par la bombe atomique, après quinze jours : « Ce n'étaient partout que bleuets et glaïeuls, et volubilis et belles d'un jour qui renaissaient des cendres avec une extraordinaire vigueur » (p. 21). Et lorsque Robert L. cesse de ressembler à une ombre, il lui faut entendre qu'un « enfant de D. » viendra, par sa naissance, conjurer, sans doute, tout le passé (p. 75).

Les deux œuvres dialectisent la mémoire et l'oubli. La seconde par sa publication même puisque Marguerite Duras a occulté ce Journal pendant une quarantaine d'années : « Je n'ai aucun souvenir de l'avoir écrit (...). Comment ai-je pu écrire cette chose que je ne sais pas encore nommer et qui m'épouvante quand je le relis ? » (*La Douleur*, p. 10). Toutefois, le Journal, retouché peut-être, ne s'attarde pas à cette défaillance. Au-delà des séparations, demeure l'amour pour Robert L. : « C'était là que j'avais perçu pour toujours ce qui le faisait lui, et lui seul, et rien ni personne d'autre au monde » (p. 80).

Hiroshima mon amour ne saurait se réduire à cette « histoire de quatre sous » symboliquement donnée à l'oubli par l'héroïne (p. 97). Le Japonais le dit pour elle et pour tous : « Dans quelques années, quand je t'aurai oubliée, et que d'autres histoires comme celle-là, par la force encore de l'habitude, arriveront encore, je me souviendrai de toi comme de l'oubli de l'amour même. Je penserai à cette histoire comme à l'horreur de l'oubli » (p. 83).

Dès lors, l'horreur de l'oubli l'emporte sur la duperie de la mémoire. Le passé ne renvoie plus à l'historique, mais au véridique. L'écriture s'enfonce dans l'épaisseur du temps et, loin des seules occasions que donnent les circonstances, elle s'empare de leurs étranges et familières significations. D'un

Auschwitz.

autrefois nivelé par l'oublieuse mémoire, le texte a pour fonction de ressusciter les angoisses, les humiliations et les fureurs que veut effacer le bel aujourd'hui. À la croisée de ces routes, l'écrivain rencontre ce qui signe la débâcle d'une civilisation : « La guerre de 40 pour moi, sa spécificité unique, ce n'est pas l'ampleur des moyens mis en œuvre, c'est Auschwitz[129]. »

L'art peut-il encore exister après Auschwitz ? Adorno répondait par la négative. Marguerite Duras se tait. Puis elle écrit. Pas d'autre façon pour elle d'aborder ce qu'avec Emmanuel Levinas elle pourrait nommer « la juste souffrance en moi pour la souffrance injustifiable d'autrui[130] ». Elle écrit des Juifs, elle écrit du martyre juif.

Juden

Juden... Le mot sonne comme une insulte. Mais quand le jeune marin aux cheveux noirs le répète, pendant l'amour, à Aurélia Steiner, comme une litanie : « Juden, Juden Aurélia, Juden Aurélia Steiner » (p. 164), il se laisse prendre à la « force de la malédiction qui règne sur sa race, le corps d'Aurélia Steiner (...) il l'appelle par le mot qui dit sa race et, ce faisant, il entre dans le vertige du désir fou, ce mot devient un mot de dépassement de lui-même » (*Les Yeux verts*, p. 111). À travers une histoire passionnelle, Marguerite Duras tente d'éviter la banalisation de l'innommable. Sachant que sa démarche, là encore, est d'ordre « sacrilège. Presque sacrificiel[131] », elle porte, en outre, au cinéma, les deux premiers récits d'*Aurélia Steiner* . Cinéma-limite où elle avoue sa désolation de ne pas pouvoir « préhender la chose juive. Et de quoi je me mêle de parler de ça ?[132] ». Le troisième récit ne sera jamais filmé. L'émotion qui découle de ce travail se fait trop éprouvante. Mais dans les images et dans les mots ne se découvre pas l'inventaire des confins de l'infa-

« Je ne sais pas pourquoi j'ai parlé des juifs.
C'est l'eau. La Seine. Je pense qu'il y avait une relation
avec les morts algériens d'octobre 61.
Je pensais à la Seine qui avait charrié
les morts algériens. Et j'ai pensé à un courant de mort
qui aurait traversé la ville. »

mie que fut la Shoah. Ils sont là pour suggérer l'incompréhensible.

Ce qui frappe aussi, dans cette entreprise, c'est sa visée cathartique. Une fois connue, assez vite et pourtant trop tard, l'existence des camps de la mort, Marguerite Duras ne s'est jamais remise de n'avoir pas compris, avant, quel était le sort réservé aux Juifs : « J'avais des amis juifs, j'avais eu un amant juif, deux de mes meilleurs amis étaient juifs (…). Et puis, tout à coup, ils avaient une étoile jaune. Et je n'y ai pas pensé (…). C'est inoubliable, abominable. Pendant des années, j'ai été hantée (…). Ces gens qui portaient une étoile jaune en toute innocence, comme nous, nous supportions qu'ils la portent en toute innocence[133]. » La découverte de l'Holocauste la plonge dans un état si grave qu'elle ne peut pénétrer dans le quartier juif de Paris sans pleurer. Lorsqu'elle passe à l'écriture des *Aurélia Steiner*, c'est, à l'évidence, pour assouvir une douleur très grande jamais exprimée. Tributaire, des jours et des jours durant, de ceux qui fuyaient leurs responsabilités non prises, et soumise à une pensée commune qui refusait de savoir, elle échappe au silence avec le sentiment de l'audace : « J'ai osé écrire sur les Juifs[134]. » Comme pour atténuer cette audace, l'écriture prend ses distances. Rien, on le sait, n'est tout à fait dicible, moins encore quand on atteint au « point culminant de l'horreur de l'humanité[135] ». Elle a de plus conscience, dès qu'elle parle des Juifs, d'un saisissement tel qu'elle ne peut pas « éclairer les choses complètement[136] », trouble dont l'origine remonte peut-être à sa jeunesse. Entre dix-huit et vingt-deux ans, elle a pour amant un « Juif de Neuilly », Freddie, dont elle mentionne fréquemment l'importance dans sa vie[137]. Par lui, elle découvre une « judaïté merveilleuse », qui la fascine. Car c'est bien de fascination qu'il s'agit. La question étant : « Comment peut-on être juif ? Comment ?[138] », elle en vient à souhaiter une identité juive : « Pour me

rapprocher, pour me confondre. C'est très mystérieux. C'est comme un désir très violent, osmotique,
de mélanger mon sang avec le leur (...). Je me suis
fait passer pour juive[139]. » Le fait est confirmé par
Dionys Mascolo. Avec elle, il partage le regret de
n'être pas né juif et le besoin de s'innocenter de
l'abjection nazie. Sans aucun mensonge formel
venant d'eux, leur fils Jean peut croire, jusque dans
l'adolescence, que sa famille est juive[140]. Avant les
Aurélia Steiner, Marguerite Duras donne d'autres
preuves de cet attachement. Par exemple, elle
déclare Lol V. Stein probablement juive alors que
rien ne permet de le penser (*Les Yeux verts,* p. 157).
De même la mère dans *Hiroshima mon amour*
(p. 127). Dans *La Musica deuxième,* Michel Nollet
« pourrait être un Juif » (p. 13) et la mendiante
d'*India Song* ressortit aux « charniers d'Auschwitz[141] ». Quant à l'habitude d'utiliser des initiales,
Émily L. ou Hélène L., ou A. M. S., elle vient des
numéros matriculaires que l'on donnait aux Juifs
ou aux déportés politiques dans l'univers concentrationnaire[142]. Par ailleurs, deux textes publiés en
1969 et 1970 attestent de la judaïté comme de la
judéité, si l'on veut bien voir dans la première la
condition du Juif, et dans la seconde, avec Albert
Memmi, l'ensemble des caractéristiques sociolo-
giques et psychologiques qui font le Juif. *Détruire,
dit-elle* reprend le mot de Daniel Cohn-Bendit en
Mai 68 : « Nous sommes tous des Juifs allemands »
(p. 111), mais Marguerite Duras montre surtout
l'oppression de l'État et de la société sur l'individu.
En parallèle, *Abahn Sabana David* dénonce le système capitaliste par le truchement du personnage
de Gringo. Dans *Jaune le soleil* qui en est l'adaptation filmique, Gringo devient Grinsky, et l'on peut
penser que le communisme soviétique est aussi
bien mis en accusation[143]. La problématique de ces
œuvres n'est donc pas uniquement centrée sur la
judaïté ni sur la judéité. Cependant, celles-ci justifient des allusions si fréquentes que l'on peut en

tirer quelques conclusions. Le peuple juif symbolise l'« intelligence moderne » et le « désespoir politique » (*Les Yeux verts*, p. 229) qu'illustre *Le Vice-Consul*. *Détruire, dit-elle* met au premier plan son pouvoir subversif : « Je peux me permettre de faire des choses que vous ne feriez pas », dit Stein (p. 29). Dans *Abahn Sabana David,* Abahn ou le Juif dont il est le porte-parole sont là « pour introduire la division, le trouble dans l'unité » (p. 40), c'est-à-dire pour que les hommes ouvrent leurs yeux et leur bouche. Dans les deux textes, un même mouvement se découvre. D'un côté, Stein, Alissa et Max Thor détournent Élisabeth Alione du monde ancien. De l'autre, Sabana puis David se rangent, peu à peu, du côté de Abahn (ou du Juif). Pourquoi ? « Ils aiment tout (...). Ils veulent la fin du monde », déclare Sabana après avoir entériné son choix par ce cri : « Je veux les chambres à gaz » (p. 148, 68), exactement comme Jean-Marc de H. : « La lèpre, je la désire » (*Le Vice-Consul*, p. 131). Victimes, mais désignant l'avenir[144], leur force secrète est inséparable d'une conscience tragique qui les fait, tour à tour, douter et espérer, craindre et entreprendre, souffrir et se révolter : « Les Juifs n'arrivent pas toujours à éviter la folie de la douleur, dit Abahn (...). Parfois, ça leur est difficile de vivre » (p. 85). N'est-ce pas aussi que leur destin est lié par l'Histoire à la plus constante des oppressions ? Créatures du diable dans l'interprétation médiévale, ils sont la proie d'une mythologie où tout prépare à la violence. La menace de mort se fait corrélat de leur existence, qui explique et justifie la Diaspora : « Tu as tout quitté. Tu es parti ? – Oui. Il y a longtemps (...) » (*Abahn Sabana David*, p. 50).

Ils sont ainsi conduits à travers le monde entier : « J'ai commencé à penser à partir dès que j'ai appris le mot : juif » (p. 122), partir pour se retrouver dans quelque Auschtaadt puisque le Auschtaadt du livre est partout. Lorsque Elia Kazan demande à Marguerite Duras ce qu'elle entend par « être juif », sa

74

réponse se fonde sur ce trait précis : « La Diaspora (...), c'est aussi la présence des Juifs dans leur départ même. Les Juifs sont des gens qui partent et qui, en partant, emportent leur pays natal et pour qui celui-ci est toujours présent, plus violent que s'ils ne l'avaient jamais quitté ; c'est ce que j'appelle l'"errance courbe" » (*Les Yeux verts*, p. 221). *Aurélia Steiner* met en évidence cette dispersion. L'héroïne – une autre, toujours la même – habite Melbourne ou Vancouver. Ces villes lointaines sont à l'image d'une « réserve de vie », Aurélia étant elle-même un « accident de la vie dans la chaîne de la mort[145] ». Survivante des camps, son vrai lieu est à Buchenwald, à Bergen-Belsen, à Birkenau, à Treblinka. Au cœur de cette histoire inventée est insérée celle du comédien Sami Frey dont la mère mourut dans une chambre à gaz après avoir sauvé son fils. Et encore, le souvenir d'une lecture d'Elie Wiesel qui raconte comment un enfant juif de treize ans fut pendu pour avoir volé de la soupe. Si maigre, si léger, il ne parvient pas à mourir aussitôt de ce supplice. Il « gigote au bout de sa corde » (*Aurélia Steiner*, p. 151). Vision intolérable qui rend compte du génocide, derrière lequel se cache « l'organisation logique, la prévision minutieuse, maniaque, de la suppression d'une race d'hommes » (*Les Yeux verts*, p. 178). Ce « noyau d'infracassable nuit », comme le nomme Primo Levi, fait l'unité des *Aurélia Steiner*, unité qui s'épanouit dans la tâche du personnage : écrire. L'œuvre s'ouvre sur ces mots : « Je vous écris tout le temps (...). Rien d'autre que ça » (p. 117), et chaque épisode se clôt ainsi : « J'ai dix-huit ans. J'écris. » Cette structure donne à l'auteur la possibilité d'enserrer dans et par l'écriture la souffrance de la jeune fille et au lecteur la nécessité d'y entendre un appel au secours, un appel à ne pas oublier, un appel à aimer. Il n'est pas impossible de discerner, dans la page blanche que l'écrivain – Marguerite Duras ou Aurélia – couvre de ses mots, une métaphore du « rectangle blanc de la mort », cette place nue au milieu de la cour de rassemblement des camps (*Aurélia Steiner*, p. 151, 163). Page blanche et rectangle blanc sont des espaces à « combler, à remplir » (*Les Yeux verts*, p. 176). Car, pour elle, la Shoah doit être comprise comme le résultat d'un aveuglement général et non comme une monstruosité décidée par les seuls nazis. Elle accepte ce mot de Dostoïevski qu'Emmanuel Levinas cite dans *Éthique et Infini*[146] : « Nous sommes tous responsables de tout et de tous devant tous, et moi plus que tous les autres. » Abahn porte un mot écrit sur son bras : « Non. – C'est le même mot pour le Juif et pour ceux qui veulent le tuer, dit Sabana. – Le même, dit Abahn : le mot du Juif et le mot contre le Juif » (p. 123). *La Douleur* le répète : « Nous sommes de la race de ceux qui sont brûlés dans les crématoires et des gazés de Maïdanek, mais nous sommes aussi de la race des nazis » (p. 57). Ses écrits sont donc une façon de partager la tragédie, et Marek Halter ne se trompe pas quand il affirme que peu d'écrivains non juifs ont su, comme elle, accomplir ce partage. Les Juifs la renseignent sur la condition humaine tout entière. Elle leur confère le rôle de regrouper l'« horreur latente répandue sur le monde » (*Les Yeux verts*, p. 179), c'est-à-dire celle de toutes les puissances de mort entrevues dès l'enfance : endémie de la peste, du choléra, misère chronique, jusqu'à s'assimiler elle-même, dans cette enfance, au peuple juif : « Nous (...) que le soleil ignore, nous, Juifs » (*Outside*, p. 278).

Dans *Détruire, dit-elle,* Stein se dit en passe de devenir écrivain ; Max Thor lui rétorque qu'il l'a deviné à son acharnement à poser des questions « pour n'arriver nulle part » (p. 20), entendons partout où l'homme se heurte au danger d'une élimination planétaire, quelle qu'en soit la forme. Et, sans aller aussi loin, à la haine de l'autre, quel que soit l'autre. *Le Camion* fait du personnage masculin, d'un même coup, « un écraseur de Juifs et un écraseur de femmes[147] », leur ennemi commun. Certes, on ne peut confondre toutes les oppressions, mais, au fond de toute oppression, gît une semblable volonté : séparer, proscrire, dominer. C'est dans ce sens que se fonde l'homologie de l'antisémitisme et de l'antiféminisme repérables chez un Otto Weininger, un Schopenhauer et même dans le Baudelaire de « Mon cœur mis à nu », pour ne citer qu'eux. Dans un sens radicalement opposé, cette homologie traverse en filigrane les textes et les films de Marguerite Duras. Elle s'affermit au cours des années de guerre et surtout après ce qui devait être la « solution finale ».

L'époque est aussi à l'origine d'un drame étroitement lié à sa propre vie que *La Douleur* rappelle, en hâte, comme s'il était impossible d'exprimer une souffrance trop personnelle au sein d'une souffrance collective : « Moi, l'enfant que nous avons eu avec Robert L., il est mort à la naissance – de la guerre lui aussi – les docteurs se déplaçaient rarement la nuit, ils n'avaient pas assez d'essence » (p. 30-31). Un texte intitulé « L'horreur d'un pareil amour » rappelle cet épisode crucial. L'antithèse sur laquelle il repose reconduit le thème du mourir et du vivre : « Rien. Il ne me restait rien. Ce vide était terrible. Je n'avais pas eu d'enfant, même pendant une heure. (...). Celui qui est là maintenant et qui dort, celui-ci, tout à l'heure, a ri. (...) : S'il meurt, j'aurai eu ce rire. Je sais que ça peut mourir. Je mesure toute l'horreur d'un pareil amour » (*Outside*, p. 281-282). Rien de plus probant que l'agencement de ce récit. L'événement funèbre n'en constitue pas le point d'arrêt. Le génie positif de Marguerite Duras lui fait trouver la ressource pathétique d'un sursaut où la vie gagne une victoire sur l'absurdité de la mort. Reste que l'abîme ouvert ne sera jamais refermé. Le réseau des relations qui, dans la vie comme dans l'œuvre, s'établissent entre la mère et son enfant y prend toutes ses dimensions[148].

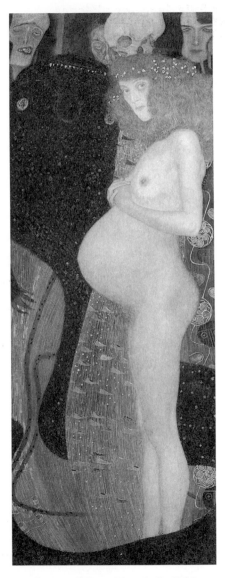

Gustav Klimt, Espoir I, *1903*.

La même folie, la même violence, le même amour

Dans l'histoire d'une femme, la naissance d'un enfant l'identifie, en acte, à sa mère. Les textes qui mettent en scène une mère et son enfant ne sont jamais loin de cette réalité. Le périple de la mendiante dans *Le Vice-Consul* le confirme. D'une mère l'autre. Ailleurs, plusieurs situations se rattachent au rapport ambigu que l'auteur entretient, au-delà même de la jeunesse, avec le modèle maternel. Toutefois, l'expérience d'une double maternité colore, de façon autre, des œuvres comme *Les Petits Chevaux de Tarquinia*, *Moderato Cantabile*, *Dix Heures et demie du soir en été* et *Nathalie Granger*.

Pour Marguerite Duras, en donnant la vie, on donne la douleur et la mort[149]. N'est-ce pas ce qui se voit aussi dans le tableau de Gustav Klimt, *L'Espoir*, où, derrière une femme enceinte, corps nu sous ses cheveux défaits, le peintre a disposé des crânes qui font office de *Memento mori*? Néanmoins, ne pas être mère fait perdre la « moitié du monde[150] ». L'idée qu'elle se fait de l'accouchement ne laisse pas d'hésitation sur le premier point : « C'est vrai, c'est un assassinat. (...). Le premier signe de vie, c'est le hurlement de douleur. (...). C'est des cris d'égorgés, des cris de quelqu'un qu'on tue, qu'on assassine. Les cris de quelqu'un qui ne veut pas[151]. » À l'arrière-plan se profile une épouvante, peut-être moins celle de l'enfant que celle de la mère, « épouvante d'avoir mis au monde un enfant dans une société comme celle-ci[152] ». Au cours d'une scène de *Nathalie Granger*, Isabelle repasse le tablier d'écolière de sa fille. Tout à coup, « elle a dans les yeux l'amour de l'enfant, terrifiant, donc la douleur non moins terrifiante de l'avoir *faite* » (p. 44). Et déjà, Anne Desbaresdes, à propos de son fils : « Si vous saviez tout le bonheur qu'on leur veut, comme si c'était possible » (*Moderato Cantabile*, p. 42).

Il n'empêche, la procréation est posée comme une nécessité. Marguerite Duras se place aux antipodes de Simone ou d'Hélène de Beauvoir pour qui l'enfant est une entrave à l'existence et qui ont refusé d'accomplir leur destin physiologique[153]. Chez elle, si la vie est « gâchée » par la venue d'un enfant, cela ne peut s'entendre qu'au sens mondain du terme[154]. Du reste, « les femmes doivent pouvoir mener de pair cet amour jaillissant, et leur création, et leur personne », car « les couper de l'enfant c'est les mettre dans le cas de l'homme, c'est faire de la maternité une notion théorique, abstraite[155] ». Cette vue explique pourquoi, dans son œuvre, la plupart des personnages féminins sont des mères : « Son imaginaire, on ne peut absolument pas le réglementer. Je vois des femmes avec des enfants. Je ne vois pas au sens de voir, au sens de traduire en écrit[156]. » Sara qui porte le nom de la première mère d'Israël, Anne, Isabelle et Maria sont en accord avec l'archétype de la Terre-Mère. Celles qui ont fait de leur corps une demeure sont aussi celles qui protègent et nourrissent, généreuses, vite craintives, consolatrices. L'attention de Sara à son fils est le leitmotiv des *Petits Chevaux de Tarquinia* : « Elle imagina l'enfant dans le soleil affreux et irrémissible du chemin de terre et elle s'effraya » (p. 20), « Sara se redressa et chercha son enfant des yeux » (p. 32), « Elle le doucha encore, longuement, lentement » (p. 139), etc. Même sollicitude chez Maria dans *Dix Heures et demie du soir en été* quand elle veille au repas de Judith : « Maria recommence à espérer faire manger Judith. Elle y réussit. Cuillerée par cuillerée » (p. 23), ou à son sommeil : « Elle attend que la petite s'endorme. Elle attend longtemps » (p. 37). Les manifestations les plus élémentaires et les plus concrètes de l'amour maternel ne dérogent pas à la tradition judéo-chrétienne qui, passant par le culte médiéval de la *mater genitrix*, conduit à celui de la *mère heureuse* au XIXe siècle. Sans doute vont-elles plus loin en ce

Marguerite Duras et son fils vers 1950.

qu'elles témoignent d'un abandon sans limites à l'amour le plus passionné : « Vous aurez beaucoup de mal, madame Desbaresdes, avec cet enfant », dit Mlle Giraud dans *Moderato Cantabile*, « C'est déjà fait, il me dévore », répond Anne, qui baisse la tête et ferme les yeux « dans le douloureux sourire d'un enfantement sans fin » (p. 122). L'image de la dévoration revient dans *La Vie matérielle* : « La femme laisse son corps à son enfant, à ses enfants, ils sont sur elle comme sur une colline, comme dans un jardin, ils la mangent, ils tapent dessus et elle se laisse dévorer et elle dort tandis qu'ils sont sur son corps » (p. 62).

Si le spectacle de la mère avec son enfant est le seul qui ne soit pas « débilitant » (*La Vie matérielle*, p. 137), celui que l'enfant donne à sa mère ne cesse de l'émerveiller, tout comme chaque enfant émerveille Marguerite Duras[157]. Émerveillement où s'entremêlent l'étonnement renouvelé d'Anne Desbaresdes : « Quelquefois je crois que je t'ai inventé, que ce n'est pas vrai, tu vois » (*Moderato Cantabile*, p. 46), l'élan de Sara vers son fils : « Elle se pencha, l'embrassa encore, respira encore – jusqu'au vertige – le parfum ensoleillé des cheveux de son enfant » (*Les Petits Chevaux de Tarquinia*, p. 137) et celui de Maria vers Judith : « Elle l'embrasse doucement sur les cheveux. – Ma vie, dit-elle » (*Dix Heures et demie du soir en été*, p. 44). La mère ne laisse pas d'être désarmée par la contemplation de son enfant en qui elle reconnaît – et ceci explique en partie cela – sa propre enfance, la même folie, la même violence, le même amour[158].

Elle est donc en accord avec la voie qu'il lui indique, voie du refus dans *Moderato Cantabile* ou de la révolte dans *Nathalie Granger* et toujours le symbole de la vie immédiate. Anne impose à son fils des leçons de piano, mais frémit avec lui aux reproches du professeur. Tous deux sont complices dans le sentiment de leur autonomie menacée. Si l'enfant se décide un moment à obéir, la mère commente : « Quand il obéit de cette façon-là, ça me dégoûte un peu » (*Moderato Cantabile*, p. 20). Dans *Les Petits Chevaux de Tarquinia*, lorsque le jeune garçon désire se rendre à la plage bien qu'on le lui interdise : « C'est vrai que j'exagère, tu iras si tu veux, dit (Sara), tu feras ce que tu veux » (p. 16). La mère cède aux actes qu'elle juge spontanés – hardiesse, insolence, entêtement – tandis qu'elle ne supporte pas les qualités qui viennent d'un calcul ou d'une docilité raisonnée. Ce n'est pas faiblesse, mais reconnaissance envers l'enfant qui, inversant les rôles, donne l'exemple. Par ses attitudes, il reconduit la mère vers l'espèce de sauvagerie qu'elle s'efforce de maîtriser en elle. Quand Isabelle Granger brûle le carnet scolaire de sa fille, elle signifie son dégoût de toutes les institutions qui, peu ou prou, tendent à discipliner des forces vives : « Un enfant qui n'ira plus à l'école : cela suffit pour emporter le tout vers l'inconnu » (*Nathalie Granger*, p. 78). Et si le fils d'Anne Desbaresdes se montre rétif à l'exercice des gammes, sa mère avoue : « Les gammes (...), je ne les ai jamais sues » (*Moderato Cantabile*, p. 103). Aux figures arrêtées de l'habitude et de la sagesse la mère comme l'enfant préfèrent les capricieux visages de la liberté. Dans *Nathalie Granger* et dans *Moderato Cantabile*, la musique s'élève pour souligner que de tous les asservissements le seul qui vaille d'être subi est celui de l'amour fou : « La sonatine résonna encore, portée comme une plume par ce barbare, qu'il le voulût ou non, et elle s'abattit de nouveau sur sa mère, la condamna de nouveau à la damnation de son amour » (*Moderato Cantabile*, p. 100). La confiance accordée à l'enfant trouve ici sa justification. C'est lui qui a raison, lui dont on ne se fait pas raison, lui qui fait douter du bon droit de toute raison. Les enfants et les femmes sont des fous, dit Marguerite Duras. La mère aux yeux des enfants, dans tous les cas ou presque, « reste la personne la plus étrange, la plus folle qu'on ait jamais rencon-

Veux-tu lire ce qu'il y a d'écrit au-dessus de ta partition ? demanda la dame.
— Moderato cantabile, dit l'enfant.
La dame ponctua cette réponse d'un coup de crayon sur le clavier. L'enfant resta immobile, la tête tournée vers sa partition.

Lithographie d'André Minaux (1955)
pour Moderato Cantabile,
Le Livre contemporain
et les Bibliophiles franco-suisses, 1964, p. 6-7.

trée » (*La Vie matérielle*, p. 56). Et c'est cette folie qui la prédispose à toutes les transgressions[159]. Sara et Anne Desbaresdes en font la preuve comme, plus tard, Anne-Marie Stretter qui est, en même temps, « la maîtresse d'un homme, la femme d'un homme et la mère de deux enfants[160] ». Pas d'opposition entre ces états du personnage ; ils lui donnent sa richesse et l'accomplissent.

Claude Roy, qui fréquenta l'écrivain pendant la drôle d'après-guerre, a ce mot : « Elle a toujours vécu en ajoutant sans retrancher (...). Mais elle ne désaimait jamais, même dans ses intermittences[161]. » La fiction ne dément pas ce trait. Aux « prisons en or des grandes amours » dont parle Ludi dans *Les Petits Chevaux de Tarquinia* et qui, pour être en or, ne sont pas moins prisons, Anne ou Sara juxtaposent un espace inexploré. Elles partent en quête d'une évasion temporaire où flambe leur existence à rencontrer ce qui lui manquait, « peut-être l'inconnu » (p. 103). À terme, leur aventure ne les met pas en contradiction avec leur vie d'épouse ou de mère. Un équilibre se maintient, et tout porte à croire qu'il s'agit d'un pur déplacement dans l'identique. L'expérience de la maternité engage le corps et l'esprit, l'esprit par le corps. Elle « correspond justement à la nuit pascalienne où les choses sont vécues à l'échelle organique, où rien n'est dit », et la femme en ressort « forte du silence définissant tout amour[162] ». Par nature, elle a donc trait à l'écrit qui s'élabore dans l'ombre interne. Par nature, elle ressemble au soulèvement révolutionnaire qui s'organise en secret. Par nature, elle prépare, redouble ou parfait une autre expérience qui vibre de la même infinitude et englobe le tout : « Qu'est-ce que vous préférez dans la vie, Marguerite Duras ? – La vie... J'ai une réponse facile... Aimer[163]. »

*Marguerite Duras entre Robert Antelme (à droite)
et Dionys Mascolo, en 1942.*

4

Poétique du désir

L'amour c'est la passion ou alors ce n'est rien.

MARGUERITE DURAS

Désir, amour, passion : on ne s'étonnera pas de voir rapprochés ici des termes qui, malgré leur parenté, sont, en général, l'objet de distinctions ressortissant au goût de l'inventaire, à quelque prudent exorcisme de l'exaltation, à une philosophie dualiste où âme et corps sont divisés. À ces vues courantes Marguerite Duras oppose les siennes. Elle ne connaît pas la terreur linguistique et si, dans *Détruire, dit-elle*, elle fait un principe de l'équivalence entre le désir et l'amour, cela « circule en douce » dans tous ses écrits : « Chaque fois que j'ai désiré, j'ai aimé[164]. » L'équivalence entre désir et l'amour s'épanouit dans la passion qui requiert l'être entier et donne sens à l'existence : « Si l'on n'est pas passé par l'obligation absolue d'obéir au désir du corps, c'est-à-dire si l'on n'est pas passé par la passion, on ne peut rien faire dans la vie[165]. »

Aussi, traiter du *thème* de l'amour (ou du désir ou de la passion) paraît-il dénué d'intérêt. Plutôt que d'un thème, il s'agit d'un courant qui irrigue l'œuvre et la vie. Cela ne signifie pas que tous les textes parlent également de l'amour, mais tous suggèrent des rapprochements entre l'acte d'écrire et l'acte d'aimer, tous considèrent l'amour comme un absolu, tous, par conséquent, s'affrontent à la même stérilité : « à la stérilité même : le manque à la folie d'aimer toujours » (*Véra Baxter*, p. 114). Le monde y gravite autour de la « grandiose catastrophe de la passion ». Il n'est de roman que de l'amour mortel[166] : « L'amour est sans limites – cela par définition – sans autre finalité que la mort[167]. » Le lexique emprunte à la tradition : entre attente et rencontre, entre feu et folie, entre brûlure et ravissement. Si le mouvement demeure semblable, qui s'approfondit en s'intensifiant depuis *Les Impudents,* certaines œuvres entretiennent des correspondances sémantiques. *Les Petits Chevaux de Tarquinia*, *Dix Heures et demie du soir en été*, *La Musica*, *Suzanna Andler*, *Véra Baxter* et *La Musica deuxième*, pour l'essentiel, concernent le devenir de l'amour et du désir au sein du couple institutionnalisé par le mariage.

Tout amour vécu...

Les premiers romans ne présentent guère le mariage que comme une façon de réintégrer les normes sociales desquelles les héros se sont momentanément écartés. Dans *La Vie tranquille*, Nicolas y est contraint par Clémence : « Il y aura deux ans, aux vendanges, il l'a mise enceinte et il a bien été obligé de l'épouser » (p. 15). Dans *Le Marin de Gibraltar*, le narrateur affirme, au sujet de Jacqueline : « On va se marier. Elle y tient beaucoup, elle ne sera heureuse que lorsqu'on sera mariés » (p. 15). Jusqu'à la jeune fille du *Square* : « Il n'y a aucune raison pour que je ne me marie pas un jour, moi aussi, comme les autres » (p. 59). Jusqu'aux personnages de *La Musica*, pris au piège : « Nous avons fait comme tout le monde, il est vrai » (p. 154).

Si le mariage n'est pas toujours égard à la coutume, « aucun couple, même le meilleur, ne peut encourager à l'amour » (*Les Petits Chevaux de Tarquinia*, p. 104). Comme le dit encore Stein : « Même si je me suis prêté à la comédie du mariage, je n'ai jamais accepté sans ce hurlement intérieur du refus. Jamais » (*Détruire, dit-elle*, p. 20). Aveu détourné ? Le mariage engendre vite une désespérante monotonie. En outre, il prive la femme d'une liberté que l'homme découvre ailleurs sans encourir de réprobation : « Je ne pense pas que pour l'homme l'infidélité soit jamais aussi... grave » (*La Musica*, p. 158). Plus que lui, vouée par les siècles à la garde du foyer, la femme est privée de la faculté de ses choix. On la veut assujettie. On décide pour elle, et elle obéit. C'est ce que Marguerite Duras appelle « la ligne droite de la vie de toutes les femmes », ligne droite qu'elle semble bien avoir connue : « Je me demande comment j'ai supporté tant de gentillesse, tant de sollicitude (...), comment je suis restée là, avec eux, sans jamais fuir. Comment je ne suis pas morte. Toutes les vacances avec eux, le même homme, les mêmes hommes, tous les étés, les soirées d'été, avec eux, le même, les mêmes, l'amour, les voyages, le sommeil, la musique, pendant des années et des années enfermée avec le même, les mêmes » (*Les Yeux verts*, p. 184). Ni la tolérance qui met l'homme à l'abri ni la résignation de la femme n'empêchent que le couple soit autre chose qu'écrasement, clôture, « fin de l'aventure individuelle de quelque ordre qu'elle soit » (*Les Yeux verts*, p. 88), lieu paradoxal de la séparation et de l'isolement. La chaleur omniprésente des plages dans *Les Petits Chevaux de Tarquinia*, le retour régulier de menues activités ont le caractère symbolique des « marécages de l'ennui » que traversent les couples formés par Jacques et Sara, Ludi et Gina, ou l'épicier et sa femme. Avec *Dix Heures et demie du soir en été* se trouve éclairé le propre point de vue de l'auteur : « Quand on parle des gens seuls, c'est aussi là, dans ces couples (...) qu'on les trouve. (...). On y fait l'amour le samedi après-midi. On n'y a plus de désir l'un de l'autre mais une profonde affection. On y rêve chaque nuit d'un nouvel amour. De nouveau désir (...). Le rêve devient coupable de trahison. La trahison, c'est ce qui reste de plus vrai dans l'amour. Ce qui permet d'attendre » (*Les Yeux verts*, p. 90). Le couple conforte l'usure infligée par le temps qui passe et s'expose inévitablement à l'« effrayante échéance du désir qui meurt et qu'aucune force au monde, fût-elle gigantesque, ne peut faire revivre l'espace d'un regard » (*Les Yeux verts*, p. 42). Aussi essaie-t-il de ruser, d'imposer silence, par tous les moyens, à cette « rumeur conjugale lente lassée quotidienne » que Maria surprend un soir dans les couloirs de l'hôtel où elle s'est arrêtée (*Dix Heures et demie du soir en été*, p. 45). Les fréquentes querelles de Gina et Ludi dans *Les Petits Chevaux de Tarquinia* trahissent sans doute les vicissitudes du mariage, mais elles sont aussi façon de ranimer l'amour : « À chacune de leurs disputes, ils croient que c'est la dernière. Depuis des années. — Mais quand on les voit ensemble, dit l'homme, même la première fois, ils ont l'air, je ne sais pas, éternels » (p. 39).

Il est donc entendu qu'il faut à l'amour des surprises et des accidents, des doutes et des alarmes, un inconfort constant pour qu'il ne s'embourbe jamais dans une trop rassurante, trop menaçante tiédeur : « Nous étions, dit la femme délaissée de Michel Arc, si fidèlement unis de jour et de nuit, si exclusivement, que parfois un regret honteux nous venait de nous voir si enfantinement condamnés à la privation d'autres rencontres » (*L'Après-midi de M. Andesmas*, p. 123).

Au hasard de ces rencontres, une passion nouvelle peut naître. Non seulement de la beauté de l'autre, ce qui est banal, mais aussi de son esprit, d'un attrait perçu comme unique et qui répond à ce que chacun croit avoir d'unique, d'un regard, sur soi posé, où se lit la violence du désir. Comme chez Claire dans *Dix Heures et demie du soir en été* : « Le

Robert Hossein et Julie Dassin
dans une scène du film La Musica *(1966).*

désir qu'elle a de Pierre dès qu'elle entre se voit, se prolonge comme son ombre » (p. 120). Ou bien encore d'une voix, celle qu'entend Joseph dans *Un barrage contre le Pacifique* : « Quand elle avait souri, je l'avais trouvée jolie mais sa voix surtout était formidable. Tout de suite, quand je l'ai entendu dire "toujours", j'ai eu envie de coucher avec elle » (p. 226). Derechef, le désir apparaît qui s'en va chercher loin et, de préférence, là où c'est défendu (*Les Yeux verts*, p. 238). La plupart des œuvres de Marguerite Duras le situent dans l'adultère, qu'il s'agisse de Sara et Jean dans *Les Petits Chevaux de Tarquinia*, de Claire et Pierre dans *Dix Heures et demie du soir en été*, d'Anna et du marin assassin dans *Le Marin de Gibraltar*, de Joseph et de la femme mariée dans *Un barrage contre le Pacifique*, du Japonais et de la Française dans *Hiroshima mon amour*, de Lol ou de Tatiana et de Jacques Hold dans *Le Ravissement de Lol V. Stein*, etc. Si l'adultère ne constitue pas partout le sujet central comme dans les deux premiers de ces textes, il est chaque fois réponse à la question de Gina : « Est-ce qu'on est obligé d'aimer toujours les mêmes choses parce qu'une fois dans sa vie on les a aimées ? » (*Les Petits Chevaux de Tarquinia*, p. 37). Fuite de l'ordinaire amoureux, l'infidélité conjugale réinvente l'être et le monde : « Je n'étais plus tout à fait une femme à force de n'être qu'à un seul homme », dit Suzanna Andler, plutôt « une sorte de jeune fille vieille » (*Suzanna Andler*, p. 40) et Sara à Gina, dans *Les Petits Chevaux de Tarquinia*: « Si tu n'aimes faire l'amour qu'avec un seul homme, alors c'est que tu n'aimes pas faire l'amour » (p. 43). Dans cette optique, l'un de ses effets peut être de ramener dans le couple un « frais désir de nouveauté » (*Véra Baxter*, p. 112). C'est cet espoir qui guide Jean Baxter. Il veut que le corps de sa femme soit « jeté hors du mariage, à la rue (...) afin que d'autres en prennent connaissance » (p. 114). Alors, imagine-t-il, Véra et lui se rejoindront (*Outside*, p. 179). La

92

tentative est plus discrète dans *La Musica* ou *La Musica deuxième*. Michel Nollet à sa femme Anne-Marie dont il s'est séparé : «Explique-moi. Ces comédies, ces mariages, ces divorces (...). Ce serait pourquoi ?» et elle : «Ça a peut-être trait à l'esprit ? Je ne sais pas.» À cette réplique Marguerite Duras offre son explication : «Là, ce qu'elle lui propose, c'est de vivre un amour de structure qui est vraiment voué à l'éternité et, à l'intérieur de cet Amour vivre autre chose qui soit moins... capital[168]», c'est-à-dire une vie multipliée. L'échange amoureux serait alors conclu, tout à la fois, dans la pérennité et dans l'intensité qu'il cherche vainement à concilier.

Autre aspect, maintes fois souligné[169], l'adultère n'est pas simple tentative à laquelle la femme s'obligerait, qui croirait trouver là un recours contre l'ennui. Il n'a de sens qu'allié à la peur. Quelle ne serait pas la vanité de la transgression si elle n'avait à franchir qu'une frontière illusoire ? À quoi tiendrait l'aventure si l'interdit était levé ? Et la force du désir s'il ne se déchaînait pas contre la Loi ? Libérer la passion du scandale et du risque revient à la condamner par avance. Cette pensée travaille l'imaginaire des personnages plus qu'elle ne se voit à l'œuvre. En effet, l'époux ou l'épouse trompés ne s'abandonnent ni à la jalousie, ni à la menace, ni à la haine. Au mieux, ils manifestent leur souffrance. C'est le cas de Jacques dans *Les Petits Chevaux de Tarquinia* ou de Maria dans *Dix Heures et demie du soir en été*. En général, les époux sont hommes compréhensifs. L'adultère de leur femme, devenue objet d'un désir autre, la rend plus désirable à leurs yeux, tandis qu'elle continue de jouer de la crainte et du secret. Tatiana Karl, par exemple, dont le mari n'ignore pas qu'elle est la maîtresse de Jacques Hold, quand elle part retrouver son amant a «un très petit visage, blanc, envahi par des yeux immenses, très clairs, d'une gravité désolée par le remords ineffable d'être porteuse de

*Eiji Okada et Emmanuelle Riva, le Japonais
et la Française de* Hiroshima mon amour *(1959).*

ce corps d'adultère » (*Le Ravissement de Lol V. Stein*, p. 58). La limite force les portes de l'illimité. L'adultère, en même temps que sentinelle du désir, est un « épouvantail[170] ». Dans l'inquiétude, dans la folie, dans le trouble semé, il renforce le désir des amants. Comme chez Pierre et Claire regardés par Maria : « Ils sont toujours là, enlacés et immobiles, sa main à lui arrêtée maintenant sur ses hanches à elle, pour toujours, tandis qu'elle, elle, les mains retenant ses épaules, arrêtées dans son agrippement, sa bouche contre sa bouche, elle le dévore » (*Dix Heures et demie du soir en été*, p. 50). N'ayant rien à voir avec l'éparpillement amoureux, il tient le rôle d'une clandestinité périlleuse, indispensable à la « nature de la personne humaine ». D'où cette boutade : « Le charme de l'adultère a disparu puisque tout le monde couche avec tout le monde[171]. » Pour Marguerite Duras, le libertinage est futilité ou perversion, et le divin Marquis un maniaque. La virtuosité de l'érotisme détruit le désir sauvage, insensé et dangereux[172]. Si l'héroïne de *Hiroshima mon amour* dit bien aimer les garçons (p. 41), si Sara confie : « Il me semble que je pourrais avec cinquante hommes » (*Les Petits Chevaux de Tarquinia*, p. 43), si Anne-Marie Stretter ne compte plus ses amants, ce n'est pas d'être volage mais de vouloir se tenir dans la fièvre première des commencements de l'amour :

> « J'avais faim. Faim d'infidélités, d'adultères, de mensonges et de mourir.
> Depuis toujours.
> Je me doutais bien qu'un jour tu me tomberais dessus.
> Je t'attendais dans une impatience sans bornes, calme. » (*Hiroshima mon amour,* p. 94.)

Cependant, toujours, l'amour se veut, se croit unique et, d'une certaine façon, fût-elle brève, l'est vraiment : « Tu ne m'aimes pas ? » demande Claire à Pierre qui trahit Maria pour elle : « Je t'aime. J'ai aimé Maria. Et toi » (*Dix Heures et demie du soir en été*, p. 173), écho des propos de Gina : « Quand je suis avec un homme, je ne peux pas avec d'autres dans le même temps » (*Les Petits Chevaux de Tarquinia*, p. 43). Le désir, un temps fixé, modifie aussi la commune opposition entre fidélité et infidélité. Tout est fidélité : à l'amour, à l'image de l'amour, à la réalité de l'amour puisqu'ainsi il ne perd pas son élan initial, fugace et bouleversant, d'autant plus bouleversant de se savoir fugace. Le couple, légalisé par le mariage, n'est alors pas seul en cause, mais n'importe quel couple, s'il oublie que la passion – l'origine du mot le dit assez – est souffrance et désir mêlés, violence tragique : « Lorsque l'amour procède d'une entente commune, pratique, on a affaire à une sorte de meurtre opéré par le couple sur lui-même, soit, tout simplement, à la consécration d'une erreur, même durable[173]. »

Par ailleurs, la fidélité, lorsqu'elle n'est pas consentement à une habitude ou lâche manière d'éviter les drames, ouvre peut-être une autre voie à la passion : « La fidélité forcée, tuante, serait le prix d'un amour qu'on ne veut pas quitter (...) et qui deviendra d'autant plus cher qu'on lui aura beaucoup sacrifié de désir. Ce rapport sacrificiel est celui-là même qui existe entre la peine et son absolution dans l'Église chrétienne (...). Aucune stratégie ne fut plus violente et plus belle que celle-là pour "prendre le temps de la vie"[174]. » Reste qu'en la matière le plus vrai est la « fidélité organiquement décrétée ». Si le désir s'attache à un seul, certes il aliène l'être, mais « cette aliénation-là, il est souhaitable au plus haut degré de la vivre. Non, je ne vois rien, dans quelque ordre que ce soit, rien de plus souhaitable d'être vécu[175] ». Après sa première trahison conjugale, Sara retourne vers Jacques. Si « tout amour vécu est une dégradation de l'amour », elle sait aussi que « l'amour il faut le vivre complètement avec son ennui et tout, il n'y a pas de vacances possibles à ça (...). Et c'est ça l'amour. S'y soustraire, on ne peut pas » (*Les Petits Chevaux de Tarquinia*, p. 104, 258). Entre son mari qu'elle connaît pour toujours et son amant qu'elle ne connaîtra jamais davantage, elle a appris « qu'on ne peut pas faire toutes les vies ensemble » (p. 207). Résignation ? Sagesse ? Non. Lucidité. La même que celle de Maria dans *Dix Heures et demie du soir en été*. Claire n'est que « le fruit de la lente dégradation » de l'amour qui la liait à Pierre. Claire, après elle, entendra les mêmes mots qu'elle, venus de Pierre une autre fois : « Tu es belle. Dieu que tu l'es » (p. 172). Les mains de Pierre caresseront le corps de Claire comme naguère elles caressaient Maria, mais dès lors que Pierre et Claire ont « cédé à l'urgence intenable de leur désir commun » (p. 168), Claire est entrée « dans le malheur qui coule, de source, de ces mains-là » (p. 55). Et Maria le pressent. Un jour, « la conjugaison de leur amour s'inversera » (p. 169). Histoire banale et histoire douloureuse. La passion, où qu'on la loge, porte en elle-même les indices de son propre tarissement, elle est, tout à la fois, nécessité et impossibilité.

Les textes l'évoquent le plus souvent au travers de ce double visage, mais *La Vie matérielle* nuance les certitudes. Dans les couples où règnent le plus les « apparences institutionnelles du mariage » et qui sont « à fuir pour qui pense de la passion et en parle » (*Véra Baxter*, p. 113), qui sait si l'amour ne trouve pas encore sa place ? « Aimer quelqu'un pour cette raison-ci ou pour cette raison-là, pour cette raison pratique, ou de commodité, c'est déjà de l'amour. Ce n'est pas déclaré, la plupart du temps et sans doute pas perçu, mais c'est de l'amour » (p. 140). Parti pris en faveur de Philémon et Baucis ? Il faut probablement nommer « amour » ce qui paraît n'être que la mise en commun d'une vie. Cependant, on devine que chacun continuera à rêver la nuit d'une autre femme, d'un autre homme, sachant bien que rien ne peut compenser « la nouveauté du désir et du monde » (*Les Petits Chevaux de Tarquinia,* p. 202).

D'orage et d'or

C'est dans *L'Amour* qu'on lit : « Je ne sais pas le mot pour dire ça » (p. 65). Titre ironique, choisi contre l'abondante littérature qui fleurit autour du mot « amour ». Ce mot occupe une place prépondérante chez Marguerite Duras, mais ses livres ne sont, au sens strict, ni des romans ni des histoires d'amour, plutôt les signes divers d'une perpétuelle présence à l'amour vécu, inventé, parlé ou tu :

> « Elle dit : je peux me mettre à aimer.
> À vous aimer.
> À aimer.
> À tout moment (…) » (*Le Camion,* p. 63).

L'amour ne s'attache pas toujours à une situation particulière. Il est d'abord une disposition intérieure, un sentir, un vouloir ou un don, la vie même, donc un devenir. Et si ce devenir prend forme, n'est-ce pas que l'on avait auparavant pris forme du devenir ? « L'amour est toujours là, même si on n'a pas d'amant, c'est un détail (…). La chose la plus importante c'est d'avoir cette propension à l'amour[176]. » Dieu familier, il s'anime dans l'instant ressaisi d'une durée permanente. Son attente n'est pas passive : « Cet état presque larvé, très lointain, très sombre du désir veille dans le corps, eu égard à un autre être, parce que le désir s'adresse toujours à quelqu'un[177]. » Quelqu'un ? L'indéfini marque bien que l'imaginaire ne s'efface pas au profit du réel. L'attention amoureuse, loin de se tourner vers la conquête d'un objet, prend prétexte de cet objet qui la ramène ensuite vers ses propres rivages. Mais les a-t-elle quittés ? Quelqu'un ? Son identité est seconde. Il ne semble pas toujours nécessaire de donner un nom à qui entraîne dans les tourments du désir et de la passion : « Celle-ci », dit Marguerite Duras de la Française d'*Hiroshima mon amour*, « l'amour la jette dans le désordre de l'âme (choix volontairement stendhalien du terme) un peu plus avant que les autres femmes. Parce qu'elle est, davantage que les autres femmes, amoureuse de l'amour même » (p. 139). Celle-ci sûrement, mais tant d'autres, chez qui l'amour est orage latent que l'occasion fera éclater[178]. Cette métaphore donne sa structure à *Dix Heures et demie du soir en été*. Encore là, le « je t'aime » s'adresse-t-il à Pierre. Mais lorsque Claire prononce cette formule, elle pénètre dans le « commun du désir » (p. 65) dont le mouvement erratique marque alors la pause. « Je t'aime », dit aussi M. Jo à Suzanne pour briser le flou de leur relation, et elle, qui donnait jusque-là à ces mots une signification singulière et grave, leur découvre soudain une portée nouvelle : « Elle savait maintenant qu'elle se trompait. On pouvait les dire spontanément dans le désir et même aux putains. C'est un besoin qu'avaient quelquefois les hommes de les prononcer, rien que pour en sentir dans le moment la force épuisante. Et de les entendre était aussi quelquefois nécessaire, pour les mêmes raisons » (*Un barrage contre le Pacifique*, p. 227). Passante qui fait graviter autour d'elle les désirs, la prostituée les accueille tous en leur prêtant son corps anonyme. Elle est l'emblème du mouvement perpétuel de l'amour, se répétant à l'infini sous des formes diverses. Elle déjoue les chausse-trappes de la morale et du langage : « Oui, le désir vécu au bordel, le "je t'aime" qu'on dit aux putains, les yeux fermés, sont de même *nature* que ce qui est vécu dans la passion d'un seul, ce qu'on appelle la passion en général. C'est à l'amour qu'on déclare son amour dans tous les cas[179]. » Précédant les rencontres, le désir est digression, force déportée par une course incessante. Nul but précis à l'horizon de sa fuite : « La passion reste en suspens dans le monde, prête à traverser les gens qui veulent bien se laisser traverser par elle. (...). À partir de là on sait comment se prêter aux autres traversées des choses. À la musique, à l'écriture. À tout en somme[180]. »

Le moment venu est donc toujours le moment voulu. Des figures multiples éveillent le regard, l'attirent sur elles, même lointaines, même et surtout insoucieuses de ce regard qui dispose d'elles, comme celui de la narratrice et de son amant devant Émily L. : « Je dis que j'éprouve pour elle une sorte de désir. Vous dites que, vous aussi, vous avez connu une envie de l'avoir contre vous, sa maigreur d'oiseau contre votre peau » (*Émily L.*, p. 131). L'indétermination prévaut. Tout s'abolit devant le désir qui pousse moins à agir qu'à dire, à se dire, et moins à se dire qu'à évaluer des possibles, comme si la jouissance devait être indéfiniment différée parce qu'elle n'est pas « ce qui va le plus loin », comme si indéfiniment devait subsister, solitaire, le désir : « Je suis exténuée par le désir d'Hélène Lagonelle. Je suis exténuée par le désir » (*L'Amant*, p. 91).

Irradiation autour d'un centre, il est vain de croire qu'on peut l'emprisonner dans la parole, aussi vain que de vouloir l'immortaliser dans autrui. Rien ne lui fait obstacle. Des espaces ou des objets se font substituts de la personne aimée. L'abstraction n'est que d'apparence :

> « Je la prendrais par la tristesse, dit le vice-consul, s'il m'était permis de le faire.
> — Sinon ?
> — Un objet pourrait faire l'affaire, l'arbre qu'elle a touché, la bicyclette aussi » (*Le Vice-Consul*, p. 80).

Au vrai, s'agit-il même d'abstraction ? La passion épouse le monde concret et ne fait aucun tri parce que le monde s'abîme en elle : « Toutes mes femmes. Elles sont envahies par le dehors, traversées, trouées de partout par le désir[181]. » Il suffit donc d'un presque rien pour que se retrouve, dans l'émerveillement, la « saveur anéantissante des lèvres inconnues d'un homme de la rue » (*Moderato Cantabile,* p. 132). Chaque fois que l'attente se comble provisoirement, surgit la même émotion oubliée :

> Qui es-tu ? (…)
> Tu me plais. Quel événement. Tu me plais.
> Quelle lenteur tout à coup.
> Quelle douceur.
> Tu ne peux pas savoir » (*Hiroshima mon amour,* p. 27).

Lenteur et douceur, corps et esprit, mais tout passe d'abord par le corps, et l'on se tromperait à vouloir délier l'amour de la sexualité. Autant qu'à lier le bonheur à la passion. Rien de plus étranger à Marguerite Duras. Pour elle comme pour Lol, le sentiment embarrasse. Il est « graisse » sur laquelle on glisse, il ôte au temps pur du ravissement sa « blancheur d'os » (*Le Ravissement de Lol V. Stein*, p. 47, 159), son acuité : « La tendresse, je n'ai jamais très bien compris, moi, quelle place elle pouvait avoir dans l'amour[182]. » Face au danger de l'insipidité, elle ouvre une brèche dévastatrice. La passion est rupture avec toute paix. Elle ne peut lire *Belle du seigneur* d'Albert Cohen : on y respire un trop grand bonheur alors que, chez elle, si bonheur il y a, il est « soudé au désespoir, inséparable du désespoir, de l'abandon[183] ». De même, la « gentillesse » de l'amour dans le film de Jean Renoir, *Le Fleuve*, remplace le désir par sa pavane (*Les Yeux verts*, p. 65). À l'opposé, elle se juge « terre à terre », incapable de traiter l'amour en allégorie[184], préférant le montrer au plus près de sa forme instinctive. En quoi il se superpose au bonheur dont il se distingue nettement : « Je suis un homme qui est heureux avec sa femme », dit le Japonais, et la Française : « Je suis une femme qui est heureuse avec son mari » (*Hiroshima mon amour*, p. 61). Et d'Anne Desbaresdes, qui veut connaître, elle aussi, « cette espèce de brûlure, d'incendie, d'atteinte mortelle[185] », que penser ? « Il semble bien qu'Anne n'ait pas besoin que Chauvin lui fasse l'amour, c'est dépassé. D'ailleurs, elle le fait très bien avec son mari[186]. » Ces mots discréditent le *bovarysme* qu'on prétend parfois déceler chez ses héroïnes, au moins si l'on prend ce substantif dans son sens courant. Il est simple de justifier le désir ou la passion par une banale insatisfaction ou par la rêverie d'un univers plus exaltant. Trop simple. On méconnaît ainsi les ressources vives et la demande pressante du désir, toujours et en même temps prologue et épilogue,

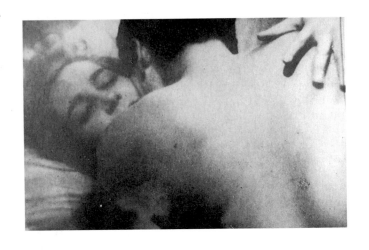

« *Tu me plais. Quel événement. Tu me plais.*
Quelle lenteur tout à coup.
Quelle douceur.
Tu ne peux pas savoir. »

dont la valeur est ontologique. « Le Désir est l'essence même de l'homme[187] », dit Spinoza, et, à sa manière, Marguerite Duras qui l'a lu : « Quand on a entendu le corps, je dirais le désir, enfin, ce qui est impérieux en soi, quand on a entendu à quel point le corps peut hurler ou tout faire taire autour de lui, mener la vie entière, les nuits, les jours, toute activité, si l'on n'a pas connu la passion qui prend cette forme, la passion physique, on ne connaît rien[188]. » Si on subordonne le désir à d'autres instances, il s'amoindrit. Si on l'accepte tel qu'il est, il accroît la connaissance. Car aussi grande soit l'importance du corps et de la sexualité, aussi fort est le lien entre l'intelligence et l'amour : « Je n'ai jamais pu concevoir la sexualité sans l'intelligence », dit l'écrivain dans *La Vie matérielle* (p. 77) et encore : « Je ne crois pas séparer, faire d'étanchéité véritable entre l'amour qui ne serait rien s'il n'était accompagné d'intelligence, et ce que j'appelle l'intelligence de l'amour[189]. » Le corps n'étant jamais rejeté vers l'extériorité ni la sexualité coupée de l'esprit, toutes les fonctions de l'être sont littéralement informées par la *phusis*. L'antinomie traditionnelle supprimée, l'imagination puise à foison dans la conscience corporelle. Mémoire ou chair, innocence, sensualité, patience, volonté, rien n'est stable, rien ne résiste à une force obscure dont on ne sait si elle participe de la houle ou du brasier, si elle consume ou engloutit, si elle berce ou purifie.

Presque toujours la parole qui évoque le désir est réservée, retenue, allusive, et le lecteur s'accoutume à sa discrétion. Quand elle cesse de l'être, par exemple avec *La Vie matérielle*, *Les Yeux bleus cheveux noirs* ou *L'Homme assis dans le couloir*[190], des femmes s'étonnent, qui voudraient séparer ces textes du reste de l'œuvre[191]. C'est oublier que celle-ci manifeste le besoin permanent d'éprouver tous les pouvoirs du langage. Tantôt elle use de l'esquive, elle entoure par le détour, comme si des choses ne devait subsister que l'ombre vaine :

Moderato Cantabile. Tantôt le trajet se fait plus direct, les mots nomment crûment les choses : *L'Homme assis dans le couloir*. Il n'y a donc pas lieu de voir dans le premier la face « noble » de l'amour dont le second serait l'envers honteux[192]. Ce n'est pas le sujet qui emporte l'écriture, mais l'écriture son sujet. En outre, chez Marguerite Duras comme chez Breton, l'amour charnel ne fait qu'un avec l'amour spirituel. Elle ne cesse « d'adorer son ombre vénéneuse, son ombre mortelle[193] ». Ses personnages ont en commun ce « corps tourmenté d'autre faim » (*Moderato Cantabile*, p. 131), ce regard « immense, famélique » (*Le Ravissement de Lol V. Stein*, p. 78) ou « d'affamée, de concentrationnaire » (*Nathalie Granger*, p. 73) que rend captif le désir. Charriant images et métaphores, pudique, chuchotée ou proférée, criée, impudique, la parole est forme active d'un amour qui ne distingue plus les contradictions et se hâte, au-delà du plaisir et de la douleur, au-delà de la laideur et de la beauté, au-delà de la vie et de la mort, vers de plus rares et de plus insaisissables vertiges : Anne Desbaresdes qui, au long des heures, « retourne à l'éclatement silencieux de ses reins, à leur brûlante douleur, à son repaire » (*Moderato Cantabile*, p. 137), la femme aux yeux verts de *L'Homme assis dans le couloir*, dans sa pose, « obscène, bestiale » (p. 12), celle de *Hiroshima mon amour* :

> « Dévore-moi
> Déforme-moi jusqu'à la laideur
> Pourquoi pas toi (…). Je t'en prie » (p. 27).

Plusieurs scènes illustrent ce qu'Isabelle lit dans les yeux de Nathalie Granger : « Tous les possibles futurs de la violence, tous ses modes » (p. 74). Que ces modes outrepassent largement ceux de la sensualité pacifique ne devrait pas surprendre. Et s'ils surprennent, autant rêver à d'autres fêtes, autant lire Colette[194] ou Simone de Beauvoir, autant refermer les livres de Marguerite Duras où, explicitement, la violence du désir appelle la seule violence et la mort. « Le dernier client de la nuit » dans *La Vie matérielle* (p. 17) donne de suffisantes lumières. « Après », y est-il écrit, « c'est devenu moins grave, une histoire d'amour. » Mais avant ? Avant que le temps n'ait eu raison de la passion ? Avant ? « Il frappait le visage. Et certains endroits du corps. On ne pouvait plus s'approcher l'un de l'autre sans trembler. » Comme dans *L'Homme assis dans le couloir*, comme dans *Le Vice-Consul* : « Qu'il voudrait, ah, avoir dressé sa main (…). Elle se laisse faire, il crie en frappant » (p. 203), comme dans *Le Navire Night* où le corps demande « l'étranglement, le viol, les mauvais traitements, les insultes, les cris de haine, le déchaînement des passions entières, mortelles » (p. 21). Tout cela ne s'explique ni par le masochisme, ni par le sadisme, ni même par une secrète volonté d'anéantissement[195]. Alain Finkielkraut montre bien à quel point l'invasion du vocabulaire psychanalytique a provoqué des dégâts dans le langage courant et soutient, beaucoup plus justement, que le désir des amants est, ensemble, refus de réaliser le désir dans l'affliction et refus de laisser à l'idylle le dernier mot. Il n'y a donc pas conversion de la souffrance en volupté, mais besoin fondamental d'un non-repos par l'accueil des contraires : plaisir et douleur[196]. L'héroïne du *Navire Night* constate que « sa propre mise à la disposition de ces antagonismes est sa force même. Que son abandon à ces forces brutales témoigne d'elle » (p. 64-65) et celle d'*Hiroshima mon amour* répète :

« Tu me tues.
Tu me fais du bien » (p. 28).

La mort, violence dernière, est, par conséquent, inscrite au cœur de la passion, non seulement parce que le désir se heurte à la finitude, mais parce que, au point le plus incandescent du désir, la mort seule l'accomplit. À la plénitude de l'être s'attache l'explosion de l'être : « À la passion reste en propre la surenchère qui peut aller jusqu'à la destruction (…). De là, que la démesure soit sa seule mesure et que la violence et la mort nocturne ne puissent être exclues de l'exigence d'aimer[197]. » Dans *Dix Heures et demie du soir en été,* Maria dévore du regard le criminel Rodrigo Paestra, « fleur noire poussée cette nuit dans les désordres de l'amour » (p. 103), *Hiroshima mon amour* se déroule dans l'univers raréfié des tragédies mortelles, et *Le Navire Night* plus encore : « Elle le provoque au jeu de la mort. Il se prête à ce jeu comme jamais il n'aurait pu le prévoir » (p. 76). Par sa densité symbolique, *Moderato Cantabile* exprime cette alliance de l'amour et de la mort :

> « Je voudrais que vous soyez morte, dit Chauvin.
> – C'est fait, dit Anne Desbaresdes » (p. 155).

Pas d'échec dans l'expérience d'Anne qui traverse toutes les phases du désir ni chez la jeune femme du *Navire Night* qui :

> « Chaque nuit réclame d'en mourir.
> Demande d'en mourir » (p. 41).

Parce qu'il ne veut renoncer à rien, l'amour tire de la présence de la mort un surcroît de vie. Très loin de l'aube ou du crépuscule, il cherche, dans la nuit la plus obscure, le plus lumineux instant, à moins que ce ne soit, dans le midi le plus clair, la plus sombre des images.

L'obscurité limpide

L'amour et l'écriture ne se donnent un objet de désir que pour le dépasser. Ils ne se rassasient jamais :

> « À vous, il vous manquait cette contradiction d'être dans un amour qui vous comblait et d'en appeler un autre au secours.

– Pas tout à fait... ni d'en appeler, ni d'en espérer. Seulement d'en écrire » (*Émily L.,* p. 138).

L'écriture ne se lasse pas de faire entendre la musique fastueuse de l'amour, encore moins d'en montrer le spectacle. Le désir amoureux est, au sens littéral, mis en scène jusqu'à *L'Amant de la Chine du Nord.* Marguerite Duras parle aussi d'un « lieu de la théâtralité » pour définir l'espace où se déploie la liturgie érotique de *L'Homme assis dans le couloir* [198].

Mais le code théâtral est mixte, visuel et oral. Là il est plus souvent question de regard : voir, être vu. Et si l'on ne voit pas assez, reste à imaginer : « Le Désir, dit Emmanuel Levinas, n'est que le fait de penser plus qu'on ne pense [199]. » D'un côté, dans la clarté, les mystères d'un cérémonial. De l'autre, dans l'ombre, le regard par lequel s'aménage une entrée dans les mystères. D'où la tentation de Maria. Tandis que Claire va devenir la maîtresse de Pierre, « elle voudrait voir se faire les choses entre eux afin d'en être éclairée à son tour d'une même lumière qu'eux et entrer dans cette communauté qu'elle leur lègue » (*Dix Heures et demie du soir en été*, p. 169). Lol, du champ de seigle où elle observe Tatiana et Jack Hold à l'hôtel des Bois, ne surprend des amants que le buste coupé à la hauteur du ventre. Elle n'entend rien de leurs paroles, mais, « les yeux rivés à la fenêtre éclairée », elle est mue par la volonté de « dévorer ce spectacle inexistant, invisible, la lumière d'une chambre où d'autres sont » (*Le Ravissement de Lol V. Stein*, p. 63). Motif voisin dans *Détruire, dit-elle* :

> « Nous faisons l'amour, dit Alissa, toutes les nuits nous faisons l'amour.
> – Je sais, dit Stein. Vous laissez la fenêtre ouverte et je vous vois.
> – Il la laisse ouverte pour toi. Nous voir » (p. 52-53).

À travers ces variantes, le regard cherche à établir une distance idéale. Il fixe un vide, où se recomposent perpétuellement les images d'un désir indistinct, labile et pourtant puissant. Entre ces images et le regard s'esquissent d'inconnaissables échanges, des ivresses communicatives, cependant que le témoin, à mi-chemin entre l'extérieur et l'intérieur, exclu d'événements dont il ne veut rien perdre, entend ainsi ne garder d'eux que la quintessence. De quoi il résulte que ce regard-là n'est autre que celui de l'auteur dont l'écriture est acte à la jointure du regard et du verbe. Elle établit elle-même un rapport entre l'envie d'écrire et l'écrit achevé, entre le désir et la jouissance : « Il y a cette même différence entre la jouissance et le désir qu'entre la somme première de l'écrit qui est totale, illisible, impossible à affronter, et ce qui, à l'arrivée, se précise dans un texte civilisé. La sauvagerie, le meurtre, il est dans le désir. La jouissance, comme on le sait, est en quelque sorte son confort[200]. »

Pareilles les énigmes du désir et de l'écriture qu'elle s'efforce de saisir et de dire entre l'inflation et la dévaluation du langage courant. Démarche qui procède, dans les deux cas, d'un manque sans lequel le désir n'existerait pas. C'est ce qu'analyse Tzvetan Todorov dans une étude sur Benjamin Constant. Notant que la tragédie du désir vient de ce que l'on désire à la fois le désir et son objet, c'est-à-dire à la fois l'absence et la présence de l'objet, il tire de cette loi contradictoire une analogie entre la parole et le désir amoureux : « Les paroles impliquent l'absence des choses, de même que le désir implique l'absence d'objet ; et ces absences s'imposent malgré la nécessité "naturelle" des choses et de l'objet du désir[201]. » Manque fondateur et non destructeur de la parole, qui, étant à son origine, se retrouve à sa fin et la relance. À la source des livres, le désir et à la source du désir, les livres : « C'est (…) à partir d'un manque à voir mon histoire que j'ai écrit mon histoire[202]. » Dès lors, l'amour s'affirme comme une dimension de l'écriture, et l'écriture comme une dimension de l'amour : « Quand j'écris sur la mer, sur la tempête, sur le soleil, sur la pluie, sur le beau temps, sur les zones fluviales de la mer, je suis complètement dans l'amour[203]. » C'est pour cette raison que Marguerite Duras est l'écrivain d'un éternel indéterminé. Ses textes ne sauraient être figés en concepts, ni même rassemblés en une somme close. Ils constituent une œuvre ouverte, jamais suspendue dans le silence sinon provisoire. Tout livre s'écoule et se coule dans un autre livre, s'interrompt, reprend au risque de s'abolir dans le flux et le reflux des sens, avec une régularité de marée. L'amour et l'écriture ramènent au premier état de l'être et au commencement du langage, là où le corps reste mêlé à la chair du monde. Ils sont ainsi naturellement amenés à conspirer avec l'utopie.

Marguerite Duras à Trouville en 1963.

5
Un océan de renouveau

Plus tu refuses, plus t'es opposé, plus tu vis.
MARGUERITE DURAS

Quand Marguerite Duras parle d'utopie, le mot n'a pas le sens précis que lui donne Thomas More[204]. Chez elle, ferment d'action et principe d'espoir, l'utopie se fonde sur le refus radical d'une Histoire désastreuse. Son lointain modèle est peut-être l'image d'une joie de vivre « très animale », celle des adolescentes vietnamiennes d'autrefois :

« Elles parlaient peu, elles s'amusaient entre elles, elles recevaient la pluie, la chaleur, les fruits qu'elles mangeaient, les bains dans les fleuves, tu vois, une réceptivité très, très, très élémentaire, apparemment[205]. »

Le souvenir de cette communauté harmonieuse semble revenir pendant les journées de Mai 1968 où elle voit un « passage » vers l'oubli de l'habitude qui considère l'irréalisme comme un crime. Peu avant ou juste après ces événements, elle donne *Un homme est venu me voir*, *Détruire, dit-elle*, *Abahn Sabana David*, *Le Shaga*, *Yes, peut-être*, *Nathalie Granger* et, plus tard, *Le Camion*. Ces œuvres mettent toutes en relief la nocivité du pouvoir politique ou militaire, les erreurs des mouvements révolutionnaires dévoyés, la foi dans l'imagination :

« Je crois à l'utopie politique (...). Il n'y a qu'à tenter les choses, même si elles sont faites pour échouer.

Même échouées, ce sont les seules qui font avancer l'esprit révolutionnaire » (*Le Camion*, p. 114-115).

On sait qu'elle prit une part active aux réunions du comité d'action Étudiants-Écrivains (*Les Yeux verts*, p. 71), qu'elle souhaita, avec Henri Thomas, occuper les Éditions Gallimard[206] et rencontra Jean-Paul Sartre et Simone de Beauvoir pour vendre *La Cause du peuple* dans les rues de Paris[207]. Mais c'est davantage par des textes qu'elle marque sa place dans ce qui fut la « préhistoire de l'avenir » (*Les Yeux verts*, p. 81). Dès janvier 1968, *Le Shaga* annonce : « Terminé, terminé, c'est la seule expression qui lui reste du *français* » (p. 212). En mai, elle se débarrasse de la peur d'être taxée d'anticommunisme. Enfin, attentive au développement du féminisme, elle précise ses propres convictions quant à la place que la femme peut tenir dans la société. L'Alissa de *Détruire, dit-elle* en est le symbole : « une inconnue d'une étendue très grande, ouverte, poreuse à l'air, à la musique, à l'amour[208] ». À l'amour surtout, garant le plus sûr et arme la plus puissante : « Quand Baudelaire parle des amants, du désir, il est au plus fort du souffle révolutionnaire. Quand les membres du Comité Central parlent de la révolution, c'est de la pornographie » (*Le Camion*, p. 115).

Que le monde aille à sa perte

Marguerite Duras se trompe-t-elle lorsque, en 1944, elle s'inscrit au parti communiste ?

> « Non.
> Ce sont des égarements de la jeunesse.
> De l'intelligence » (*Le Camion,* p. 32).

Exclue au bout de quelques années, elle n'a pas de mots assez durs pour vilipender ses anciens camarades. *Un homme est venu me voir*, qui développe *Pièce russe*[209], condamne par la voix de

Occupation du CNPF, 10 janvier 1970.

Steiner l'hypocrisie qui consiste à « se révolter contre l'injustice et à consentir à celle-ci » dans le même temps, par soumission à l'« imbécillité essentielle de l'entreprise du pouvoir » (p. 262-263). La tentative communiste y apparaît comme un échec : « Rien en effet n'a été réussi. Rien. Tous les résultats sont médiocres » (p. 272). L'amertume de ce propos et la colère qui anime en général Marguerite Duras lorsqu'elle parle du communisme – jusqu'à souhaiter la mort des responsables[210] – reposent sur le « désespoir politique immense » qu'elle a retiré de son engagement. « Vieille mécanique[211] », le parti communiste français s'est aliéné aux Soviétiques, il a évité ou brisé les courants des forces les plus vivantes, il a dupé le peuple. Son action paralysante s'exerce, plus que jamais, en Mai 1968 : « Toute la politique de la CGT et du parti communiste a été pour empêcher la chose » (*Le Camion*, p. 113). Les militants ont tué en eux tout désir d'indépendance et de nouveauté et entretiennent une complicité objective avec le patronat dont la politique consiste à « retarder à l'infini toute révolution libre » (p. 44). Leur obéissance inconditionnelle ne mène qu'à un nivellement de l'intelligence (*Les Yeux verts*, p. 28). À ces reproches Marguerite Duras ajoute des griefs particuliers. Le communisme étouffe la création littéraire et artistique. L'écrivain, capable d'ambiguïté et de dualité profondes, est d'avance suspect. Son invention n'a pas d'avenir. Tout au plus peut-il espérer raconter des histoires sur le mode exhaustif le plus traditionnel. Très vite, comme Louis Aragon, il emprunte la voie de garage du roman historique. En d'autres termes, « le communisme marxiste s'enlise dans le patrimoine culturel général et commence déjà à engendrer la rigidité cadavérique. Comme le freudisme[212] ». Bref, il n'y a pas d'écrivains communistes (*Les Yeux verts*, p. 165, 118). À partir de ces attaques, on est en droit de se demander pourquoi Marguerite Duras s'est affiliée à ce parti, quelle a été

114

l'influence sur son œuvre d'une adhésion suivie d'un reniement et ce qu'il en demeure.

La décision de devenir communiste au sortir de la Résistance s'explique par l'avidité de rompre avec le monde ancien[213]. Portée par la même impulsion qui l'avait fait, à dix-huit ans, s'engager dans l'Armée du Salut[214] et guidée, dans les années quatre-vingt et quatre-vingt-dix, vers SOS Racisme et Amnesty International[215], elle ne dissocie jamais éthique et politique. Tout prend source dans l'insupportable sentiment de l'injustice sociale, donc dans l'amour : « Cet amour-là, c'est ma politique depuis toujours[216]. » Elle voit aussi dans le marxisme, et le mot n'est pas fréquent dans ses propos, un « espoir ». Elle reconnaît « l'éclairement sans pareil aucun que représente l'analyse marxiste de la société capitaliste[217] », quand la splendeur de l'homme à venir ne fait qu'un avec la splendeur de l'idée (*Les Yeux verts*, p. 64). Le marxisme lui semble d'abord s'ajuster à son destin. Ensuite, elle découvre qu'englué dans la raideur de son application – mais peut-être tout est-il déjà en germe chez Marx lui-même – il nie sa visée originelle et met en tutelle ses militants, faisant d'eux des hommes de la praxis. Venus à lui dans la certitude que l'« équation personnelle » rejoint un « cas de classe », ils s'aveuglent et s'appauvrissent : « Cette maladie blanche (...) du membre du parti, du fils sans reproche, c'est qu'il est entré dans la simplification[218]. »

Tournant ainsi le dos à ce marxisme dégénéré, Marguerite Duras pourrait être enrôlée dans les rangs des gauchistes. Mais à la condition expresse d'observer qu'il s'agit de son « propre gauchisme », c'est-à-dire d'un gauchisme sauvegardé du moindre militantisme, un gauchisme où ne sévit pas l'« autisme du couple et de la famille » (*Le Camion*, p. 117), un gauchisme dépourvu de tout discours théorique. En 1967, elle dénonce une lacune capitale au cœur du marxisme : « Il s'arrête à la vie

*Marguerite Duras lors du procès
de l'affaire Ben Barka, le 16 septembre 1966.*

intérieure[219] » et elle s'apprête à travailler dans l'espace de ce paramètre manquant. Abandonner la gauche serait pour elle abandonner « le poème, la folie, la raison de vivre[220] ». Être de gauche, c'est « avoir moins perdu Dieu que la droite qui se réclame de la foi. Cela sans doute à cause de ce désenchantement idéologique fabuleux que nous avons connu avant : Dieu n'était pas loin[221]. » Dans la retombée de cet élan se développe une œuvre dont *Les Petits Chevaux de Tarquinia* porte, en premier, la marque nette. En effet, les dialogues de Ludi, Sara, Diana, Jacques et Gina, montrent, non sans humour, l'intérêt des personnages pour l'expérience politique, pour le statut des domestiques – motif repris dans *Le Square* que Marguerite Duras explique par la théorie du besoin –, et surtout, pour la beauté des révolutions. Mais de *Détruire, dit-elle* au *Camion*, bien d'autres perspectives sont envisagées dans une violence claire, exacte.

Détruire, dit-elle, devenu film la même année, est, dans sa forme autant que dans son sujet (ou absence de sujet), apologie de la destruction. Texte maigre dont certaines phrases ont la brièveté des didascalies, il s'impose comme le contraire de ces ouvrages que les héros ouvrent pour les refermer aussitôt. Marguerite Duras prouve que, pour elle, écrire est la meilleure action politique. L'extrême minceur des événements, l'éclatement des séquences narratives, la complexité des personnages, l'abandon de toute explication sont autant de procédés décapants utilisés contre une littérature en décomposition dont l'image est le « roman pour le train » (p. 26) conseillé par un libraire. Comme si cela ne suffisait pas, personne ne lit, et Stein n'y est écrivain qu'en puissance. Peut-être représente-t-il l'écriture en sa genèse, riche de toutes ses virtualités, si l'on suit ce qu'en suggère l'auteur[222].

« Soleil Septième jour » (p. 11) : le décor d'été, tennis, parc, hôtel ou maison de repos, fauteuils et chaise longue[223], réunit donc Alissa, son mari, Max

*Marguerite Duras pose devant une affiche de François
Mitterrand pendant la campagne présidentielle de 1988.
« Quand je me souviens de vous pendant la guerre,
de cette période de notre vie où nous étions jeunes,
je vous vois à la fois dans une crainte profonde
et constante de la mort et en même temps
dans une disposition non moins constante à la braver.
Vous étiez d'une espèce de courage dont je n'ai jamais
trouvé l'équivalent (…). Vous étiez d'un courage
à la fois raisonnable, raisonné, et fou. »*

Thor, et Stein : « Je m'appelle Stein, dit-il. Je suis juif » (p. 18), mais tous trois se posent en gens d'ailleurs. Par des paroles, plus encore par des regards, ils essaient d'arracher Élisabeth Alione à sa prostration. Ils y parviendront. Elle ira vers la forêt qui enclôt toutes ses craintes et vomira. Geste effectif et symbolique, celui d'Anne Desbaresdes dans *Moderato Cantabile*, qui signe son refus de l'ordre bourgeois auquel elle appartient. Encore son mari, Bernard Alione, homme du quotidien, antisémite et plein de préjugés, devra-t-il accepter de croire à la « théorie » d'Arthur Rosenfeld, un philosophe de huit ans : l'enfant précède l'adulte dans la connaissance (p. 123). Très loin des autres, il n'est cependant pas exclu de la révolution silencieuse qui s'opère autour de lui :

> « Vous savez, dit Alissa avec une incomparable douceur, vous savez, nous pourrions, vous aussi, vous aimer.
> – D'amour, dit Stein.
> – Oui, dit Max Thor. Nous le pourrions » (p. 121).

Stein, Alissa et Max Thor, les deux premiers pour le principal, représentent la destruction capitale, c'est-à-dire « celle du jugement, de la mémoire, de toutes les contraintes et, en particulier, de tout ce qui dispense la connaissance », explique Marguerite Duras, qui poursuit : « Je suis pour la fermeture des facultés, des écoles, mais je sais en même temps que je suis dans l'utopie. Et ça m'est égal[224]. » *Détruire, dit-elle* est l'essai d'une solution, une gageure lancée dans la crainte, crainte de s'y engourdir, crainte de s'en réveiller, où les personnages révolutionnaires glissent d'un rôle dans l'autre, s'identifient, veulent identifier Élisabeth à Alissa et la sauver : « On peut appeler ça l'amour. Ou l'exigence communiste[225]. » L'attachement perdure, non pas au communisme, mais à tout ce qu'il aurait pu être.

La leçon d'*Abahn Sabana David* est sensiblement voisine. Le Juif, « communiste qui croit que le communisme est impossible » (p. 94), attire à lui Sabana et David, leur enseigne « la souffrance, la joie, la folie et l'amour » (p. 132). Ce motif de la folie, déjà présent dans *Détruire, dit-elle* et lié à celui de la destruction, se prolonge avec *L'Amour.* Ce n'est évidemment pas de pathologie que traite Marguerite Duras[226], mais elle fait mieux comprendre Hegel quand il déclare que, loin d'être à l'opposé de la nature, la folie est la nature même. Chez elle, elle représente non pas ce qui viendrait après coup troubler la raison, mais la pensée originelle où la raison n'a nulle action, la dénégation de l'analyse intellectuelle[227], la préférence pour le chaos des émotions, le développement de la sensibilité sur l'intelligence, une intelligence nouvelle : « Ne regrettez rien, rien, faites taire toute douleur, ne comprenez rien, dites-vous que vous serez alors au plus près de – la main se lève, reprend, écrit l'"intelligence" » (*L'Amour*, p. 42-43). À l'« été froid » des idées reçues, les fous de S. Thala opposent une « immense force », leur seule présence passive : « Ça équivaut à une destruction, mais suivie d'une reconstruction, originale, cette fois, non dictée par la société[228]. » La destruction, ce point zéro, que Marguerite Duras appelle encore la « voie du gai désespoir », est le postulat à partir duquel elle peut écrire et agir : « Ce n'est pas une raison parce que l'on ne sait pas où on va pour ne pas y aller[229]. » C'est ce qui la mène vers *Le Camion.*

L'héroïne, peut-être évadée d'un asile psychiatrique, n'a pas su voir en son temps ce qui se trouvait derrière la clarté des mots : révolution, lutte de classes, dictature du prolétariat (p. 32, 68). Elle oppose au chauffeur du camion sa « joie d'exister sans recherche de sens » (p. 81). Elle contemple la « sublime nudité des collines de Beauce » (p. 19), parle de la fin du monde comme de sa vie privée, tandis qu'avance le camion bleu, dans un lent déplacement, pareil à l'écrit. Elle exorcise la propre crainte de l'auteur quant à la folie (p. 132) : « Si elle

Marguerite Duras et Jean-Luc Godard en 1967.

est folle, tant mieux, que tout le monde soit fou comme elle » (*Outside*, p. 177). Sa profession de foi : « Que le monde aille à sa perte » (p. 25, 67) n'est pas un mot d'ordre anarchiste, mais une option, l'essai d'une mise à niveau, le dessein d'une véritable démocratie : « Je n'aperçois plus que ça à vivre en commun avec le monde, cette pauvreté-là que j'appelle la perte du monde[230]. » Faut-il en déduire que Marguerite Duras a tout rejeté, y compris la foi qu'elle avait mise dans le marxisme ? En 1990[231], comme en 1964[232], elle affirme : « Je n'ai pas bougé. Je suis marxiste encore », et elle ajoute : « Mais cela ne suffit plus. » Qu'est-ce à dire, sinon qu'elle maintient, envers et contre tout, la possibilité d'un communisme autre qui, pour en passer par la destruction capitale, n'attend pas moins encore « l'inconnu. Que sera le monde communiste. De demain (...). L'homme communiste de l'an 2069, qui disposera complètement de sa liberté, de sa générosité[233] » ?

Le projet utopique entraîne Marguerite Duras à imaginer un marxisme insoupçonné qui retrouverait son « éblouissante valeur d'évidence », sa « valeur poétique », le « lieu sauvage et toujours à explorer (...) que le vrai communiste aura toujours en lui[234] ». Il lui permet de renouer, en écrivain et en femme, avec sa lutte contre l'endoctrinement et pour la réappropriation par l'intériorité des forces révolutionnaires. En femme, puisque, comme elle le dit dans *La Création étouffée*, c'est l'homme qui est responsable de la maintenance d'un discours désuet dans la mesure où il se persuade d'une mission pédagogique. Il doit apprendre à se taire, à cesser d'être un « imbécile théorique », à écouter le brouhaha silencieux des fous, des enfants et des femmes ici réunis parce qu'ils sont seuls capables de transgresser un préjugé essentiel, celui des limites du moi[235], à ignorer les prestiges trompeurs de la logique, du rationalisme et leur représentation philosophique : la lumière.

122

Une mise en doute de la lumière

Pour Marguerite Duras, ces mots sont une définition de la femme[236] dont l'existence s'enracine depuis toujours dans le noir terreau des désirs informulés. Il est d'ailleurs significatif que *Le Navire Night*, à travers l'évocation d'Athènes, mette à mal les aspects les plus tenaces du « miracle grec ». La clarté aveuglante de midi, les colonnes du Parthénon sans ombre aucune, la montée d'un implacable soleil – autant d'images de la raison ou de la pureté de l'intellect – n'invitent pas à la méditation. Ils effraient : « Je vous ai parlé d'épouvante. » Sitôt que le jour baisse, « on a moins peur » (p. 60-61). L'écrivain traduit, sans équivoque, la valeur bénéfique des vérités nocturnes dont la femme est la dépositaire privilégiée parce que, durant des millénaires, elle a été maintenue dans l'obscurité, dans le seul rôle d'aimer à elle assigné par l'homme : « Elle se tenait coite dans cette obscurité. Ce stage gigantesque dans l'amour a fait la richesse de la femme, richesse insondable[237]. » Dégagée de ce rôle unique, elle en conserve les vertus : une attention incomparable aux forces cachées et souterraines, une communication particulière avec les puissances telluriques ou cosmiques, une intuition diffuse, sans appuis ni dogmes. Happée par le dehors, elle craint moins que l'homme la folie, la transe, le délire, la subversion. Porteuse de vie, les aspects les plus prodigues de cette vie s'accordent à son corps. Elle a le sens de l'incarnation comme celui du passage, du relais, de la fugacité des choses. C'est, en tout cas, ce qui fonde le mythe féminin. *Mythe* et *mutisme* semblant avoir ici même racine, le mythe pousse l'homme, effrayé par un contact si direct et si mystérieux avec le monde concret, à réduire la femme au silence. Dans les domaines de la pensée, du pouvoir et de la création littéraire ou artistique, son activité est occultée. Constatant qu'en musique, par exemple, la

Avec Jeanne Moreau vers 1968.
« *La bouche ressemble à un quartier d'orange.*
Les yeux sont mordorés. Ils ont la douceur d'une soie.
Le regard est d'une intelligence qui ne connaît
pas de répit. Intelligente comme avant la gloire,
toujours elle le sera. »

femme ne passe pas à la pratique compositionnelle qui est « pratique de la démesure », elle l'explique ainsi : la musique est l'endroit où tous les interdits doivent se perdre, où la libération se fait « la plus profonde qui se puisse penser[238] ». Rien d'étonnant donc à ce que les femmes n'y aient pas accès.

Le double sens du féminisme de Marguerite Duras procède de ces constatations. Certes, il s'agit, pour elle, de défendre la cause des femmes, mais, à coup sûr, sa lutte n'épouse pas celle du féminisme partisan. Si l'on se réfère à la façon dont elle dénonce l'oppression de la femme par l'homme, on peut se leurrer un temps, encore que, même là, elle n'entonne guère une litanie conventionnelle. Pour elle, l'homme est un malade de l'action. Il ignore ce qui fait la supériorité de la force d'inertie. Il aime la guerre et veut la gagner : « Chez tout homme il y a un para qui sommeille, un para-de-foyer, ou un para légiférant, marxiste, non marxiste, ou un para-mari, para-papa, etc.[239] » Et si, négligeant les moqueries et les sarcasmes qu'il décoche sitôt qu'il entend parler de la libération des femmes, il se mêle de les aider, il ne peut s'empêcher d'agiter sa sempiternelle « crécelle théorique ». Propos caustiques, mais elle semble vouloir s'en tenir à un constat : « C'est la classe phallique, c'est un phénomène de classe. Faut bien le dire (...). Je ne les accuse pas en ce moment[240]. » Dans *Nathalie Granger*, consacré aux femmes et dont elle regrette le ton un peu didactique[241], aucun procès n'est véritablement dressé contre les hommes. Dans *Émily L.*, le Captain brûle le manuscrit d'un poème de sa femme, faute de le comprendre et par peur, désirant « protéger cette enfant contre elle-même, contre cette obscurité qui, à ses yeux, était si lisible qu'elle la confondait avec sa propre nature » (p. 86-87). Émily en perd presque la raison. Cependant elle ne rompt pas avec son mari, parce qu'elle a entrevu dans son geste la force de l'amour qu'il lui porte. L'œuvre révèle bien plus l'intérêt pour la féminité qu'elle ne développe une attaque en règle contre l'homme. En revanche, cette attaque prend vigueur dans les discours parallèles.

Avec Suzanne Horer et Jeanne Socquet, Marguerite Duras considère que l'homme utilise un argument fasciste dès lors qu'il invoque la servilité naturelle de la femme. Les hitlériens ont-ils agi autrement en décrétant la supériorité de la race aryenne? La femme, préposée à l'économie du ménage, habituée à servir, se laisse prendre aux séductions de ces soins, pour peu qu'on les lui impose avec habileté. Pire encore est la vénération dont on l'a entourée, que ce soit sur le mode religieux ou sur le mode surréaliste: « L'homme, en dernier recours, parle du charme que la femme actuelle a perdu – comme il parlerait des ciels de Verdun – et il s'attriste sur lui-même[242]. » Avec Michelle Porte, elle soutient que la femme est un « prolétariat millénaire[243] ». Avec Xavière Gauthier, ses analyses s'orientent vers l'intolérance de l'homme qui prétend dicter sa conduite à la femme, vers l'énergie masculine, qui n'est que turbulence, vers l'amour masculin de la gloire et du pouvoir. Mais des divergences apparaissent qui montrent des opinions bien différentes de celles que défend son interlocutrice. Marguerite Duras est prête à reconnaître que « n'importe quelle femme est plus mystérieuse qu'un homme » (p. 50), que la vraie force réside en elle et non en l'homme (p. 148), et qu'elle peut, à sa façon propre, entrer dans l'action politique (p. 152). Cela dit, rien ne relève de l'orthodoxie féministe. Pour avoir vécu « exclusivement » avec des hommes, et même si elle dit avoir opéré ensuite un rapprochement avec les femmes (p. 27), ses choix sont clairs dans le domaine de la sexualité: « J'ai connu le désir passion pour quelques femmes. Ça n'a jamais été plus loin que les premières fois. La frustration de l'homme a toujours été telle qu'elle balayait tout, très vite je quittais la femme pour revenir avec les hommes » (p. 224).

Plus tard, *La Vie matérielle* tend à excuser leur conduite brutale et autoritaire : « Il faut beaucoup aimer les hommes. Beaucoup, beaucoup. Beaucoup les aimer pour les aimer. Sans cela, ce n'est pas possible, on ne peut pas les supporter » (p. 47). Le dernier mot revient à l'amour, non à la lutte, et que peuvent penser les féministes de cet autre aveu : « Moi, je suis pour la soumission totale à l'homme. C'est comme ça que j'ai eu tout ce que j'ai voulu[244] » ? Partageraient-elles l'opinion de Marguerite Duras devant la libéralisation des mœurs qui d'abord a rendu la parole à la femme : « Le verbalisme me semble être une nouvelle plaie des femmes, elles parlent sans arrêt (...). Elles parlent en lieu et place de l'homme[245] » ? Seraient-elles du même avis sur l'acquis d'une plus grande liberté sexuelle : « J'y trouve le même truc répétitif et mécanique que dans le Mouvement des Femmes ou le parti communiste. Le désir est bradé, méprisé, saccagé. C'est comme un crime envers le corps. On libère le corps en faisant l'amour tous les jours et en même temps, on le massacre. C'est épouvantable[246] » ?

À ces dénonciations s'ajoute un respect constant pour les devoirs séculaires de la femme. *La Vie matérielle*, après *Nathalie Granger*, fait de la maison son espace. Elle y subvient aux besoins de l'homme, non sans savoir qu'elle sécrète ainsi son propre désespoir. Situation intenable, dans un lieu qui est l'« utopie même », entre méfiance et plaisir, application et détresse, mais situation inchangée, inchangeable parce que la femme est faite « de froid, de peur, de désir », parce que, peut-être, celle qui serait « complètement épanouie dans la démonstration de son savoir-faire, de sa sportivité, de sa cuisine et de sa vertu, elle est à jeter par les fenêtres » (p. 48 *sq*.). L'écriture même de *Nathalie Granger* comme les images du film soulignent constamment la lenteur du temps de la femme dans sa maison, ces moments de vaisselle ou de repassage, les fins de repas où elle nettoie la table, toutes ces tâches routinières qui lui incombent, tâches humbles, dévalorisées, accomplies là, sur fond de violence extrême, mais dans la douceur[247].

Autre point sur lequel elle est intraitable : la maternité. Il faut aller plus loin que la libération des femmes, l'amour maternel ne relève pas du préjugé : « Non. Je n'arrive pas à concevoir ce point de vue. C'est là mon aliénation[248]. » Enfin, le militantisme n'est qu'une position dictée de l'extérieur, une aliénation, un autisme[249] (p. 35-37) et devant l'insistance de Xavière Gauthier qui souhaite que les femmes se groupent pour parler entre elles, au moins : « Oui, moi ça je ne peux pas le penser tout à fait. Je crois que tout se trouve seul. Mais c'est mon défaut. C'est ma maladie. C'est comme ça[250]. »

Ainsi qu'elle l'avait fait après son exclusion du parti communiste, elle se rebelle contre les associations féministes, bien qu'elle n'ait jamais appartenu à aucune, cette seule idée la faisant fuir (*Les Yeux verts*, p. 183). Des propos plus récents la situent en position de symétrie inverse par rapport au discours féministe de 1968 qui lui semble plagiaire, haineux et faux : « À force d'entendre (que les hommes) étaient mauvais – ce n'est pas possible qu'ils le soient à ce point – on avait envie de retourner sa veste en leur faveur[251]. » En dernier lieu, le jugement est péremptoire : « Une féministe c'est à fuir. Ce n'est pas le bon moyen si l'on veut changer les choses (…). Je ne suis pas féministe du tout[252]. »

Pourtant, il est incontestable que la femme demeure au centre de ses préoccupations. La solution qu'elle propose est conforme à son projet politique. Naturellement informée de son aliénation, la femme est naturellement disposée à la transgresser. Elle n'a pas à tenir compte de mots d'ordre imposés ni de stéréotypes. Il suffit qu'elle admette sa vraie convenance comme Jeanne Socquet en donne l'exemple par sa peinture. Chez elle, rien ne se décèle de la « grande et stupide nostalgie des femmes devant la réflexion mâle » parce que cette femme sait qu'elle livre au public sa réflexion propre, et se donne, sans détour, pour ce qu'elle est : calme, solide, primitive (*Outside*, p. 256). Les femmes qui entrent dans la création ont des chances plus grandes d'atteindre la liberté à laquelle l'écrivain est parvenu, encore qu'il lui ait fallu s'habituer à l'angoisse et au désespoir qui sont choses partagées, indissociables chez les femmes – et ainsi elle les rejoint toutes – d'une valeur suprême qui échappe à la raison spéculative : l'amour. Platon n'en avait-il pas l'intuition dans *Le Banquet* ? S'agissant d'amour, ce n'est plus Socrate qui parle, mais Diotima, l'étrangère. Sans se référer à lui[253], Marguerite Duras accorde aux femmes une souveraineté : « Le paysage féminin est essentiel, essentialiste même, on pourrait dire. Celui de l'amour fou, tenu comme une note de musique pendant des décennies. Voilà la vie de la femme. C'est tuant et admirable[254]. »

Lune des fous

Autour des années 1968, période de tension, de tâtonnement, de crainte, de doute et d'espérance, les textes de Marguerite Duras sont plus que jamais privés des soutiens habituels de l'intrigue et du discours narratif classique. L'écriture procède par succession d'énoncés courts, juxtaposés. Mobile, marquée de ruptures, s'ouvrant à des rythmes contrastés, elle fait courir des phrasés plus vifs : exclamations, interrogations, interpellations, tandis que le dialogue est continuel. Ces modalités lui donnent un dynamisme qui vient de ses coupes sèches autant que de ses phrases suspendues ou de ses soudaines lenteurs. Elle court-circuite, joint, brouille, ramène à la surface les motifs de la folie, du désir, de la destruction, de l'éveil. Elle les retourne, les confronte à leur non-dit, met en mouvement un projet hasardeux : « Cela arrivera dans d'autres temps,

dit Alissa, plus tard. Mais ce ne sera ni vous ni eux.
Ne faites pas attention à ce que je dis » (*Détruire,
dit-elle*, p. 103). Aussi bien dans *Le Ravissement de
Lol V. Stein* que dans *Détruire, dit-elle*, tous les
principes du réalisme sont volontairement faussés.
Si Lol, fiancée à Michael Richardson, est enlevée à
elle-même – ravie – pour avoir découvert brutale-
ment, en regardant son fiancé inviter à danser une
autre femme, la splendeur de leur immédiate attirance, c'est de n'avoir pas souffert de la trahison
qu'elle impliquait. Tout lui est alors facilité : « La
jalousie n'a pas été vécue, la douleur n'a pas été
vécue. Le chaînon a sauté, ce qui fait que dans la
chaîne tout ce qui suit est faux, c'est à un autre
niveau[255]. » Quand *Détruire, dit-elle* met au jour le
thème de la libre circulation du désir entre Stein,
Alissa et Max Thor, Marguerite Duras a peine à
qualifier son entreprise. Elle parle d'une intrusion
de l'irréalité ou de la sur-réalité ou de l'hyper-réa-
lité pour affirmer finalement qu'il y a là une « sorte
de surexposition de certaines choses ». Quant aux
personnages, on peut les considérer comme des
« mutants[256] ». Stein est né de la lassitude qu'elle
éprouve dans le monde où elle vit et d'une lassitude
de soi : « Stein est d'un monde à venir. De moi à
venir[257]. » Cette prise de position permet de voir le
sens et l'intérêt de ces deux œuvres dont les secrets
provoquent si l'on y écoute notamment la voix profonde, nocturne et tourmentée de l'amour. Pour une
part, celui-ci est toujours « phase invivable, convul-
sive au sens où André Breton employait ce mot[258] »,
mais elle pousse plus loin les investigations dont *La
Musica* laissait, entre autres, deviner l'objet, créant
un lien entre cette pièce et *Un homme est venu me
voir* où l'on croit n'avoir affaire qu'à la politique :
« L'amour est un devenir constant comme la révolution. Ce mouvement peut s'inscrire dans un couple,
soit dramatiquement le dépasser[259]. » Avec *Le
Ravissement de Lol V. Stein*, puis avec *Détruire, dit-
elle*, c'est ce dépassement qu'elle affronte.

Bien que le premier de ces textes ne se laisse pas ramener à cette seule approche, ébauchée dans *Dix Heures et demie du soir en été,* il n'en offre pas moins l'hypothèse d'une « triangulation ». Si fort que soit l'amour de Lol et de Michael Richardson, il prend fin dès que s'avance Anne-Marie Stretter (p. 137). Lol ne songe pas à lutter contre cette rivale objective. Elle consent : « Aucune violence au monde n'aurait eu raison du changement de Michael Richardson » (p. 17). Mais au contraire de la souffrance qu'elle aurait pu éprouver, voyant, sous ses yeux, se jouer la scène d'un ravissement amoureux, elle désire y participer : « Ce qu'elle croit, c'est qu'elle devait y pénétrer, que c'était ce qu'il lui fallait faire, que ç'aurait été, pour sa tête et pour son corps, leur plus grande douleur et leur plus grande joie confondues jusque dans leur définition devenue unique mais innommable faute d'un mot » (p. 48). Faute de ce mot, faute de n'avoir pas muré le bal où elle aurait à jamais contemplé le spectacle de l'amour qui l'a arrachée à elle-même, en même temps qu'il scellait la passion d'Anne-Marie Stretter et de Michael Richardson, elle devient une « dormeuse debout » (p. 33). Néanmoins, *Le Ravissement de Lol V. Stein* est tout entier construit sur la seconde tentative de Lol : retrouver dans Jacques Hold et Tatiana Karl un second couple pareil à celui qui l'a éblouie, mais qui, cette fois, ne se détacherait pas d'elle. Que Marguerite Duras ait choisi pour narrateur un de ses personnages, que celui-ci ne soit jamais certain de ce qu'il avance, marque la distance qu'elle prend avec son récit. Mais elle le maintient aux lisières indéterminées du vécu et de la fiction. Rapprochant *Agatha* du *Ravissement de Lol V. Stein*, elle déclare : « Il y a une intercession de la consommation, c'est-à-dire que, comme on fait appel aux saints pour atteindre Dieu, ils font appel à leur mari, à leur femme, à leurs amants, à leurs amis, à leurs amantes, ils vivent l'amour qu'ils ne peuvent pas avoir. (...) *Jacques Hold fait l'amour*

Face aux acteurs de Détruire, dit-elle *(1969)*
De gauche à droite, Michael Lonsdale (Stein),
Nicole Hiss (Alissa) et Henri Garcin (Max Thor).

avec Lol V. Stein avec Tatiana. Lol V. Stein est témoin de cet amour que lui fait Jacques Hold avec Tatiana. C'est compliqué, mais je pense que tout le monde peut le vivre, est capable d'accepter, d'entendre ce que je suis en train de dire. C'est très clair et beaucoup plus commun qu'on ne le pense[260]. » Comme s'il lui fallait incarner toutes les ambivalences du désir, être à la fois qui possède, qui voit, qui agit, qui surprend, dans une pléthore d'identités cumulatives. *L'Amant* offre une caution : « Je voudrais donner Hélène Lagonelle à cet homme qui fait ça sur moi pour qu'il le fasse à son tour sur elle. Ceci en ma présence, qu'elle fasse selon mon désir, qu'elle se donne là où je me donne. Ce serait par le détour du corps de Hélène Lagonelle, par la traversée de son corps, que la jouissance m'arriverait de lui, alors définitive. De quoi en mourir » (p. 91-92).

Détruire, dit-elle opère autrement, bien qu'on puisse l'envisager aussi comme une « recherche de l'impossible[261] ». L'amour d'un seul y est toujours posé en exigence première : « Si vous l'aimiez, si vous l'aviez aimé une fois, une seule, dans votre vie, vous auriez aimé les autres, dit Alissa, Stein et Max Thor » (p. 103). Mais, comme l'indique assez le verbe au singulier, les trois personnages ne font qu'un, unis par le désir qui passe de l'un à l'autre. Lol V. Stein avait rompu avec l'amour de son fiancé, Alissa met en doute celui qui l'unit à Max Thor : « Peut-être que nous nous aimons trop ? demande Alissa, que l'amour est trop grand, crie-t-elle, entre lui et moi, trop fort, trop, trop ? (...). Entre lui et moi seulement, il y aurait trop d'amour ? » (p. 40). Le silence de Stein qui conduit le jeu est sa réponse. Désormais, les héros perdent toute possessivité et toute identité propre, tout en demeurant conscients du danger de leur entreprise (p. 59) et de leur folie (p. 36) :

« Stein se rapproche, il pose sa tête sur les jambes nues d'Alissa. Il les caresse, les embrasse.

« – Comme je te désire, dit Max Thor.

– Comme il vous désire, dit Stein, comme il vous aime » (p. 42).

La complicité d'Alissa, de Stein et de Max Thor grandit au cours du livre : « Nous sommes les amants d'Alissa. Ne cherchez pas à comprendre, dit Max Thor » (p. 93). Des parallélismes la renforcent : Stein, dans son sommeil, prononce le nom d'Alissa (p. 104) et Max Thor celui d'Élisabeth (p. 105), tandis que cette dernière, encore dans l'étonnement, écoute ces mots d'Alissa : « Je vous aime et je vous désire » (p. 101). Désir, folie et utopie sont en rapport de réciprocité. Ils corroborent les uns les autres leur capacité à l'équivoque. *Détruire, dit-elle* confirme, de plus, le mépris de l'auteur pour un monde adulte qui a oublié les audaces de l'enfance. Alissa y a toujours dix-huit ans : « Je suis inconditionnelle pour la jeunesse, l'arrogance devient pour eux un devoir et le seul. Les seuls princes, ce sont les gosses de dix-huit ans[262]. » Cette pensée sous-jacente confère à l'œuvre son équilibre fragile. La destruction capitale est souhaitable. Plus personne ne devrait parler comme Alissa imitant Élisabeth : « Je suis quelqu'un qui a peur (...), peur d'être délaissée, peur de l'avenir, peur d'aimer, peur de la violence, du nombre, peur de l'inconnu, de la faim, de la misère, de la vérité » (p. 72). Dans le même temps, cette destruction ne va pas sans risque : « Comment vivre ? crie doucement Alissa » (p. 107).

L'Amour et *La Femme du Gange*, le second procédant du premier et porté à l'écran, placent les personnages au-delà de ce risque. La destruction annoncée par *Détruire, dit-elle* et partiellement entamée s'accomplit. Les héros sont « immergés dans le refus », refus « entièrement politique, mais pas concerté », sans que Marguerite Duras puisse ou veuille dire comment ils se sont séparés de la société. Le refus s'est produit au cours de générations qui les ont précédés[263]. Aucun livre ne rend compte de l'état intermédiaire entre le début et la fin de la destruction. Mais le personnage du Voyageur – commun à *L'Amour* et à *La Femme du Gange* – assure, sans doute, le passage d'un état à l'autre. Il vient rejoindre les Fous de S. Thala auprès desquels se trouve Lol V. Stein. Si ces deux œuvres se maintiennent dans une sphère qui est toujours celle de la folie et du désir, leur rôle est hybride. D'une part, elles donnent suite et fin à l'histoire particulière de Lol *La Femme du Gange*, clairement relié au *Vice-Consul*, prépare *India Song*[264]. D'autre part, *Détruire, dit-elle* est un préambule[265] dont *L'Amour* et *La Femme du Gange*, grâce aux personnages des Fous, élargissent la problématique. La folie prend ici une double signification. Dans le premier cas, elle ne concerne que Lol, devenue folle au bout d'une vie non vécue[266]. Cette folie est douloureuse : « C'est le monde de l'exaspération folle de l'amour qui est fini[267]. » Lol demeure animée d'une vie apparente, elle suit tout ce qui bouge : le Fou ou le Voyageur, mais elle est détruite. Dans le second, au contraire, les Fous de *La Femme du Gange* ou la femme en noir, présente aussi dans *L'Amour* et, dans les deux textes, avatar de Tatiana Karl[268], sont fous au terme d'une vie vécue. La femme en noir en garde une nostalgie trouble, mais les Fous sont « dans une plénitude sereine (...), d'une sérénité violente. Ils regardent devant, ils marchent devant, vers l'"Ouvert" dont parle Rilke, que nous ne connaissons que par le visage de l'animal. (...). Ils *sont* la politique, ils n'en font plus[269] ».

Chez les Fous de S. Thala, l'espace du dehors et l'espace du dedans coïncident. Sous cet angle, *L'Amour* et *La Femme du Gange* semblent illustrer certaines analyses de Michel Foucault pour qui le fou occupe toujours une position liminaire : « Il est mis à l'intérieur de l'extérieur et inversement[270]. » La topographie choisie dans les livres de Marguerite Duras joue de cette situation : « Elle est assise contre un mur qui délimite la plage vers sa fin, la ville » (*L'Amour*, p. 8). De même, Michel Foucault

« – Il y a des gens on dirait…
– Non… c'est seulement le sable… la mer…
Ce n'est rien… »

constate : « Le fou est confié à la rivière aux mille bras, à la mer aux mille chemins, à cette grande incertitude extérieure à tout. Il est (...) solidement enchaîné à l'infini carrefour. Il n'a sa vérité et sa patrie que dans cette étendue inféconde. » Le décor des deux œuvres est un décor de sable et d'eau, de berges noyées, d'île, de sel et de vent. *L'Amour* comme *La Femme du Gange* invitent à observer la désagrégation temporelle que symbolise une lumière tantôt obscure (p. 9, 10, 12), tantôt éblouissante (p. 19), tantôt électrique, ingrate (*La Femme du Gange*, p. 161). Entre ville et mer, les plages inscrivent l'inconsistance des choses, les architectures ruinées, l'envahissement des herbes sauvages. Paysage de fin du monde, mais aussi paysage d'une genèse, le vide essentiel[271]. Dans ce vide, une « compassion animale issue d'un état de l'amour » (*La Femme du Gange*, p. 172). Expropriés d'eux-mêmes, les Fous ne sont que fusion organique avec le monde, silhouettes insolites et mouvantes. Ensemble, ils surveillent, du fond de leur nuit, la « progression de l'aurore extérieure » (*L'Amour*, p. 143).

« *Elle ne peut pas vivre ailleurs que là et elle vit
de cet endroit-là, elle vit du désespoir
que sécrète chaque jour l'Inde, Calcutta,
et de même elle en meurt, elle meurt
comme empoisonnée par l'Inde.* »

6
Les Indes noires
et blanches

Je suis avec vous ici complètement comme
avec personne d'autre, ici ce soir, aux Indes.
MARGUERITE DURAS

De 1964 à 1976, Marguerite Duras écrit quatre
textes : *Le Ravissement de Lol V. Stein*, *Le Vice-
Consul* (1965), *L'Amour* (1971), *India Song* (1973),
et réalise trois films : *La Femme du Gange* (1973),
India Song (1975), *Son nom de Venise dans Calcutta désert*. Cet ensemble que la critique baptise
cycle indien, ou cycle de Lol V. Stein, ou complexe
India Song, ou constellation India Song, tire sa
cohérence de ce que, de livre en film, de film en
livre, l'appel est rappel, la réminiscence prévoyance
et la redite invention. Forme parfaite de la répétition qui tire effet de sa semblable et différente identité. Tentation de défaire ce qui était fait. Chaque
œuvre attend l'autre qui participe d'un même mouvement, et aucune n'est simple esquisse. Toutes se
contiennent elles-mêmes et seules, en même temps
que se préserve la venue d'achèvements nouveaux.
Il est donc inutile de chercher un ordre chronologique. Les histoires s'enchevêtrent, les espaces éro-
dent leurs contours, l'itinéraire zigzagant et syncré-
tique des personnages contraint le temps à ne pas
s'écouler et ramène le récit à sa source inépuisable :
« C'est une zone très éclairée de la mémoire, la

moins oubliée (...). Ce fleuve, ces grilles, ces tennis, cette femme, ça vient d'une année d'enfance[272]. » Cela, qui vaut pour *India Song*, peut être étendu au reste. Certes, Marguerite Duras n'a pas attendu 1964 pour se tourner vers ses premières années, mais c'est à cette date qu'elle impose une figure médiatrice dans le cycle indien : Anne-Marie Stretter[273]. L'Ève marine du *Ravissement de Lol V. Stein* déclenche à partir du bal de S. Thala des ondes concentriques effacées par *Son nom de Venise dans Calcutta désert*. Avec Lol, la mendiante et le vice-consul, elle a tout le plein et tout le vide des grands héros mythiques.

Présente dès *Un barrage contre le Pacifique*, la mendiante vient d'un épisode vécu par Marguerite Duras vers l'âge de douze ans. Sa mère avait recueilli, moyennant une piastre, la fillette, rongée par les vers, d'une mendiante chauve qui cherchait sans cesse à se sauver et le fit, un jour, tandis que mourait la fillette. L'abandon de l'enfant, son achat, sa mort, la fuite de la mendiante, autant d'actes rassemblés en un seul acte « monstrueux et adorable », hantent l'écrivain : « Je ne pouvais entrer dans cette histoire sans souffrir[274]. »

C'est peu avant, semble-t-il, que Marguerite Duras a aperçu, pour la première fois, Élizabeth Striedter, femme de l'administrateur général à Vinh-Long, mère de deux filles, qui devait approcher la quarantaine. Pour elle, un jeune homme s'était suicidé. Rousse, d'une beauté presque invisible, provoquant l'amour et la mort, elle bouleverse un univers jusque-là conventionnel : « C'est cette femme qui m'a amenée à pénétrer dans le double sens des choses (...). Elle m'a amenée à l'écrit peut-être[275]. »

Le désir seul est au rendez-vous, au temps où Marguerite Duras fréquente Hélène Lagonelle « qui est évidemment Lol V. Stein[276] » et dont *L'Amant* et *L'Amant de la Chine du Nord* rappellent la beauté. De même, lorsque, à dix-huit ans, comme on l'a vu, elle connaît Freddie qui deviendra vice-consul de France à Bombay. Toutefois, dans la fiction, elle l'attache à Lahore et à Calcutta.

Villes réelles d'un continent revisité, Lahore et Calcutta ne déparent pas auprès de T. Beach ou de U. Bridge qui rappellent lointainement les Indes anglaises de l'avant-guerre. 1937 est la seule date de l'ensemble, indiquée dans *India Song*, choisie parce que « toutes les raisons de se suicider étaient vraiment réunies : la guerre d'Espagne, le fascisme allemand, la guerre sino-japonaise, les procès de Moscou[277] ». Quant à S. Thala, son écho retentit, comme le cri de Lol dans le bal dont procède le cycle indien, et on l'entend encore dans *Les Yeux bleus cheveux noirs* : « On crie un nom d'une sonorité insolite, troublante, faite d'une voyelle pleurée et prolongée d'un "a" de l'Orient et de son tremblement entre les parois vitreuses de consonnes méconnaissables, d'un "t" par exemple ou d'un "l" » (p. 11). S. Thala déborde tous les territoires. Il est Thalassa, la mer, le symbole d'un « désir entier, mortel » (*La Femme du Gange*, p. 183), le lieu de l'écriture : « La mer est complètement écrite pour moi. C'est comme des pages, voyez[278]. » Les douze années au cours desquelles Marguerite Duras tisse les destins croisés de ses personnages d'élection font du cycle indien un massif central dans son œuvre : « Rien ne me disait que ça, que parler de ces gens-là. Aucun amour au monde ne me tenait lieu de cet amour-là, qui était l'amour même[279]. »

Ces gens-là

L'amour prend des formes diverses selon qu'il concerne Lol, Anne-Marie Stretter, le vice-consul ou la mendiante et oriente inégalement leurs parcours fictionnels.

Lol exerce sur Marguerite Duras une attraction particulière. Quinze ans après la publication du

Ravissement de Lol V. Stein, rien de ce qui a été dit ou qu'elle a pu dire sur ce personnage n'est convaincant. Elle la connaît de moins en moins et ne peut plus la montrer que cachée, comme le chien mort sur la plage de *L'Amour*, cependant qu'elle s'identifie à elle : « Quand Lol V. Stein a crié, je me suis aperçue que c'était moi qui criais[280]. » Cette remarque et d'autres, dans *La Vie matérielle*, *Les Parleuses* ou *Les Yeux verts*, conduisent à penser que l'histoire de Lol peut être lue comme celle de l'écrivain quand l'écriture l'envahit et le ravit à lui-même. Ce qui ne signifie pas que l'histoire de Lol n'est pas aussi l'histoire d'un ravissement amoureux. Tout au contraire. Parce qu'elle est l'histoire d'un ravissement amoureux, elle se fait l'histoire du premier instant de l'écriture. Suivant l'aspect éclairé – mais en sachant bien que les deux aspects sont indissociables – apparaît l'aventure de l'écriture ou l'aventure de l'amour. Lol n'est-elle pas à jamais la proie d'une « totalité inaccessible qui échappe à tout entendement, qui ne cède à rien qu'à la folie, qu'à ce qui la détruit » (*Les Yeux verts*, p. 167)? N'est-elle pas inguérissable de n'avoir pu donner un nom à l'innommable, trouver le mot qui n'existe pas et qui pourtant est là, à attendre « au tournant du langage » et vous défie (*Le Ravissement de Lol V. Stein*, p. 48)? Ne prononce-t-elle pas la phrase dont l'intensité fait claquer l'air autour d'elle et qui crève le sens (p. 116)? Ne traverse-t-elle pas le livre en éternelle enfant, en éternelle absente pour être, dans *L'Amour* ou *La Femme du Gange,* exposée à tous les vents, car « ce qu'elle a entrevu cette nuit-là – je vois la lumière de la foudre autour – devrait la tuer[281] » ? Après, il ne lui en reste qu'un souvenir désespéré : « S. Thala, mon S. Thala » (*L'Amour*, p. 139), ou l'image d'un « bal en forme d'étoile fixe » (*La Femme du Gange*, p. 184), ou la musique d'une « danse lente, de bals morts, de fêtes sanglantes » (*L'Amour*, p. 38-39). En ce sens, Lol exprime tous les états de l'écrivain, du plaisir à l'angoisse, de la certitude au doute, de la contingence à la nécessité. Plus loin encore, prise d'une passion insensée pour un objet sans présent, peut-être incarne-t-elle l'écriture même dans toutes ses énigmes : « J'ai beaucoup parlé de l'écrit, je ne sais pas ce que c'est » (*La Vie matérielle*, p. 37). Une lecture littérale ne contrevient pas à celle-ci. Lol est comblée et détruite d'avoir cru un instant qu'il lui était possible de voir, folle de ne pas y être parvenue, inconsolable. Regardant le vide, « vivante, mourante » dans l'air d'une « épuisante suavité » (*Le Ravissement de Lol V. Stein*, p. 62), elle préfère ce vide, même s'il n'est que le reflet pâli du ravissement premier, au bonheur que Jacques Hold lui propose. L'expérience concrète de ce bonheur lui fait définitivement perdre la raison (p. 187). Lol-Eurydice est tirée vers le jour par un Jacques-Orphée qui, voulant la délivrer, la tue. Née pour contempler les amants, pour se brûler au « feu central du désir » qui dévore encore les voix de *La Femme du Gange*, Lol est, depuis lors, atteinte dans la racine même de cet espoir démesuré : « Elle ne saura plus jamais aimer » (*La Femme du Gange*, p. 122, 184). Son histoire est celle d'une fin sans retour et d'un retour sans fin. L.V. S. – tel est le nom matriculaire qu'elle porte dans *La Femme du Gange* – « meurt en la voix brûlée », mais l'image filmique la montre suivant le Voyageur comme elle suivait le Fou, pour rien (p. 184), tandis que *L'Amour* la laisse à demi ensommeillée, tournée dans la direction de la lumière naissante (p. 142). Marguerite Duras évoque le script d'un film à venir où Lol réapparaîtrait « esquintée comme une putain, pleine de fards, de bijoux[282] ». Le projet resurgit dans *La Vie matérielle*. Faute d'avoir écrit ce script, Lol est devenue pour elle la plus belle phrase de sa vie : « Ici, c'est S. Thala jusqu'à la rivière, et après la rivière c'est encore S. Thala » (p. 34). Dans ce souvenir, le personnage jaillissant de l'écriture est pour toujours rattaché au lieu de

India Song *(1975).*
De gauche à droite,
Delphine Seyrig (Anne-Marie Stretter),
Claude Mann (Michael Richardson),
Vernon Dobtcheff (George Crawn),
Didier Flamand (le jeune invité des Stretter),
Mathieu Carrière (l'attaché d'ambassade).

son ravissement. Devant elle : Anne-Marie Stretter.

Autant Lol ne représente pas *la* femme[283], autant Anne-Marie Stretter semble en prendre tous les visages. Elle appartient à celles qui rendent fous d'espoir : « Celles qui ont l'air de dormir dans les eaux d'une bonté sans discrimination… celles vers qui vont toutes les vagues de toutes les douleurs, ces femmes accueillantes » (*Le Vice-Consul*, p. 120). Épouse, mère, maîtresse de maison attentive à ses invités, discrète, bonne envers les mendiants, ce ne sont pas ces traits qui la définissent le mieux. Ils restreindraient plutôt les significations si l'on s'en tenait à eux : « Rien ne se voit, c'est ce que j'appelle irréprochable à Calcutta » (*Le Vice-Consul*, p. 100). Mais, quoique désignant un paraître, ils guident vers des vérités plus essentielles. Anne-Marie Stretter porte toute l'obscurité et toute la lumière du jour premier. Femme fatale des grandes fictions du siècle en son début, elle tient de Salomé, de Béatrice ou d'Aurélia, de Mélusine, d'Aphrodite ou d'Isis, ou de Marie-Madeleine en pleurs, la prostituée sacrée. Elle ressortit à la légende que chantent les voix enlacées d'*India Song* (p. 40). Le modèle originel, Élizabeth Striedter, a été travaillé par l'écrivain, agrandi, chargé de ses propres expériences. Cependant, il demeure fidèle à ce qu'il est dans le souvenir dont la permanence détermine le rayonnement d'Anne-Marie Stretter au travers des livres ou du film. Rayonnement qui n'est pas seulement intérieur. La position sociale attribuée au personnage, les salons illuminés de l'ambassade de France, les bals, les vêtements d'apparat, la Lancia noire, ne donnent pas prétexte à une dénonciation expresse, même si la misère indienne alentour crée un contraste visible.

Marguerite Duras ne trahit rien de son enfance. Elle dit tout : l'abjection du système colonialiste et l'attrait d'un monde brillant auquel elle n'appartenait pas. À Vinh-Long, seul son frère, bon joueur de tennis, avait accès au parc de l'administration générale, mais par exception[284]. Il n'empêche. Élizabeth Striedter, aperçue de loin, se rendant en limousine à quelque réception, est inséparable, dans la mémoire, de ce monde-là. Et comme Marguerite Duras l'avait fait à propos de Jean Baxter, elle écarte tout reproche : « J'en ai marre de ces catégories : les riches sont dégueulasses, les pauvres sont pas dégueulasses. Ce sont deux femmes », dit-elle d'Anne-Marie Stretter et de la mendiante. « Je ne préfère pas l'une à l'autre[285]. » En 1990, elle précise : « (Mon Inde) est aussi celle de la frime, des ambassades. Des palais très loin des capitales, des métropoles, où tout se vit dans la passion » et, regrettant l'élégance aujourd'hui perdue de son héroïne dans le film *India Song*: « Il y a là quelque chose de clos. Avec elle se termine un mode de la féminité. Pour moi qui étais une petite noiraude (...) les femmes blanches, c'était ça. Toutes des femmes de passage, silencieuses. Des splendeurs[286]. » Un regret plus vif se montre à la pensée d'une autre femme, vue sur un paquebot, avatar d'Anne-Marie Stretter et ébauche d'Émily L. : « Tous les soirs (...) en fourreau noir, de satin noir (...), une pluie de strass sur les épaules, le corps nu sous la robe. Tous les soirs (...) elle dansait avec lui, cet homme, comme elle, beau, surnaturel, à tomber à la renverse. Envie d'en pleurer quand je m'en souviens, tellement c'était vrai[287]. » Marguerite Duras n'a-t-elle pas ici le regard ensorcelé que Lol portait sur les amants du bal ?

Toutefois, Anne-Marie Stretter ne tire pas son charme étrange de sa seule élégance, ni de sa seule grâce « abandonnée, ployante d'oiseau mort » (*Le Ravissement de Lol V. Stein*, p. 15), ni de ses yeux trop clairs (*Le Vice-Consul*, p. 92), ni de sa beauté : « Il dit qu'elle est belle, Anne-Marie Stretter, que lui la trouve belle, quel visage, dans sa jeunesse elle devait l'être moins que maintenant » (*Le Vice-Consul*, p. 170). Venant d'un âge éternel, elle est seuil de la tombe et du berceau, Éros et Thanatos, corps presque immatériel, spectral, du désir. Et encore, trouble dans un univers compartimenté, accident qui en fait vaciller l'ordre factice. Au cœur de la société coloniale, elle vit en marge, elle lit, elle s'en va retrouver des amants de passage au Blue Moon ou dans quelque hôtel de Chandernagor. *Le Vice-Consul* laisse entendre que la passion qui l'a unie à Michael Richardson dans *Le Ravissement de Lol V. Stein* s'est affaiblie : « Quelque chose les lie, se dit Charles Rossett, de stable, de définitif, mais ce n'est plus, dirait-on, un amour dans son devenir » (p. 152). En somme, Michael Richardson devenu Michael Richard est l'amant en titre, mais possédée de la dépossession, Anne-Marie Stretter a atteint la solitude. C'est pourquoi le désespoir a le champ libre, qui, l'ayant ouverte à tout amour, l'ouvre à toute souffrance et la mène au suicide. Dans les propos qu'elle tient sur ce personnage, Marguerite Duras en revient toujours à sa rencontre avec Élizabeth Striedter, sorte de « scène primitive » qui en passe par l'alliance du désir et de la mort, et qui incite à une surprise : rien dans cette femme, à première vue, n'annonçait le pouvoir secret que, selon l'écrivain, elle recélait. Dans *L'Amant,* elle la rapproche d'elle. Toutes deux partagent la même disgrâce, le même isolement, le même royaume : « Toutes deux au discrédit vouées du fait de la nature de ce corps qu'elles ont, caressé par des amants, baisé par leurs bouches, livrées à l'infamie d'une jouissance à en mourir, disent-elles, à en mourir de cette mort mystérieuse des amants sans amour. C'est de cela qu'il est question, de cette humeur à mourir » (p. 111). Rappelant ailleurs le comportement « inimitable » de ce « modèle féminin », elle conclut : « Elle porte à l'admiration (…). Non, pas à la tendresse, je ne crois pas ça. À la passion, mais pas à la tendresse[288]. »

Et c'est bien la passion qu'éprouve pour elle, dans *Le Vice-Consul* et *India Song*, l'homme vierge de Lahore, Jean-Marc de H. L'essentiel de ces œuvres se centre autour d'une réception à l'ambassade de France. Dans le brouhaha du bal – voix des invités anonymes, questions des familiers, succession des séquences musicales – se place « la poursuite d'Anne-Marie Stretter, sa chasse par la mort : par le porteur du féminin, le vice-consul de Lahore. Laquelle doit aboutir au rapprochement final entre lui et elle, à la fin de la nuit[289] ». De même qu'Anne-Marie Stretter relève de la mythologie, de même le vice-consul « n'est pas le vice-consul, on ne peut pas être le vice-consul – ou il n'aurait jamais vécu[290] ». Cependant, au sein de la « famille » d'*India Song*, c'est lui qui est au plus près de Marguerite Duras, « corps contre corps avec moi » (*La Vie matérielle*, p. 36). Ce paradoxe superficiel disparaît si l'on admet que le vice-consul représente la clairvoyance désespérée (*Les Yeux verts*, p. 229).

Dans *Le Vice-Consul*, le parcours du personnage est rendu complexe par la structure, par l'agencement des informations données, par son entente avec Anne-Marie Stretter. Les retours en arrière, fréquents dans la narration, groupent des détails sur ses rebellions successives. Dès l'enfance, en Seine-et-Oise, ce sont les chahuts organisés contre la discipline scolaire : « farces et attrapes, boules puantes, fausses limaces et vraies merdes partout » (p. 84), transgression joyeuse des interdits posés par la pension : « Le bonheur gai à Montfort consistait à détruire Montfort » (p. 88). Renvoyé pour mauvaise conduite, orphelin indifférent à la mort de son père, négligé par sa mère, sans aucune liaison féminine, ce privilégié de Neuilly est montré du doigt, déjà point de mire de la société bien-pensante. Seul dans son hôtel particulier, il casse des lampes ou des miroirs : « J'entends leur fracas dans les corridors déserts » (p. 88). Sans le savoir, il attend les « Indes souffrantes » (p. 157). À Lahore, devenu diplomate, il tire, sans doute sur lui-même, dans les glaces (p. 95, 160) comme Maldoror, non pas toutefois pour consacrer l'échec d'une épopée

*Marguerite Duras avec Delphine Seyrig
(Anne-Marie Stretter) et Michael Lonsdale
(le vice-consul), pendant le tournage d'*India Song.

narcissique, mais en un geste qui double une violence plus grande : « Le pire ? tuer ? – Il tirait la nuit sur les jardins de Shalimar où se réfugient les lépreux et les chiens » (p. 94). « Et puis, il faut bien le dire, on a trouvé des morts dans les jardins de Shalimar » (p. 41). Cette violence, qui ne va pas sans rappeler certaine phrase de Breton, n'est, aux yeux des autres, qu'une « pénible affaire », et chacun en invente des causes secondes et insuffisantes : « On ne peut pas comprendre Lahore, de quelque façon qu'on s'y prenne » (p. 105). Quant au vice-consul lui-même : « Je ne peux pas, dit-il, m'expliquer ni sur ce que j'ai fait à Lahore, ni sur le pourquoi de ce refus » (p. 39). Revendiquant la responsabilité de ses actes, il devient celui à qui tout le monde pense sans pouvoir en tolérer la vue, sauf Anne-Marie Stretter.

La réception à l'ambassade accuse le disparate du personnage. Éloigné d'abord d'Anne-Marie Stretter, il semble n'être que grand, brun, « comme un bel homme le serait », portant le smoking avec aisance (p. 100 *sq.*). Mais tel observe qu'il titube et tel autre que son sourire sonne « comme dans un film doublé, faux, faux » (p. 113). Ainsi l'a construit Marguerite Duras : « Oui, fait de pièces et de morceaux (...). C'est comme s'il avait une voix empruntée, un visage greffé, oui, une marche qui n'est pas à lui, un peu comme un Picasso[291]. » Près d'Anne-Marie Stretter, « pour la première fois, sa voix est belle » (p. 142) et « il a l'air heureux par instants. Regardez... comme s'il était fou de bonheur tout d'un coup » (*India Song*, p. 69). Unis par la danse, les deux personnages se révèlent complices. Leur vision semblable du monde se mêle à l'ardeur sourde de l'un et à l'indéchiffrable douceur de l'autre pour faire apparaître, en dépit de pensées divergentes, la figure d'une ressemblance fondamentale. Tous deux ont partie liée avec ce que le comédien Michael Lonsdale, qui interprète dans le film *India Song* le rôle de Jean-Marc de H., nomme

« le chemin du refus du monde, de l'"insuppor-tation" du monde (...), du malheur du genre humain[292] ». En ce sens, ils sont à proximité de la mendiante dont l'histoire inaugure *Le Vice-Consul* et qui symbolise la « limite extrême d'un état et d'une situation[293] ».

Pareille aux lépreux indigènes, comme eux cou-chée sur le sable dont elle semble être l'émanation, la mendiante n'est pas indienne. Étrange et étran-gère – les deux mots sont issus du même étymon –, elle exhibe son autonomie en se procurant elle-même sa nourriture : « Elle a chassé dans le Gange », avant d'aborder les promeneurs (p. 29). Si elle retient l'attention de Peter Morgan ou de Charles Rossett, si elle s'attache aux pas d'Anne-Marie Stretter, c'est qu'elle est parvenue à une liberté qui fait d'elle le double obscur de l'ambassa-drice : tout sépare ces deux femmes, tout les rend comparables. Sur le plan de la narration, sa longue errance imaginée par Peter Morgan constitue le « terrain musical » sur lequel s'avance le vice-consul vers Anne-Marie Stretter. Il fallait à Marguerite Duras le moyen de rendre sa « faim hallucination et absurdité », par la répétition, l'insistance, l'emploi d'éléments simples : la boue, la pierre, la poussière et le sel[294]. Sur le plan de la fiction, son itinéraire s'entrecroise avec celui d'Anne-Marie Stretter : Savannakhet, Mandalay, Calcutta. « Calcutta, elle reste » (*Le Vice-Consul*, p. 71) est-il dit d'elle, et d'Anne-Marie Stretter : « Calcutta. Elle meurt » (*India Song*, p. 44). Les verbes sont synonymes. Un passage de *La Femme du Gange* sur la mendiante le souligne : « Peut-être s'agit-il d'un envers de celle enterrée là-bas, dans le périmètre de la lèpre sur laquelle elle pleura, sous le même ciel, dans une pestilence commune. À elles deux, putréfaction au double visage : intelligence, silence » (p. 160). La survie de l'une et la disparition de l'autre sont fon-dues, fondues aussi avec les cris et les sanglots du vice-consul. La mendiante s'embrase à Calcutta,

Anne-Marie Stretter s'embrase à elle comme à la douleur et le vice-consul s'embrase à Anne-Marie Stretter comme à l'amour. Leurs histoires sont du même ordre quant à l'irrémédiable : « Histoire d'amour immobilisée dans la culminance de la passion. Autour d'elle une autre histoire, celle de l'horreur – famine et lèpre mêlées dans l'humidité pestilentielle de la mousson – immobilisée elle aussi dans un paroxysme quotidien » (*India Song*, p. 147-148).

Que la destinée finale de ces trois personnages varie n'entame rien de leur communauté. Des trois, la mendiante est celle qui préfigure, le plus nettement, la femme du *Camion* : « Elle vit dans la joie quotidienne[295]. » Elle chante, rit, se meut, dans l'universalité de la folie dont Lol ne donne qu'une version individuelle. Elle a retrouvé un « état animal de l'humain et participe ainsi à l'état de tous, encore plus à l'état de tout[296] ». L'amour est ici recouvert par une vague de fond, amour aux lisières de l'abîme, moire de la Moira qui se heurte à la présence de la mendiante folle, toujours dans les parages des Blancs : « La mort dans une vie en cours, dit enfin le vice-consul, mais qui ne vous rejoindrait jamais ? C'est ça ? – C'est ça, peut-être, oui » (*Le Vice-Consul*, p. 174).

Question sans vraie réponse où se perdent les amants du Gange, dans l'impossibilité de supporter les Indes.

Quoi des Indes ? – L'idée

Marguerite Duras isole ses protagonistes. La mendiante, le vice-consul, Anne-Marie Stretter partagent la faculté d'« intriguer » les Blancs, et tous trois demeurent incompris. L'une parce qu'elle n'appartient pas à la masse des proscrits indiens, les autres parce qu'ils dérogent à la coutume des Européens acclimatés aux Indes, c'est-à-dire protégés de la pauvreté rôdeuse. Préoccupés surtout d'eux-mêmes, ces derniers ont une vie qui n'est que fuite en avant. Libéral, sociable, complaisant, l'ambassadeur de France, M. Stretter, veille à la bonne marche des intérêts diplomatiques. Michael Richard semble emmuré dans le confort du *Prince of Wales* (*Le Vice-Consul*, p. 184). L'Anglais George Crawn, vieux colonial, est un amateur de musique satisfait de fréquenter la gloriette où il écoute Anne-Marie Stretter jouer du Schubert. Charles Rossett, séduit par elle, lui aussi, accepte « les fausses consoles, les faux lustres, le creux, le faux or » qui règnent à l'ambassade ou dans la villa des Stretter (*Le Vice-Consul*, p. 93, 178, 189). Capable d'une vague sympathie pour le vice-consul, il questionne : « Comment aimer le vice-consul de Lahore de... quelque façon que ce soit ? » (p. 194), et la mendiante lui fait peur (p. 204). Si le romancier Peter Morgan s'exalte au malheur des Indes, n'est-ce pas manière de le fuir ? Dès le début est dénoncé son facile apitoiement : « Fadeur, épouvante, crainte de Dieu et douleur, douleur, pense-t-il » (p. 30).

L'Inde blanche est soucieuse de sa tranquillité d'esprit et se croit quitte envers l'Inde noire. Mais ce sommeil où se réfugient souvent les Blancs n'est que la version mondaine de celui des indigents. Aux Indes, tous s'enfoncent dans la somnolence : les uns pour ne pas voir la misère des autres qui, eux, cherchent à l'oublier. Toutefois, le traitement textuel des personnages n'est pas le même. Les Blancs sont nommés ou individualisés, les indigènes toujours évoqués par des formes plurielles : lépreux, pèlerins, affamés, mendiants. Dans l'atonie générale, ils donnent l'impression d'un troublant pullulement. Leur « horde dolente » est plongée dans une déréliction sans fin. La feinte impersonnalité de l'écriture de Marguerite Duras et l'emploi constant de l'indicatif présent, présent *scénique*, obligent à voir, forcent à imaginer « la pierre et les palmes, les arroseuses, la femme qui dort, les agglomérats des lépreux, sur la rive les pèlerins, ceci qui est Calcutta ou Lahore, palmes, lèpre et lumière crépusculaire » (p. 32). Aucun commentaire n'accuse davantage l'opposition entre les Indes blanches et les Indes noires à Calcutta, ville miroir où ne se reflètent plus, à terme, que les innombrables visages d'un pareil malheur de vivre.

Rebâtissant l'Inde qu'elle a vue, deux heures seulement, à l'âge de dix-sept ans, Marguerite Duras en fait un symbole. Quelques images lui suffisent, quelques mots, quelques trahisons : « La géographie est inexacte, complètement. Je me suis fabriqué une Inde, des Indes, comme on disait avant... pendant le colonialisme. Calcutta, c'était pas la capitale et on ne peut pas aller en une après-midi de Calcutta aux bouches du Gange. L'île c'est Ceylan, c'est Colombo. *The Prince of Wales* de Colombo, il n'est pas là du tout. Et le Népal, il peut pas y aller non plus dans la journée chasser, là-bas, l'ambassadeur de France. Et Lahore est très loin[297]. » L'Inde est donc ce pays de nulle part, de partout, des frontières dressées ou aplanies, des défenses exhibées ou disparues, des fleuves, de la musique, du désir (*Outside*, p. 262), S. Thala encore et toujours, les rizières et l'eau de la Cochinchine de l'enfance, l'espace de l'écriture qui s'étend jusqu'à la Normandie de *L'Été 80*. Dans l'axe d'Antifer : « On entend le bruit des moteurs et celui de l'eau remuée, les rires et les appels des pêcheurs du Gange » (p. 35). Ainsi naît progressivement la certitude que des Indes blanches ou noires, il ne peut y avoir aucune réalité documentaire, seulement une « idée », celle que personne à Calcutta ne peut vraiment supporter :

> « Les Indes, ne supportait pas ?
> – Non.
> – Quoi, des Indes ?
> – L'idée » (*India Song,* p. 51).

Pour imposer cette « idée », Marguerite Duras n'élève pas de barrière entre le décrit et le narré,

L'équipe de tournage et les acteurs d'India Song autour de Marguerite Duras, en juillet 1974.

mais établit une sorte de collusion entre les deux. La description ne bloque pas le récit, elle s'y intègre, et la narration, à son tour, se libère de sa fonction qui est d'enchaîner des faits. Grâce au procédé, on est placé devant une description narrativisée, redondante, conforme à une intention précise. L'écrivain ne raconte pas Calcutta, ce « nid de fourmis grouillant » (*Le Vice-Consul*, p. 30). Elle rassemble les traces perdues d'un savoir mythique, celui que tout Blanc peut avoir des Indes, de Lahore ou de Calcutta. Car on n'approche jamais innocemment une ville, et celle-ci, jamais, ne se livre dans son innocence. Syntaxe et vocabulaire sont là pour rendre l'attirance et la répulsion que l'Européen éprouve à son arrivée. Il semble que s'invente une grammaire du monde sensible pour traduire ce double mouvement, comme on dirait en musique : « Les noms des villes, des fleuves, des États, des mers de l'Inde, ont avant tout, ici, un sens musical » (*India Song*, p. 9). Dans les livres, se développe leur mélopée obsédante, amplifiée dans le film par le chant de la mendiante ou la mélodie de Carlos d'Alessio. Beauté suggestive des mots : Bengale, Bangkok, Népal, Rangoon, Siam : « Le Siam revient souvent dans ce que j'écris. En face des terres du Barrage (...) il y avait le Siam. Le mot m'enchantait. Je croyais qu'il n'y avait aucune chance que j'aille jamais au Siam. Mais le mot était là, tout lumineux[298]. » L'onomastique ressuscite les Indes fabuleuses des maharajahs à la végétation opulente que les seuls lauriers-roses ou palmes du *Vice-Consul* font vivre.

Cependant, les arbres ici sont l'abri des lépreux ainsi que ces jardins au parfum de sucre et de fleur que Marguerite Duras connaissait à Phnom Penh ou à Saigon. Leur odeur est associée à la lèpre, lèpre-lumière du décor colonialiste de l'enfance et du cycle indien, l'horreur même. Aussi la rêverie sur l'Inde ne masque-t-elle qu'à peine l'impossibilité d'y demeurer. Dans *Le Vice-Consul* ou dans *India*

Song, le passage de la fascination au dégoût se manifeste à plusieurs reprises : « Une vapeur infecte stagne (...), l'eau colle au sol une poussière humide qui pue l'urine » (*Le Vice-Consul*, p. 31), « un ventilateur de plafond tourne, mais à une lenteur de cauchemar » (*India Song*, p. 15). À d'autres moments et comme se souvenant de Baudelaire, l'auteur insiste, notamment dans *Le Vice-Consul,* sur l'aurore indienne, sur la singularité de l'instant qui pourrait marquer la naissance du jour et n'en dit que la fin : « Il est sept heures du matin, la lumière est crépusculaire » (p. 29). Crépuscule du matin, mais aussi ciel-couvercle, et surtout, difficulté d'être. En dernier recours, la touffeur, la fermentation nauséabonde, la paralysie font de Calcutta une fournaise malsaine, un monde exténué, en décomposition. Que l'on pense à l'« himalaya de nuages immobiles » au-dessus du Népal (*Le Vice-Consul*, p. 31), à la chaleur brûlante, à des termes récurrents : sable, sol, pierre et, dans un autre registre, Gange, eau, arroseuses, on verra naître une espèce d'alchimie à quatre éléments, une tétralogie première, fondamentale, par quoi Marguerite Duras convie à reconnaître que si Calcutta est métaphore des Indes, les Indes, à leur tour, ramenées à un paysage mental, sont métaphores d'un Éden irrémédiablement perdu. Rien, semble-t-il, aucune épiphanie ne pourra jamais déchirer ce lieu de tous les déchirements.

De ces déchirements seuls Anne-Marie Stretter et le vice-consul ont une connaissance sûre. En cela réside leur similitude : « C'est les mêmes gens, Anne-Marie Stretter et le vice-consul, c'est les mêmes gens[299]. » Les livres, le film les confondent, en outre, avec l'Inde maudite, momifiée, poussiéreuse d'une poussière de cendre et de mort : « Elle, c'est Calcutta. Avec elle il y a le radotage de la mendiante, son chant du Laos. (...). Lui, à lui seul, il est Lahore[300]. » Un « mal commun » les réunit enfin qui procède de leur fusion avec l'Inde : l'intelligence. À savoir, l'intelligence de ce qu'ils voient, sans pouvoir rien y changer : « Au fait, à qui ressemblait-il le vice-consul de Lahore ? (...) À moi, dit Anne-Marie Stretter » (*Le Vice-Consul*, p. 204). Cependant, cela qui les rapproche et les distingue des autres Blancs de Calcutta est aussi ce qui les fait différents l'un de l'autre.

Homme, jeune, le vice-consul que chacun, même Anne-Marie Stretter, déclare « un peu mort » (*Le Vice-Consul*, p. 100, 128), est, selon Marguerite Duras : « La vie même, puisqu'il ne peut plus rien supporter, la vie étant exprimable par le refus, chez moi, n'est-ce pas[301]. » Son acte « obscur, solitaire, abominable » (*Le Vice-Consul*, p. 103) le définit tout à fait, l'acte de Lahore qu'à Anne-Marie Stretter seule il veut confier : « J'ai tiré sur moi à Lahore, sans en mourir. Les autres me séparent de Lahore. Je ne m'en sépare pas. C'est moi Lahore. Vous comprenez aussi ? » (*India Song*, p. 97). Cet acte inutile et fou prend une valeur générale : « Est-ce qu'il n'y aurait pas en chacun de nous... comment dire ? une chance sur mille d'être comme lui ?... » (*India Song*, p. 67). L'ampleur de la violence chez Jean-Marc de H. montre bien qu'elle est violence à l'état pur dont lui-même, les lépreux ou les chiens ne sont objets qu'apparents. L'objet véritable, c'est l'univers entier, et sa provocation répond à une provocation majeure : « Avant Lahore il attendait la propension de Lahore à durer pour durer à son tour, dans l'idée de détruire Lahore ? C'est sûr. Car autrement il aurait pu mourir, lui, en connaissant Lahore » (*Le Vice-Consul*, p. 148). Le vice-consul s'est heurté à Lahore et, faute d'avoir détruit Lahore, il s'est détruit lui-même. À Calcutta, il apparaît broyé par sa propre révolte, mais ses cris, à la fin de la réception à l'ambassade, révèlent qu'elle demeure le centre du personnage devenu « engin de mort » au sein d'une micro-société sévère ou apitoyée : « Il est plein de feu, d'explosifs (...). Il faut que ça sorte, que ça éclate, que ça s'exprime à l'extérieur, que ce soit public, bruyant[302]. »

Cet éclat et ce bruit l'opposent à Anne-Marie Stretter. Plus âgée que lui, femme, la douleur des Indes la traverse comme un fleuve. Même si cette douleur muette a son équivalence exacte dans la colère du vice-consul, les formes qu'elle prend sont moins sauvages. Plus avancée que lui dans la « vision quotidienne de l'absolu du malheur, la lèpre[303] », elle se donne pour fonction d'assumer l'invivable. Son intelligence est innocente, elle s'ignore, parce qu'Anne-Marie Stretter vit désormais, presque sans les ressentir, toutes les choses de la vie[304]. L'intelligence du vice-consul ne s'ignore pas. Il est pareillement innocent, d'une innocence autre, d'une ignorance autre : celle, d'une part, du monde qu'il ne connaît pas. Il est « comme un très jeune amant (...), une sorte de Fabrice de toute cette époque noire de la terre[305] ». Anne-Marie Stretter aperçoit vite le « côté inévitable de Lahore » (*Le Vice-Consul*, p. 128), mais elle ne veut rien dire, rien en penser, loin déjà, retirée du tourbillon des vivants parmi lesquels elle passe, hautaine, fragile, absente :

« Qu'est-ce qu'on entend ?
– Elle qui pleure.
– Ne souffre pas, n'est-ce pas ?
– Non plus.
Une lèpre, du cœur » (*India Song,* p. 34).

Sa fausse indifférence explique ces larmes inavouées, son ciel, dira-t-on, expression immédiate de la souffrance universelle qu'elle incarne. L'ombre qui accompagne la lumière dans laquelle elle paraît (*Le Vice-Consul*, p. 109) la place sous le signe de sa disparition prochaine et l'attache « organiquement » aux Indes où la vie n'est plus qu'un dérivé analogique de la mort.

Deux personnages capitaux, deux manières de rejoindre le « feu central de l'absurdité[306] », dans la colère et par des coups de revolver ou par la tristesse et dans les pleurs. Derrière *Le Vice-Consul* ou

*Festival de Cannes, 1975, avant qu'India Song
ne reçoive le prix de l'Association française
des cinémas d'art et d'essai.*

India Song transparaît l'expérience marxiste qui « s'est terminée dans un fiasco, mais qui néanmoins est là[307] ». Marguerite Duras entend aussi qu'on découvre à ces œuvres un sens « religieux ». Maintenant une opposition entre la « religion » qui impliquerait une morale ou la recherche d'un salut personnel, et le « religieux » par lequel elle désigne « cet élan muet plus fort que soi et injustifiable[308] », elle écrit d'Anne-Marie Stretter :

> « Chrétienne sans Dieu.
> Splendeur.
> Amour.
> Oui... » (*India Song*, p. 46).

Tout participe d'une force qui arrache les êtres à leurs préoccupations égocentriques pour les projeter vers les autres jusqu'à devenir leurs semblables, leurs frères.

De n'importe quel passé...

Contrairement aux autres hommes de Calcutta, Jean-Marc de H. ne rêve pas d'une « femme rose, rose liseuse rose, qui lirait Proust dans le vent acide d'une Manche lointaine » (*Le Vice-Consul*, p. 47) sinon avec dérision, en pensant à l'épouse que sa tante de Malesherbes cherche pour lui et qu'il nomme par avance la « petite oie de Neuilly » (p. 211). Vierge, il n'a jamais été « hors de l'effort d'aimer » (p. 77) jusqu'à sa rencontre avec Anne-Marie Stretter. Que cette virginité soit effective ou anagogique, elle a son importance dans la mesure où elle fait du vice-consul celui en qui la passion s'éveille pour la première fois. Mû par des motivations qu'il a peine à définir, son désaccord avec le monde s'y ajoutant, tout renforce l'attirance qu'il éprouve pour la « reine de Calcutta » (p. 202). La reine, c'est-à-dire l'« amante de tous, la prostituée de Calcutta[309] », pour chacun, la figure du désir. Entre larmes et sourires, paroles sans importance et transparence du regard, quels que soient ses traits spécifiques, elle recoupe d'autres images :

> « Elle est à qui veut d'elle.
> La donne, à qui la prend » (*India Song,* p. 46).

Comme Lol dans *L'Amour*, « objet du désir absolu (...), elle est à qui veut d'elle (...), objet de l'absolu désir » (p. 50-51). Comme Alissa, dans *Détruire, dit-elle,* qui « est à celui qui la veut » (p. 131). Phrases qui restent mystérieuses : l'amour est devenu principe de toutes choses, moins dans son contenu explicite que dans son libre cheminement. Et c'est en cela qu'Anne-Marie Stretter charme si fort le vice-consul : en cette indétermination, cette langueur, cet ajour au monde qui ne souhaite pas d'être comblé. Plus que d'autres moments, la danse le révèle. Occupant toujours une place privilégiée chez Marguerite Duras[310], elle provoque la fatalité. Au bal du *Ravissement de Lol V. Stein* succède le bal de l'ambassade, mais fait-il oublier S. Thala ? En écho à ceux de *La Femme du Gange, India Song* reprend les mots du passé :

> « Que d'amour, ce bal...
> Que de désir.... » (p. 16).

Les éléments traditionnels du ravissement amoureux sont associés au destin particulier des deux personnages. On retrouve le sentiment d'une convenance secrète, le « Ô toi que j'eusse aimée, Ô toi qui le savais » du poème de Baudelaire. Parmi les premières paroles du vice-consul à Anne-Marie Stretter se trouvent celles-ci : « Je n'avais pas besoin de vous inviter à danser pour vous connaître et vous le savez... » et elle : « Je le sais » (*India Song*, p. 97). Mais il ajoute : « Je voulais connaître l'odeur de vos cheveux, c'est ce qui explique que je... » (p. 98). La phrase inachevée accuse le trouble du personnage à quoi répondent les brefs acquiescements d'Anne-Marie Stretter. Rien ne semble pouvoir faire obstacle à l'essor du désir, identique à ce

162

que l'on en sait déjà. L'objection d'Anne-Marie Stretter qui avance le nom de Michael Richardson comme si, vraiment, elle était tenue par cet amour ancien, amène ces répliques du vice-consul : « Je le sais. Je vous aime ainsi, dans l'amour de Michael Richardson. Ça ne m'importe pas » (p. 96) et : « Les histoires d'amour, vous les vivez avec d'autres, nous n'avons pas besoin de ça » (p. 98). L'abîme est donc ailleurs pour lui : dans le refus d'Anne-Marie Stretter qui tient à rester fidèle, non pas à quelqu'un, mais à la généralité du désir, fidèle aussi à la communauté qui s'est constituée autour d'elle. Marguerite Duras n'a pas laissé de doute sur ce point : « S'il avait été introduit dans ce milieu, ils savent tous les deux qu'ils se seraient aimés. En conséquence, elle aurait abandonné le rôle qu'elle jouait d'une prostituée "altruiste", la pleureuse, l'affligée, qui doit se donner à tous et à chacun[311]. »

Que ces propos concernent les personnages du *Vice-Consul* ou d'*India Song* n'empêche pas qu'ils ramènent à une seule question : comment maintenir sa ferveur au désir ? On a vu l'écrivain proposer des réponses qui n'appellent aucune résolution concrète. Ici encore : « Vous avez, dit-elle à ses interlocuteurs de Montréal, une notion peut-être... un peu... comment dire ? pratique de l'amour (...). Je crois que le vice-consul de France à Lahore et Anne-Marie Stretter s'aiment dans une espèce de dimension qui n'a pas besoin de s'exprimer. C'est complètement partout, si vous voulez[312]. » Comme Chauvin le dit à Anne Desbaresdes dans *Moderato Cantabile* : « On va donc s'en tenir là où nous sommes » (p. 154), le vice-consul, lui, affirme à Anne-Marie Stretter : « Il est tout à fait inutile qu'on aille plus loin vous et moi » (*India Song*, p. 97). La passion s'immobilise et culmine grâce à l'immobilité même : « Le vice-consul la regarde, rivé à la distance qui l'en sépare » (*India Song*, p. 145). Cependant, elle se manifeste aussi dans une connivence à laquelle l'emportement soudain du vice-consul, vers la fin de la réception, donne son expression la plus violente et la moins vaine. Pour lui, tout ensemble inconnue et reconnue, Anne-Marie Stretter accepte les appels déchirants de son nom d'enfance, son nom de Venise, Anna-Maria Guardi : « Pourquoi faites-vous ça ? – Pour que quelque chose ait lieu. – Entre vous et moi ? – Oui, entre nous » (*Le Vice-Consul*, p. 144). Mélancolie de ce pacte, mélancolie : doublure sombre de la passion amoureuse[313]. Le bal de l'ambassade n'efface pas le bal de S. Thala, il en prolonge les sens. Le cri de Lol V. Stein n'est en aucune façon différent de ceux du vice-consul : « Elle a appelé les amants justement parce qu'ils en étaient là où l'on n'entend plus rien. C'est dans cette absurdité (...) que se tenait L.V. S. » (*La Femme du Gange*, p. 184). Mais si Anne-Marie Stretter ne veut rien entendre, c'est pour une autre raison. Le vice-consul perçoit dans l'amour qu'il lui porte, au-delà de ses révoltes d'autrefois, encore quelque forme de l'espoir. L'existence d'Anne-Marie Stretter donne un sens à la sienne. L'intelligence qu'il a du monde n'est qu'intelligence d'elle, ne passe que par elle (*India Song*, p. 99). Mais, à elle rien ne peut plus arriver que sa mort (*Le Ravissement de Lol V. Stein*, p. 16). Cette mort que *Le Vice-Consul* suggère est clairement évoquée dans *India Song*. Le nom de l'ambassadrice s'efface déjà sur sa tombe, au cimetière anglais (p. 44). Quant au vice-consul : « Je me vois, assure-t-il à la fin du livre, indéfiniment photographié sur une chaise longue au bord de la mer d'Oman » (*Le Vice-Consul*, p. 212). Photographie : mort plate, écrit Roland Barthes dans *La Chambre claire* [314].

Avec le cycle indien, Marguerite Duras ne se contente pas de consacrer son invention. Sur le plan de la thématique, *La Femme du Gange* fait, une dernière fois, le lien entre *Le Ravissement de Lol V. Stein* et *India Song* : « Là-bas a glissé. Il est ici. Nous avons pénétré dans le lieu vidé de l'amour. *Il a suivi l'autre femme aux Indes*. C'est aux Indes, là-bas, que l'amour a pris corps. Adultère, exemplaire, là-bas. Consommé dans la cage close d'une chambre d'Ambassade, sous le ciel de mousson. *Le parc de l'Ambassade donne sur le Gange.* La lèpre, autour. On entend les sanglots d'un vice-consul de France » (p. 124). La clôture définitive du cycle survient avec *Son nom de Venise dans Calcutta désert* qui couronne l'ensemble. Le travail de l'écriture à partir de *La Femme du Gange* ou d'*India Song* engage à croire que Marguerite Duras a éprouvé la nécessité intérieure de mener à son terme l'histoire de ses protagonistes. Tout se passe comme si, créés dans la passion, ils devaient être défaits à jamais. Chronologiquement, en tout cas, se développe une entreprise systématique de destruction rendue impérative par l'attachement trop fort que leur a voué l'écrivain. *La Vie matérielle* le souligne pour Lol V. Stein : « Je la tue, je la tue pour qu'elle cesse de se mettre sur mon chemin » (p. 33). On relève des volontés similaires qui portent condamnation d'Anne-Marie Stretter : « Je ne pouvais pas (...) m'en sortir. Je vivais une sorte d'amour fou pour cette femme, et je recommençais toujours le même film, toujours le même livre, et je me suis dit : *Il faut qu'elle meure.* Voilà. Parce qu'elle m'a tellement atteinte[315]. » Un aveu plus précis complète celui-là. Anne-Marie Stretter ne représente pas que *la* femme, elle est aussi le lieu même de l'écrit, le « lieu écrit d'elle », c'est-à-dire un lieu intarissable « qu'il a donc fallu tuer pour que ça cesse », puisque la tentative avait échoué avec Lol V. Stein[316]. La fiction joue un rôle doublement cathartique.

Pour se délivrer, Marguerite Duras commence par projeter les personnages du *Vice-Consul* « dans de nouvelles régions narratives » (*India Song*, p. 9). Nouvelles, en effet, puisque *La Femme du Gange* élargit un procédé encore balbutiant dans *Le Vice-Consul* : l'utilisation de Voix présentes dans *India Song* et *Son nom de Venise dans Calcutta désert*. Qui sont ces Voix ? Quelle est leur fonction ? Dans

Tournage de Son nom de Venise dans Calcutta désert
durant l'hiver 1975-1976.

La Femme du Gange, elles proviennent de jeunes filles qui ont « dix-huit ans depuis longtemps » et qui surveillent l'espace, non pas pour commenter le film, mais pour « y faire des trous[317] ». Voix off ? En général, celles-ci facilitent le déroulement de l'histoire pour le spectateur. Or, celles-là l'ignorent et comme leurs paroles sont autonomes, elles auraient plutôt pour effet de brouiller le sens des images qui défilent sur l'écran. En revanche, une harmonie s'instaure entre images et voix : partout le désir, partout la mort. Les Voix sont « liées par le désir. Se désirent. (...). Attendaient depuis longtemps la mort, l'histoire, toute mort, toute histoire » (*La Femme du Gange*, p. 105). Par là, elles rejoignent les héros dont elles éclairent l'aventure : « On disait qu'elle était morte (...). Quand on pense à ce que ça a été... quel amour insensé » (p. 112). Dans le livre *India Song*, les Voix continuent leur « délire calme et brûlant ». Elles font glisser leur propre passion vers celle des personnages, la juxtaposent à la leur, mais leur mission principale est de « faire basculer le récit dans l'oubli pour le laisser à la disposition d'autres mémoires que celle de l'auteur » (p. 10). En d'autres termes, elles sont chargées d'un coup de force qui redouble celui, latent, de la fiction : conduire l'amour vers la mort, ne le faire revivre que par des paroles, l'installer dans un passé commun, lointain, inaccessible, essentiel – sorte de lustration qui lui donne une place dans l'éternité :

« De n'importe quel passé. De n'importe quel amour... je me souviens » (*La Femme du Gange,* p. 157).

À ces deux voix Marguerite Duras en ajoute deux autres qui se souviennent ou ont oublié, comme pour mieux conjurer la fascination qu'exercent encore les amants du Gange (*India Song,* p. 105-106).

Dans le film *India Song,* les Voix deviennent polyphoniques. Au présent, celles, confuses, des invités du bal, sorte de brouhaha d'où émergent

Son nom de Venise dans Calcutta désert *(1976)*.
« Si vous aviez à me définir, je pense que c'est là
qu'il faudrait chercher. Dans ce pari, dans le pari
que je prends contre moi-même, de défaire
ce que j'ai fait. C'est ce que j'appelle avancer.
De détruire ce que j'ai fait. »

quelques mots clés : chaleur, jardins de Shalimar, traces de l'Asie omniprésente, comme les cris des oiseaux, les rires de la mendiante, et la musique qui recouvre tout. Sur cette rumeur, un réseau de Voix individuelles qui parlent au passé : Voix de la mémoire et de l'oubli, comme dans *La Femme du Gange*, Voix des « moteurs de l'histoire », Voix qui lie toutes ces Voix. Pourquoi cette multiplication, cette superposition du passé au présent ? Il faut que le présent « participe de la fin, de la mort, qu'il en soit empreint » (*Les Yeux verts*, p. 235). L'orchestration minutieuse des sons qui fusent de tous côtés rend davantage la « mort présente[318] ». *India Song* est donc, déjà, en ce sens, un tombeau, comme on parle de tombeau chez Mallarmé. Enfermés dans leur silence avec leurs mouvements à peine ébauchés, le vice-consul et Anne-Marie Stretter se montrent ensemble une ultime fois. Le film scelle la mort du livre.

Avec *Son nom de Venise dans Calcutta désert*, Marguerite Duras va plus loin : jusqu'à la mort du film par le film. Dans cette étape finale, plus de personnages du tout. Ne restent que leurs voix, sur la bande-son intégralement reprise à *India Song*. À l'écran, les lieux abandonnés et ruinés de ce qui fut le décor du bal à l'ambassade : pièces vides et souillées, cheminées brisées, miroirs cassés. De lents travellings, de longs panoramiques parcourent la demeure détruite : « C'est le gouffre. C'est une surface lisse qui est celle de la mort[319]. » Il n'y a plus rien à raconter, plus rien à voir, à entendre seulement. La mort qui planait sur *India Song* est ici atteinte « de plein fouet ». Dans les dernières minutes apparaissent des silhouettes de femmes en noir : « Elles sont venues voir leur consœur, la regarder sans un geste, elles vont la voir mourir dans une intelligence commune[320]. » Jamais, semble-t-il, le mot de Jean Cocteau, selon lequel le cinéma filme la mort au travail, ne convient mieux qu'à cette œuvre : « Chaque fois qu'un film de moi va sortir, je pense : bon, un jour le film sortira, un jour je mourrai. C'est pareil. Une séparation atroce. Elle est opérée, cette fois[321]. » La mise à mort des personnages, accomplie entre deux modes d'écriture – le livre, le film –, si elle marque l'aboutissement d'un pan de la recherche, n'en freine pas la progression. Celle-ci ne se fera pas sans un certain déplacement ou décalage des jeux et des enjeux passés.

7
Une saison illusoire

Tandis que je ne vous aime plus je n'aime
plus rien, rien, que vous, encore.
MARGUERITE DURAS

Le changement d'orientation que l'on croit apercevoir dans l'œuvre à l'époque du *Navire Night*
tient à l'urgence d'écrire et pousse l'écrivain à négli-
ger l'intervalle, naguère indispensable, entre tel
moment de vie et tel moment d'écrit qui le consa-
crait. Ce phénomène entraîne une floraison de
livres et de films, ensemble faussement indépen-
dant puisqu'il n'empêche pas une autre écriture,
sans attaches avec les circonstances de l'instant, en
apparence au moins : *L'Amant*, par exemple, ou *La
Douleur*. La cohérence vient plus que jamais du
langage. Il traverse de biais les événements, le
temps et l'espace, rendant ces deux derniers relatifs
à leur aspect et à leur distance. Car l'aspect n'offre
pas plus le temps brut que la distance un espace
fixe, mais l'un l'avance vers le temps et l'autre le
mouvement vers les choses. Réseau mobile où, pour
parler comme les astrologues, des figures instables
trouvent à loger le destin.

Le Navire Night, *La Maladie de la mort*, *Les Yeux
bleus cheveux noirs*, *L'Homme atlantique* ou *Agatha*
montrent que lorsque Marguerite Duras « inaugure
des conduites » comme déjà dans l'enfance – mais
ici pas le moindre compromis – l'écrit seul paraît

Dans le hall de l'hôtel des Roches-Noires,
à Trouville, vers 1980.

solliciter des conjonctures nouvelles. On songe bien moins alors à quelque parti pris de révélation impudique qu'à ce profil perdu dessiné au revers de toute existence et qui n'est que le profil de la mort : « Vous parlez de la mort ? – Oui, je crois, je parle de nous » (*Dialogue de Rome*). Mort physique ou crainte de l'échec dans l'œuvre, dans la vie, et l'absurde qui répète, sans se lasser, sa même négation. À côté, *La Vie matérielle* est un aller et retour entre auteur et lecteur (p. 7-8). Il fait surgir un univers insidieusement mis à la place de celui qu'édifie la routine. Si près qu'il se veuille du quotidien, il s'ouvre à l'invasion d'une jungle sacrée et approfondit le sens des affaires les plus banales. Mais il rappelle surtout la plongée en spirale vers une passion nouvelle : « C'est sans doute le plus inattendu de cette dernière partie de ma vie qui est arrivé là, le plus terrifiant, le plus important » (p. 79). La venue annoncée de Yann Andréa à Trouville, le 30 août 1980[322], colore les œuvres qui la précèdent de peu ou lui sont contemporaines et infléchit le cours de celles qui la suivent. Ce qui se découvre n'est pas une dialectique du possible et de l'impossible, mais une audace qui les dépasse tous deux. En d'autres termes : salut, perdition.

Dans *L'Été 80*, *Agatha*, *La Maladie de la mort*, *Les Yeux bleus cheveux noirs*, voire *L'Amant*, les lieux ont tendance à se resserrer autour de « la chambre ». Chambre non pas seulement comme refuge ou retraite, chambre pour toutes les chambres, lieu du sommeil ou de l'éveil, des rires et des pleurs, des lumières jaunes de théâtre au crépuscule ou rayonnantes du plein jour de juillet, chambre où l'Éros côtoie des divinités maléfiques, tutélaires, chambre traversée par toutes les tempêtes du dehors, où les affrontements se font contre la vie et contre la mort dans une donnée générale : « Elle regarde la chambre à travers la soie noire, sans poser les yeux, comme on regarderait l'air, le vent » (*Les Yeux bleus cheveux noirs*, p. 86). L'espace

LE NAVIRE NIGHT

ÉCRIT ET RÉALISÉ PAR
MARGUERITE DURAS
AVEC
**DOMINIQUE SANDA
BULLE OGIER
MATHIEU CARRIÈRE**

Le Navire Night, *1979.*
« Peu à peu, le film est sorti de la mort. Je l'ai fait.
J'ai vu, chaque jour davantage, que c'était possible.
(…) On a mis la caméra à l'envers
et on a filmé ce qui entrait dedans, de la nuit, de l'air,
des projecteurs, des routes, des visages aussi. »

est en rapport étroit avec un temps en trompe-l'œil :
« Cet énorme été... fantastique saison » (*Le Vice-Consul*, p. 71), temps souvent exploré par Marguerite Duras, ici étiré, favorable ou hostile, qui donne au lecteur, dans l'ensemble de la période, une seconde vue des histoires. Comme la toile jetée au fond du tableau chez Paolo Uccello ou Piero della Francesca, il semble séparé des personnages. En réalité, il est l'image de leur destinée : « Les longues journées de l'été en resteront là pour l'éternité » (*Les Yeux verts*, p. 86).

Un été admirable

Premiers jours de l'été du *Navire Night*, roses épanouies par l'été d'*Aurélia Steiner*, éternel été de *L'Amant*, plages de l'été d'*Agatha*, soirs d'été des *Yeux bleus cheveux noirs*, nuit d'été de *La Musica deuxième*, canicule de l'été dans *Savannah Bay*, été triste et mauvais bleu du ciel de *La Pluie d'été*, passacaille funèbre de *L'Été 80*, celui de la « perdition près de la mer », prélude au « malheur heureux » d'un autre été de *La Vie matérielle* qui consigne encore une date : « Cet été 86 si terrible » (p. 89). C'est autour des années quatre-vingt que l'été prend une telle place dans les livres : « J'ai commencé à écrire sur l'été, les soirées chaudes. Je ne savais pas bien pourquoi, mais ça a continué » (*La Pute de la côte normande,* p. 10). Dès lors, l'été devient, comme l'automne chez Guillaume Apollinaire, une *cosa mentale*, pareille à l'inquiétude, à l'amour, à l'ennui, à toute fin ou à l'attente encore de quelque Désirade : « Oui, l'été me fait peur. C'est l'illusion de la vie. Dès qu'il arrive les jours diminuent. Je ne peux pas m'y faire. Il y a une traîtrise de l'été. C'est une saison illusoire[323]. » Et puisque réel et fictif ne sont pas antinomiques chez Marguerite Duras, ils tracent ensemble l'actualité de ces années-là, plus que jamais occupées d'amour et d'écriture. Mais, cette fois, pour l'un comme pour l'autre, l'été résonne gravement ainsi que des accords assourdis dans un quatuor de Webern. Il s'éclaire de couleurs marines, le blanc, le bleu, le noir, dans l'espace filmé de *Césarée*, dans le décor de *Savannah Bay* ou dans *Émily L.* : « Vous avez dit que le fleuve était quadrillé et retenu par la grille de ce bastingage – les eaux bleu-noir par le blanc lacté – comme le bleu par le blanc dans les dernières peintures de Nicolas de Staël » (p. 63). Il joue de son ambivalence, s'ensoleille dans *Agatha*, devient funeste dans *Césarée* : « Il fait à Paris un mauvais été. Froid. De la brume » (p. 102).

Temps brillant ou trompeur sur l'immensité des sables gorgés de mer, temps du malheur au soir des pluies d'équinoxe, temps de l'ardeur éteinte, jamais temps de la « raison ardente ».

Une page de juillet 1979, recueillie dans *Les Yeux verts*, laisse deviner la lassitude : « Avec la nuit qui tombait, je me suis demandé si j'écrirais encore » (p. 10). Les textes issus de l'été, dont on ne sait jamais avec certitude s'ils s'imposent avant ou après l'expérience vécue et qui, de toute façon, s'en écartent pour l'accomplir en eux, gardent quelque chose de cet accablement : « L'été est sans devenir (…). D'une stabilité abominable[324]. » Faut-il penser que les films réalisés d'abondance jusque-là ont laissé l'écrivain sans émotion suffisante ? « Il n'y a qu'écrire qui m'émeuve, lâcher un livre[325]. » Ou alors l'ont-ils brouillée temporairement avec l'écrit ? Le trouble persiste quand Marguerite Duras invente le personnage d'Aurélia Steiner : « Si je ne parle pas avec cette survivante, je perds l'écrit » (*Les Yeux verts*, p. 20). S'ajoute à cet effroi de la stérilité une vacance du cœur et du corps que comble, en partie, une correspondance échangée avec « quelqu'un », un homme au visage oublié, un nom, une voix seulement (*Les Yeux verts*, p. 10, *La Vie matérielle*, p. 148, *L'Été 80*, p. 63 *sq.*), un guide pour « revenir au pays natal » délaissé, l'écriture (*Le*

Navire Night, p. 14). Mais où enraciner le désir, maintenant lointaine solitude, ailleurs que dans *Aurélia Steiner* : « Où êtes-vous ? Comment vous atteindre ? » (p. 118), ailleurs que dans *Les Mains négatives* : « J'appelle celui qui me répondra. Je veux t'aimer je t'aime » (p. 113), ailleurs que dans *Le Navire Night* : « Et puis plus rien n'est arrivé. Plus rien. Rien. Sauf toujours, partout, ces cris. Ce même manque d'aimer » (p. 62) ?

Bien des œuvres de l'époque tentent de convertir l'absence en présence et vivent d'une souffrance dévoilée au détour du travail de l'écriture : « Je me suis adressée à vous dans ces moments-là pour que vous receviez la charge d'Aurélia naissante, vous (...), cela afin d'en être presque la cause, vous voyez, comme, de la même façon, vous auriez pu être la cause même que je n'écrive rien si par exemple nous nous étions aimés et tellement que ces mots d'Aurélia ne seraient pas venus au jour, mais seulement encore les nôtres » (*L'Été 80*, p. 64).

Quand la saison bascule vers septembre, quand le ciel se décolore, quand les vagues déchaînées ajoutent à tous ces signes des signes de mort, l'inanité du temps prend forme d'un espace, à lui semblable. Espace inutile, point de fuite ou point mort, scène de l'avant et de l'après : « Cette chambre qui maintenant vous ressemble (...), cette chambre aurait pu être le lieu où nous nous serions aimés, elle est donc ce lieu-là, de notre amour » (*L'Été 80*, p. 63).

Texte charnière dans l'épisode, cependant, et texte somme, *L'Été 80* explore toute l'affliction du monde à travers le seul désastre de la Pologne, toutes les peines de l'amour au travers d'un souvenir inachevé, et tout le désir d'aimer à nouveau, d'écrire à nouveau, le désir de « faire croire qu'on est prisonnière d'une règle qui porte à chaque instant vers l'inconnu. Et qu'à la seconde où vous alliez mourir de ne pas savoir quoi, cet inconnu s'éclairait » (*La Musica deuxième*, p. 12). L'œuvre

177

Avec Yann Andréa, au début des années 80.

juxtapose deux personnes, deux personnages masculins qui ont présidé, quoique différemment, à la résurgence de la passion et de l'écrit. Le parallèle est établi par *La Vie matérielle* qui défend, dans le monde des énergies paniques, de l'engloutissement des pseudo-vérités et de la dispersion, l'imprescriptible nécessité de l'amour : « Yann est arrivé. Il a remplacé les lettres. Il est impossible de rester sans amour aucun, même s'il n'y a plus que les mots, ça se vit toujours. La pire chose c'est de ne pas aimer » (p. 148). *L'Été 80* et le *M. D.* de Yann Andréa disent l'un et l'autre les mots des amants du Gange : « Quand j'ai ouvert la porte, je vous ai reconnu » (*L'Été 80*, p. 87), « Je vous connais depuis toujours[326]. » Connaissance ou reconnaissance, l'événement amoureux se fait événement de l'écriture. Pour Yann Andréa, Marguerite Duras est d'abord l'auteur d'*India Song*, celle qui l'a fait entrer dans l'enchantement (*La Vie matérielle*, p. 142). Pour Marguerite Duras, Yann Andréa est d'abord le lecteur qui envoyait des lettres, à qui elle a répondu, celui qui sait les tristesses de tous les étés : « Je ne fais rien. Je traîne toutes les nuits dans les cafés des Yvelines ou chez des gens. Je bois » (*L'Été 80*, p. 56). Il est enfin celui qui, venu la rejoindre dans cette chambre au-dessus de la mer, regarde avec elle la jeune fille de la plage – et de l'histoire – de *L'Été 80*, mains froides et ouvertes dans le désespoir d'avoir à quitter l'enfant aux yeux gris qu'elle aime d'amour. Enfant qui se fond à Yann lui-même : « Je ne distingue plus votre corps de celui de l'enfant, je ne sais plus rien des différences qui vous unissent et vous séparent » (*L'Été 80*, p. 96). Porté par la littérature, Yann Andréa est désormais lié à toutes les entreprises de Marguerite Duras. Dès le 6 novembre 1980, elle rédige l'avant-propos de *Outside*, recueil d'articles livrés entre 1957 et 1980 à *France-Observateur*, *Le Monde*, *Vogue*, *Le Matin de Paris*, *Libération*, etc. Yann Andréa en organise la publication. Son « classement » met en valeur, outre l'intérêt des informations, une permanente « somptuosité de l'écriture » (p. 16). En 1981, il accompagne l'auteur à Montréal pour une série de conférences de presse, mais ils passent aussi « deux jours en amoureux[327] » à New York avant de gagner l'Italie pour le *Dialogue de Rome*, puis Bruxelles. Bref séjour à l'Astoria, rue Royale, entretien avec Jacqueline Aubenas, au cours duquel Yann Andréa éclaire le rôle qu'il vient d'interpréter dans *Agatha* auprès de Bulle Ogier[328], trêves avant le silence et l'angoisse, les ivresses de la fatigue et du vin, la crise de l'été 1982 qu'en 1983 relate *M. D.* Indicatif d'amour, ce livre montre que la présence de Yann Andréa n'a pas été sans effet rapide sur le retour de Marguerite Duras à son habituelle activité littéraire et cinématographique. Elle fait d'ailleurs état, elle-même, d'un heureux renouveau de sa création[329].

Cela ne signifie pas que l'adjectif qualifie aussi l'aventure personnelle avec Yann Andréa. Au-delà des œuvres par elle inspirées, les commentaires, les entrevues donnent à deviner qu'elle est, avant tout, « inabordable » (*La Vie matérielle*, p. 79). Aussi les livres des années quatre-vingt sont-ils dans une même conjugaison : « L'histoire en reste là où elle en était, pour toujours, dans cette douleur-là, dans ce désir-là, dans le tourment invivable de ce désir-là » (*L'Été 80*, p. 85). Mais Yann Andréa étant le héros sans nom et/ou le dédicataire des *Yeux bleus cheveux noirs,* de *L'Été 80*, de *La Maladie de la mort*, de *L'Homme atlantique* et de *Émily L.*, comment ne pas supposer qu'il se trouve également à l'origine d'une remontée dans la mémoire, d'une saisie plus hardie du passé révolu, d'un ressourcement dont *Agatha*, en premier, débrouille le thème majeur jusque-là masqué, en proposant un type de personnage dont il est dit dans *La Musica deuxième* : « Il fait peur comme la foudre la vérité la passion, tandis qu'on l'aime comme son enfant, son frère, son amant » (p. 12)? Le rapprochement de ces derniers mots met en valeur un motif qui joint *Agatha, La*

Pluie d'été et *L'Amant de la Chine du Nord*, à savoir l'amour incestueux entre le frère et la sœur. Mais ici, rien ne saurait être avancé, sans prudence, qui touche à la biographie de l'auteur. Bien des œuvres antérieures évoquent l'amour passionné pour le petit frère mort, *Un barrage contre le Pacifique*, et, avant, *La Vie tranquille* : « Moi seule pouvais l'aimer à ce moment-là, l'enlacer, embrasser sa bouche, lui dire : "Nicolas, mon petit frère, mon petit frère" » (p. 13), *Les Petits Chevaux de Tarquinia* : « Le frère était mort et avec lui l'enfance de Sara » (p. 64) ou *Suzanna Andler* :

« Un frère. Imagine un frère que tu aurais aimé.
– Un amour... invivable ? Une agonie ?
– Oui » (p. 78).

Cependant, d'autres aveux de Marguerite Duras après la publication de L'Amant rendent les faits moins transparents. Y avait-il aussi une dimension incestueuse, non pas avec le petit frère, mais avec le grand, ce « personnage indécis entre le criminel et le père » ? « J'ai cru longtemps que non quant à moi. Mais du fait que je décelais la sienne, c'est qu'il y en avait une en moi aussi. Je ne veux pas danser avec lui parce que je ne veux pas me rapprocher de son corps. Ça me fait horreur parce que ça me trouble[330]. » Plus tard est à nouveau évoquée cette « espèce d'inceste qui règne dans la famille », puis le propos est explicité : « Le petit frère était le Chinois finalement. C'est ça mon secret[331]. » Reste de tout cela que l'œuvre seule commande et que l'enfant, le frère et l'amant constituent ensemble un archétype : « Toute ma vie personnelle, amoureuse, sexuelle a dépendu de ça, de cet amour qu'il y avait entre le petit frère et moi, cette histoire dort ou apparaît dans les livres[332]. »

Apparition éclatante avec *Agatha* où le thème de l'inceste n'invite guère à relire Freud ou Lacan. Bien plutôt autorise-t-il à Marguerite Duras à se prévaloir d'une double descendance : celle, étran-

*Tournage d'Agatha (1981) dans le hall
de l'hôtel des Roches-Noires. À droite, Bulle Ogier,
Marguerite Duras et Yann Andréa.*

gère, qui rassemble Schiller, Goethe, Byron ou
Musil, celle, française, de Chateaubriand et Lucile,
de Balzac et Laure, de Stendhal et Pauline, de
Maurice de Guérin et Eugénie... Bien plutôt
éclaire-t-il l'amour tel que le conçoit Marguerite
Duras. Celui du frère et de la sœur est la « coïncidence miraculeuse entre la passion et le lien parental. (...). Tout amour, toute passion... enfin... étrangère à l'inceste, tend à ça, à la reconstitution, aux
retrouvailles de ce lien-là qui est un lien absolu[333] ».
Agatha offre ainsi une « sorte d'exposé de principe,
d'une logique implacable dont l'objet serait, par
exemple, une nouvelle étape de l'être aimant[334] ».
« Mon enfant, ma sœur » dit Baudelaire à l'amante,
et Agatha écoute les paroles de son frère : « Ma
sœur Agatha... mon enfant... mon corps. Agatha »
(p. 39). Encore l'œuvre ne fait-elle que souligner
l'impossibilité d'une union que *La Pluie d'été* et
L'Amant de la Chine du Nord mènent à son terme.

Dans *Agatha*, « l'épaisseur obscure (...), le calme
de l'interdiction » devenus lois (p. 42) se renforcent
d'une séparation décidée par la sœur. Pourquoi ?
Parce qu'alors cette interdiction sera « plus interdite encore (...). Plus dangereuse, plus redoutée,
plus redoutable, plus effrayante, plus inconnue,
maudite, insensée, intolérable, au plus près de
l'intolérable, au plus près de cet amour » (p. 42).
L'inclination de Marguerite Duras lui fait suivre
une voie toujours semblable. Mais, au fur et à
mesure des nouveaux écrits – et c'est pourquoi elle
parle, à juste titre, d'étape –, l'intensité de l'amour
se développe à proportion de la distance qui sépare
les amants. Le souvenir de *L'Homme sans qualités*
discrètement évoqué par *L'Été 80* (p. 35-36) guide le
destin des personnages. De l'« été admirable » au
cours duquel s'est à peine ébauchée une relation
passionnelle ils se contentent de raviver la
mémoire. Les regards qu'ils se portent – mais plus
souvent ils se détournent ou ferment les yeux –
sont les signes d'une possession mutuelle d'autant

183

plus voluptueuse qu'elle n'amène à aucune relation sinon verbale. Possession comme traversée brûlante de l'autre, de soi par l'autre, de l'autre et de soi par une parole identique. Aussi est-ce dans une immobilité torturante qu'ils se tiennent hors de toute atteinte réciproque (p. 41). Seul le texte bouge, avance (p. 63) : « Tous les paliers du désir sont là, parlés, dans une douceur égale » (p. 41). Langage lisse, sans anfractuosités ni replis, comme si le tumulte intérieur de la sœur et du frère devait s'apaiser en lui seul, comme si la restriction de leurs gestes, leur lenteur et, à la fin, leur « raideur effrayante » (p. 67) étaient nécessité et suffisance de leur désir, amorce d'un mouvement, le seul permis : « Je pars pour vous fuir et afin que vous veniez me rejoindre là même, dans la fuite de vous, alors je partirai toujours de là où vous serez » (p. 59). On perçoit comment les mots établissent la gradation, mais, derrière eux, on peut lire aussi l'élan des amants vers tout amour et celui de l'écrivain vers une écriture de plus en plus métaphorique. L'acte textuel se pose en lieu et place de l'acte sexuel. Cette manière, cet objet, Marguerite Duras les a déjà abordés avec *Le Navire Night*. Si, comme l'observe Yann Andréa, « la voix c'est (...) ce qui fait passer le désir. On désire cette voix[335] », rien ne rend mieux compte de ce dernier texte qu'une telle réflexion. Un homme, une femme, durant des nuits, se parlent au téléphone, dorment contre le récepteur, « jouissent l'un de l'autre » : « C'est un orgasme noir. Sans toucher réciproque. Ni visage. Les yeux fermés. Ta voix, seule. Le texte des voix dit les yeux fermés » (p. 31).

Plus tardif, *Agatha* marque une transition et laisse augurer d'un dessein inattendu chez l'écrivain : non plus seulement parler le désir mais, le parlant, célébrer le bonheur : « C'est le premier film que je fais sur le bonheur, *Agatha* (...) parce que c'est un film sur l'inceste. Il s'agit d'un amour qui ne se terminera jamais. (...). C'est une sorte de jeu tragique dont je dis qu'il est le bonheur (...). Ils s'aiment, ils sont ensemble devant cette interdiction. Ils s'aimeront toute leur vie. (...). C'est ça que j'appelle le bonheur, et qui est recherché constamment et toujours à travers les tentatives de tous les amants[336]. » *La Pluie d'été* lève l'interdit de l'inceste. L'union consommée de Jeanne et d'Ernesto participe de la liberté qui règne dans la famille Crespi. L'amour du frère et de la sœur ne trouve pas, comme précédemment, origine ou empêchement dans la déficience ou la décision parentales. La dévotion passionnée de Jeanne pour Ernesto, l'affection farouche d'Ernesto pour Jeanne semblent naître, au contraire, de la « voix magique » de la mère qui chante en racontant, sans parole aucune, le « vaste et lent récit d'un amour, de l'amour des amants » (p. 111). Et c'est dans la « lumière verte et jaune » de ses yeux que se lit, de ses enfants, la « douleur heureuse », un sentiment inexprimable qui va, lui aussi, mais par-delà la tristesse, « en rester là » (p. 131). L'inceste de *La Pluie d'été* est présenté comme *naturel*, innocent autant que le jeu, le rire, les larmes, la faim ou la soif[337]. L'écrivain précise parfois – mais *L'Amant de la Chine du Nord* brouille les pistes – qu'elle ne rappelle nul fait réel de sa propre vie sauf une « émotion du corps, indescriptible, inoubliable[338] ». Fidélité à son passé familial, mieux qu'ailleurs ici retrouvé, l'enfance de Jeanne et d'Ernesto se termine dans l'amour. Et c'est volonté déterminée de l'auteur : « J'ai refait la fin plusieurs fois (...). Il fallait couper pour conserver cet amour[339]. » Neuf ans séparent *Agatha* de *La Pluie d'été*, au long desquels un autre visage de l'amour peut-être – mais est-ce si sûr? – apparaît dans des livres, que tout semble opposer à l'histoire du frère et de la sœur, s'il s'agit de *La Pluie d'été*, que tout semble rapprocher d'elle, s'il s'agit d'*Agatha*.

Sous le vent atlantique

Dans *Alice* flotte le sourire du chat de Cheshire, avant que le chat n'arrive, après qu'il a disparu. Dans *De l'autre côté du miroir*, un roi dort sous un arbre : « Tu n'es qu'un personnage de son rêve », dit Tweedledum à Alice. Emprise et fluctuation d'un désir sans fin, désaveu des signes de pistes possibles, non-lieu de toute finalité ou surenchère continuelle dans les vagabondages du sens et des sens : « Je peux dire qu'il s'agit d'un amour absurde, sans sujets, comme le sourire d'Alice est sans visage à travers le miroir, mais ce serait abstrait, faux. Non (…), c'est un amour qui aime déjà, qui envahit et qui reste en deçà de tout ce qu'on pourrait en dire » (*La Vie matérielle*, p. 86-87). Est-on chez Lewis Carroll ou chez Marguerite Duras ? Auprès de l'un et de l'autre, quand le langage, vital, fixe l'événement hasardeux. Auprès d'elle seule quand le théâtre de la passion se mue en théâtre de la cruauté, quand le mort saisit le vif, l'amour l'écrivain. Cette fois, il s'enroule autour des figures fuyantes mais essentielles, redoutables mais réclamées, de celui en qui s'entend le cri de Walt Whitman : *I am what I am*. D'où partir pour approcher les livres que ces images habitent, comme la vérité ineffable habite le vide du puits ? Et comment répondre sans dire d'abord que ces images ne détonent pas dans l'été de l'œuvre et de l'existence de Marguerite Duras, sans citer ces deux phrases qui pourraient servir d'épigraphe : « Il m'est arrivé quelque chose d'énorme dans ma vie. Y. A., c'est un homme[340] », « Il m'est arrivé cette histoire à soixante-cinq ans avec Y. A., homosexuel » (*La Vie matérielle*, p. 79) ? Horlogerie enchantée, l'amour a cherché et trouvé corps. Inclus dans le bouleversement du Gdansk de *L'Été 80*, il lui ressemble : « Non, je n'associe pas Gdansk à la peur qu'elle soit détruite (…). À rien, à vrai dire, je crois, si, je me trompe, si, à moi. À vous. À l'amour de vous, de votre corps » (p. 87). Importance de ce corps aimé, de ce corps écrit, importance du corps des amants dans la première expression de l'amour, déjà séparés par la frayeur de l'un, par la lucidité de l'autre. Aussi, dès le début, rien de plus « pessimiste » que le regard sur le monde alentour, rien « sauf cet amour que j'ai pour vous et dont je sais qu'il est illusoire et qu'à travers l'apparente préférence que je vous porte je n'aime rien que l'amour même non démantelé par le choix de notre histoire » (p. 88).

L'histoire progresse qui s'attache au corps de la passion, à la passion du corps, d'autant plus que dans *La Maladie de la mort* et, plus encore, dans *Les Yeux bleus cheveux noirs*, l'abstinence n'est pas posée en principe comme dans *Le Navire Night*: « Je pourrais tout quitter pour toi sans pour autant te rejoindre. Quitter à cause de toi, pour toi, et justement ne rejoindre rien » (p. 35-36). Maintenant elle est travail de deuil, drame hagard, où le désir, cependant désir du désir, cherche un support. D'où la révolte et la terreur, le désespoir, les pleurs et, après, le retournement salvateur de la perdition dans l'écrit qui rend l'histoire lisible malgré les difficultés de sa genèse : « Ce que je veux raconter c'est une histoire d'amour qui est toujours possible même lorsqu'elle se présente comme impossible aux yeux des gens qui sont loin de l'écriture – l'écriture n'étant pas concernée par ce genre du possible ou non de l'histoire » (*La Vie matérielle*, p. 89). Il faut donc prendre garde que tout déchiffrement en passe ici par deux ensembles de signes. Le premier s'établit sur une rencontre dont le récit ne saurait être que conjectural tant il touche au point sensible d'une liberté privée. Le second entrelace des faits et des mots dont la pertinence relève de la seule littérature. On est ainsi à la croisée du hiéroglyphe et de la grammaire. Entre les deux, les jeux de l'imaginaire et du vrai. À terme, toujours le corps, la parole, le regard, des textes. Mais, après Diderot, Proust n'enseigne-t-il pas que, livre ou corps, tout est *texte* d'égale dignité ?

Si pessimisme il y a d'emblée, c'est que, d'emblée, aucune perspective ne se dessine d'un *telos* libérateur, mais bien celle d'un vertige insensé et irrésistible : « Il m'a téléphoné et il m'a demandé s'il pouvait venir. Rien qu'en entendant sa voix j'ai su que c'était de la folie. Je lui ai dit de venir » (*La Vie matérielle*, p. 143). Toutes sortes de barrières pourraient aussitôt s'élever qui sont celles par quoi l'on réprime d'habitude la « folie » au nom de l'erreur, du mensonge, de la faute ou du bon ton, des codes en usage, etc. Même de la simple différence d'âge. *Émily L.* y répond : « Ce qu'on voit c'est qu'elle est sensiblement plus âgée que lui. Mais que lui, il a rattrapé sa lenteur à elle. (…). Que c'est fini pour elle et que pourtant elle est encore là, dans les parages de cet homme, que son corps est à la portée du sien, de ses mains, partout, la nuit, le jour » (p. 20). On pourrait s'en référer à Germaine de Staël ou à Ninon de Lenclos, sous prétexte que leur séduction, tard dans la vie, s'exerçait encore sur quelques jeunes gens. N'est-il pas préférable de remarquer que l'œuvre antérieure de Marguerite Duras témoigne que l'amour n'est en rien dépendant de cette différence, sinon en ce qu'elle l'exalte ? Anne-Marie Stretter est largement l'aînée de Michael Richardson qu'elle ravit à Lol Et Joseph, au cinéma du *Barrage contre le Pacifique* : « Dès qu'elle m'a demandé du feu j'ai deviné qu'elle était une femme bien plus âgée que moi, une femme qui n'a pas honte d'avoir envie de coucher avec un type (…). Alors j'ai eu très envie de coucher avec elle (…). "Vous êtes jeune." J'ai dit mon âge, vingt ans » (p. 260-261) ? Et Nadine d'Orange (*Les Yeux verts*, p. 95 *sq.*) ? En ces années quatre-vingt, la vie rencontre l'œuvre et la dépasse en énigme parce que l'œuvre était en avance sur la vie. Que Marguerite Duras ait « presque soixante-dix ans et Yann pas la trentaine », comme le note Michèle Manceaux, dans l'instant surgit la réplique : « Curieux que tu te préoccupes de l'âge. Je n'y ai jamais pensé, l'âge ne compte pas[341]. » Opinion développée au moment de la publication des *Yeux bleus cheveux noirs* : « Cet homme est beaucoup plus jeune que moi et ici ça n'a aucune importance[342]. » On chercherait en vain une parole autre dans *M. D.* Yann Andréa y dispose d'un passé récent qui remonte à sa mémoire : « J'avance vers vous, je reste dans vos bras. Et alors l'été commence, l'été de nos dix-huit ans, enfermé dans la chambre noire au-dessus de la mer » (p. 75). *La Vie matérielle* hausse le cas d'espèce à la généralité. Il y est montré que le corps des écrivains participe de leurs écrits. Délaissant le circonstanciel et l'anecdotique, l'amour s'engage vers d'autres tragédies que semble annoncer *Aurélia Steiner* : « Vous êtes ce qui n'aura pas lieu et qui comme tel se vit » (p. 157). Il n'empêche aucun départ, n'élude ni la peur, ni la brutalité, ni les cris : « Il n'y avait rien dans ma vie qui avait été aussi illégal que notre histoire à Yann et à moi. C'est une histoire qui n'avait pas cours ailleurs que là où nous étions » (*La Pute de la côte normande*, p. 19).

L'écriture ne cherche pas à se retrancher dans le silence. Téméraire, elle tient tête à l'illégalité. Mais la brièveté des livres la montre en exil d'elle-même. Elle retient autant qu'elle concède, et le récit est toujours à reprendre qui ne parvient ni à dire ni à calmer le désarroi. Si au cœur d'*Agatha* se racontait, au moins, le souvenir du bel été, dans le texte de *L'Homme atlantique* tout a perdu son éclat : « On ne sait si c'est encore l'été ou la fin de l'été, ou une saison menteuse, indécise, affreuse, sans nom » (p. 28). Le film, lui, se greffe sur une destruction préalable. Il est fait des plans non utilisés d'*Agatha* dont, après, il ne reste rien : « Je n'ai plus rien, ni devant ni derrière moi, rien qui traîne, rien à prévoir[343]. » L'écrivain parle ici de son activité cinématographique, mais ce « plus rien » évoque le drame vécu, écrit, aussitôt porté à l'écran dans la réminiscence proche de l'événement : « J'ai dit à voix haute la date du jour qu'il était, le lundi quinze juin 1981,

Dialogue de Rome *(1981)*.

que vous étiez parti dans la chaleur terrible pour toujours et que je croyais, oui, cette fois, que c'était pour toujours » (p. 19-20). Dans les blancs du livre, dans les images noires du film – le « noir Atlantique » –, seule l'absence joue un rôle non équivoque. Au cinéma, la parole progresse vers le visage muet de Yann Andréa, l'acteur, le personnage « resté dans l'état d'être parti » (p. 22), tandis que le hall de l'hôtel des Roches noires, à Trouville, sous un ciel de passage, se commue en espace tragique, espace dont les dieux se sont détournés, narthex de la mort : « Il ne reste rien d'un amour, même pas le souvenir[344]. » Yann Andréa, l'homme blond de *Émily L.*, est aussi celui dont l'image traverse la mémoire affolée de Madeleine dans *Savannah Bay*. En fond sonore, la voix d'Édith Piaf chantant « Les Mots d'amour » : « Si jamais tu partais... Je crois que j'en mourrais d'amour... mon amour... mon amour... » (p. 16). Cette voix apprend qu'on peut « jouer de tout, même de ça, de cette douleur pourtant si terrible » (p. 69). Elle achève d'effacer les mirages du mois d'août. Une étrange espérance s'ensuit qui survit aux désillusions : « La douleur se propose comme une solution à la douleur, comme un deuxième amour » (p. 70).

Cependant, elle ne conduit pas à endosser la livrée d'une saison nouvelle. Il s'agit toujours des étés de l'enfance « subis comme des punitions » (*La Vie matérielle*, p. 40). *M. D.* s'en fait le contrepoint en quelque sorte intemporel à partir du récit d'une descente aux enfers : « Je ne comprends pas comment ça va finir, si même une fin est possible (...). Sans boire c'était encore plus dangereux, intenable (...). À partir de ce moment on a bu sans pouvoir rien arrêter, ni de nous, ni de nous regarder avec ce même étonnement continu, ni de le supporter (...). On boit pour oublier l'insupportable[345]. » En novembre 1982, après avoir subi une cure de désintoxication à l'hôpital Américain de Neuilly[346], Marguerite Duras corrige les épreuves de *La Maladie de la mort* dont le premier titre était *Une odeur d'héliotrope et de cédrat*[347]. Avant *Les Yeux bleus cheveux noirs*, elle rend compte de ce que *L'Homme atlantique* appelle un « amour entre vivre et mourir » (p. 31).

Cet amour, un poète qui était aussi vrai romancier, Pierre Jean Jouve, l'avait évoqué dans *Le Monde désert* en 1927. Face à face, une femme, Baladine, et un jeune homosexuel, Jacques. Entre eux, l'amour, mais qui ne parvient pas à trouver l'harmonie, ni même quelque ajointement antagoniste, entre eux donc, la mort. L'amour, la mort, cercle sans fissure. Mais chez Marguerite Duras, la situation n'emprunte que peu à l'imaginaire. Aussi est-ce, à bon droit, qu'elle peut ainsi présenter *Les Yeux bleus cheveux noirs* : « C'est l'histoire d'un amour, le plus grand et le plus terrifiant qu'il m'a été donné d'écrire. Je le sais. On le sait pour soi. Il s'agit d'un amour qui n'est pas nommé dans les romans et qui n'est pas nommé non plus par ceux qui le vivent (…). Il s'agit d'un amour perdu. Perdu comme perdition[348]. »

Le chagrin mortel des nuits d'été

En 1977, Marguerite Duras s'entretient avec Michèle Manceaux de ce qu'elle appelle déjà la maladie de la mort. Elle juge que c'est une maladie de l'amour, que le temps des grandes passions est révolu et que le mot « néant » est encore trop beau pour un monde livré à la fadeur[349]. La publication de *La Maladie de la mort* n'infirme pas ces considérations. Prises dans l'ensemble des textes courts qu'elle écrit à ce moment-là, dont *L'Homme assis dans le couloir* ou *L'Homme atlantique*, elles se consolident dans cette œuvre à l'orchestration abstraite, minimale, d'une exemplaire rigueur. Bien qu'y apparaisse le filigrane des *Yeux bleus cheveux noirs* qu'elle donnera quatre ans après, le sens général, pourtant clair, n'est pas perçu par tous les lecteurs. Ni Maurice Blanchot, qui en fait l'étude dans *La Communauté inavouable*[350], ni Peter Handke, qui en tire un film intitulé *Das Mal des Todes* en 1985, ne voient que le personnage masculin est un homosexuel. Cependant, comment interpréter ce dialogue, si l'on ne tient pas compte de cette donnée :

« Elle demande : Vous n'avez jamais désiré une femme ? Vous dites que non, jamais.
Elle demande : Pas une fois, pas un instant ? Vous dites que non, jamais.
Elle dit : Jamais ? Jamais ? Vous répétez, jamais.
Elle sourit. Elle dit : C'est curieux un mort » (p. 34-35) ?

Le point de vue du critique et du cinéaste peut, certes, se défendre. Peut-être pressentent-ils que Marguerite Duras n'en restera pas là. Qu'à partir de *La Maladie de la mort* ses avis sur les hommes, homosexuels ou non, vont évoluer... Tout de même, avec *La Maladie de la mort,* on est loin du désespoir qui sous-tend *Les Yeux bleus cheveux noirs,* L'homosexualité y est « aride, solitaire (...). C'est peut-être la mort. C'est ce que je crois, moi, très fort et je l'ai tout de même montré[351]. » Y a-t-il procès ? Dans une entrevue de 1985, Marguerite Duras soutient : « Contrairement à ce que l'on croit, il n'y a pas de procès dans *La Maladie de la mort* » (*Les Yeux verts,* p. 231). En 1987, dans *La Vie matérielle* : « Si on a l'esprit à faire des généralités on peut dire que *La Maladie de la mort* est un premier état des *Yeux bleus cheveux noirs.* Mais *La Maladie de la mort,* c'était un procès et, ici, il n'y a rien de pareil, en aucun sens » (p. 38). Elle dira aussi qu'il restait un peu trop de « morale » dans *La Maladie de la mort,* que *Les Yeux bleus cheveux noirs* sont venus de ce livre-là, qui était « juste un signe, et encore, empreint de formalisme, de parti pris[352] ». Tout importe dans ces commentaires.

Dans *La Maladie de la mort*, la grande pureté de la ligne générale, la simplicité froide du langage,

*Marguerite Duras dans son jardin
à Neauphle-le-Château, en 1978.*

l'absence voulue de l'émotion justifient, à elles seules, un contraste notable avec *Les Yeux bleus cheveux noirs*, malgré la similarité du sujet. Mais c'est surtout à travers les attitudes des personnages que se glisse la différence. La jeune femme de *La Maladie de la mort* est une inconnue : « Vous devriez (...) l'avoir trouvée partout à la fois, dans un hôtel, dans une rue (...) en vous, en toi, au hasard de ton sexe dressé dans la nuit qui appelle où se mettre » (p. 7). L'homme, qui la paie, durant quelques nuits pour pouvoir par elle, avec elle, « essayer quoi ? (...) D'aimer » (p. 9) n'y parviendra pas. Elle part, le laissant à l'étrangeté de sa solitude et pleurant sur lui seul, non pas sur l'« admirable impossibilité de la rejoindre » (p. 56). Dans son étonnement dédaigneux, elle ne comprend pas cet homme des frontières. Lui en est à souhaiter sa disparition dans l'eau noire de la mer dont le bruit déferle près de la chambre. Ce désir de meurtre, Marguerite Duras le rapproche du geste de Titus renvoyant Bérénice. L'héroïne de *Césarée* et celle de *La Maladie de la mort*, avec leurs yeux verts et leur peau de sable, portent en elles toutes les couleurs du désert et de l'exil[353]. On ne peut nier qu'ici l'homosexualité est « incommensurable misère », à quoi s'oppose la « richesse fabuleuse de l'hétérosexualité[354] ». L'amour du même n'est qu'amour égoïste, infirmité, refus de se perpétuer, comme pour hâter encore la mort. Néanmoins, la phrase finale de *La Maladie de la mort* semble ajouter un degré de plus dans la quête de tous les amants : « Ainsi cependant vous avez pu vivre cet amour de la seule façon qui puisse se faire pour vous, en le perdant avant qu'il soit advenu » (p. 57). On se rappellera cette formule d'Ibsen reprise par Walter Benjamin[355] : « *Glück wird aus Verlust geboren, / Ewig ist nur, was verloren* » (Le bonheur ne naît que pour être perdu, seul ce qui est perdu est éternel).

Tel est l'axe autour duquel pivote *Les Yeux bleus cheveux noirs* qui se trouve ainsi articulé sur *La*

Maladie de la mort. Toutefois, l'air de marche funèbre qui s'y entendait cède la place à un vibrato d'aria. La chambre, naguère domaine nocturne du néant, se fait scène d'opéra. Un opéra où la Callas chanterait Bellini, Verdi, Monteverdi, c'est-à-dire de ces œuvres qui laissent froids certains amateurs du genre et qui bouleversent jusqu'aux larmes ces amoureux de l'amour (p. 16). Ce que cache la fiction écarte l'inquisitoire, mais ce qui se révèle dans *La Pute de la côte normande* la déchire. D'abord ce corps à corps auquel se livrent l'écrivain et l'écriture, la solitude de plus en plus insupportable et l'effort de plus en plus obstiné pour « trouver cet homme, Yann, mais ailleurs que là où il se trouvait » (p. 15). Puis les colères de Yann qui se jette en travers du livre dont il semble vouloir tout à la fois le massacre et la survie, ses hurlements, ses insultes, ses courses entre hôtels et collines, sa recherche des « hommes beaux, des barmen, des grands barmen natifs de la terre étrangère, celle d'Argentine ou de Cuba » (p. 19). Enfin l'œuvre qui devient viable. Pendant ce temps, Marguerite Duras a appris à écrire sur Yann (p. 20), sans le trahir, sans se trahir, sans trahir l'écriture. Elle est fidèle à elle-même : « La chose devant laquelle je n'ai jamais reculé, ce sont les aventures passionnelles (…). J'aimais l'amour, j'aimais aimer. Avec les livres, ça me sauvait[356]. »

Dialogue de Rome et *Les Yeux bleus cheveux noirs* sont fragments d'un récit sans fin. Dans le premier, la voix féminine dit : « Rome serait notre chambre » et, un peu après : « Tandis que je vous aime, je n'aime pas Rome. Tandis que vous ne comprenez pas cela. Je vous aime d'une telle innocence. Celle de ne pas comprendre qu'on ne peut pas vous aimer, ensemble, avec Rome. » Dans *Les Yeux bleus cheveux noirs*, la continuité du sentiment est masquée par des variations complexes. Des mois ont passé, des années. Il est entendu maintenant que cet amour est une « absence sans image, sans

196

visage, sans voix, mais qui emporte le corps tout entier, comme sous l'effet de la musique » (*La Vie matérielle*, p. 87).

Aussi la chambre des *Yeux bleus cheveux noirs* n'est-elle plus huis clos comme dans *La Maladie de la mort*. Elle s'augmente du monde extérieur. Les personnages – un jeune homme, une jeune fille – volent au-dehors des images qui forment pour eux une géographie magique : le hall animé d'un hôtel pendant les soirées moites de l'été, la chaîne des casinos éclairés au bord des plages, un mystérieux yacht blanc. Ensemble, ils rappellent la figure d'un bel étranger qui avait, comme eux, des yeux bleus, des cheveux noirs. Mais la jeune fille n'est-elle pas, elle-même, ce jeune étranger ? Entre elle et l'homme évolue un amour « qui, en quelque sorte, n'aurait pas encore son vocabulaire, ses mœurs, ses rites[357] ». Un seul baiser les rapproche : « Le désir, dans la défaite, fou, ils en tremblent » (p. 134) et six nuits au cours desquelles tous deux pleurent les tortures de l'amour impossible, leur union blanche et désespérée, les dures lois d'un traité : celui du vain désir plutôt que celui du vain combat. Aux mots de l'homme : « Je ne peux pas toucher votre corps. Je ne peux rien vous dire d'autre, je ne peux pas, c'est plus fort que moi, que ma volonté » (p. 27) répondent ceux de la jeune fille : « Elle lui dit que depuis toujours c'était sans doute lui qu'elle voulait aimer, un faux amant, un homme qui n'aime pas » (p. 86). Il est donc vrai qu'ici aucun procès n'est dressé contre l'homosexualité[358]. Marguerite Duras, d'une part, pense alors que rien, dans ce domaine, ne peut être ramené du côté de la seule activité sexuelle. Et si la mort reste à l'horizon, c'est avec un tout autre sens : « Dieu a décidé que l'inexpliqué de sa création, ce serait ces deux choses-là : la mort et l'homosexualité. Ça ne relève pas de la psychanalyse, ces histoires, mais de Dieu[359]. » Un passage des *Yeux verts*, intitulé « Les Antilopes » (p. 142), laissait déjà entrevoir quelque chose de compa-

C'est dans ce bâtiment, l'hôtel des Roches-Noires,
que Marguerite Duras a écrit Le Ravissement
de Lol V. Stein, tourné Agatha et L'Homme atlantique.
Sur la plage voisine, elle a filmé La Femme du Gange.
La Normandie est encore le décor d'Émily L.
« Je me demande si ce n'est pas le sable, la plage,
le lieu de S. Thala, plus encore que la mer ; les marées
formidables d'ici ; à marée basse, on a trois kilomètres
de plage, comme des contrées,
des pays de sable, complètement interchangeables ;
le pays de personne, voyez, sans nom. »

rable : une injonction viscérale et divine soumet certains à un ordre dont ils ne comprennent pas la signification, mais auquel ils ne peuvent échapper. D'autre part, elle a progressé vers ce qu'elle nomme l'« illégalité » et de l'écriture et de l'amour. Dans *Les Yeux bleus cheveux noirs*, la passion invente des formules. Elle passe par la « détestation du corps de la femme ». C'est « par le manque et par le désir, pas du tout par la possession » que l'amour s'accomplit : « Le désir a forcé toutes les portes y compris (...) celles de l'écrit[360]. »

Les Yeux bleus cheveux noirs dépasse dans son ambition, mais aussi par sa façon de se dérouler, inexorable, entre dissonances et harmonie, la pointe sèche de *La Maladie de la mort*. Bien après *Les Parleuses*, *La Vie matérielle* examine à nouveau l'irréductible conflit entre les hommes et les femmes. Ses retombées, pour être diverses et douloureuses, n'en alimentent pas moins le feu actif de la passion à la recherche d'une unité alors que, comme l'écrit Emmanuel Levinas, « le pathétique de l'amour consiste au contraire dans une dualité insurmontable des êtres[361] ». Au secret des funérailles et des résurrections de l'amour, le devenir s'édifie sur les singuliers rapports que tant d'incompatibilités entretiennent. *Émily L.* et *La Pluie d'été* le donnent à connaître qui, de surcroît, tournent le dos à l'abrupt de la mort.

« À mon tour je vous parle d'elle. Je vous dis
qu'il y a en elle une évidente disposition pour la vie. »

8

Le bleu de minuit

> Je sais qu'un livre ce n'est plus seulement
> un livre désormais, que désormais dans un
> livre il faut qu'il y ait plus à lire et que l'on
> doit se résigner à ne pas savoir quoi.
>
> MARGUERITE DURAS

Émily L. et *La Pluie d'été* sont sans solution de continuité avec l'ensemble de l'œuvre. Marguerite Duras, qui n'oublie pas Hemingway, montre « jusqu'où on peut mener la prose[362] » quand la littérature n'est pas jeu gratuit. Dans l'un, elle inclut trois récits, celui des amants, celui d'Émily L. et du Captain, celui d'un poème brûlé, dont l'interdépendance fait l'ampleur du livre. Dans l'autre, elle pénètre, par une effraction décisive, dans le domaine du verbe. Elle débride le langage « châtié, excellent, de Passy-Neuilly ou des Deux-Magots[363] », le disloque et l'ensauvage de tours imprévus.

Le projet d'*Émily L.* prend naissance à l'hôpital Américain de Neuilly à la fin de 1982. On y parlait anglais dans les couloirs et, près de Marguerite Duras, Yann Andréa lisait à haute voix *Martin Eden*. Une femme en bleu, mariée à un capitaine, commence à hanter l'imaginaire de l'écrivain : « Son image est très très claire. Elle est blonde, son visage est comme mangé par la rouille, ravagé par le vent de la mer, ses yeux sont abîmés, elle voit mal. Je ne sais pas qui c'est, je sais seulement qu'elle est fidèle à ce capitaine, qu'elle est sans pensée, sauf cet amour pour lui » (*M. D.*, p. 137).

Tout est en germe cinq ans avant la publication, ainsi que le confirme *La Vie matérielle* dans un passage intitulé « Les cheminées d'India Song ». Outre la récurrence du personnage féminin blond aux yeux bleus et la présence du capitaine, on note le lien avec le cycle indien dont la mémoire n'est jamais mise en déshérence[364]. Le texte se situe donc à la jonction de la ressouvenance majeure, l'enfance en Orient, et de la mémoire d'hier : lambeaux de phrases anglaises, ivresse de la bière et du bourbon, incohérence des choses. Il rappelle les longs voyages maritimes, les traversées sans escales et « *for instance the sea of Oman* » ou bien « *the bay of Bengal* », les fosses abyssales non loin de la Corée, la plaine de Kampot, les ciels au-dessus du Siam. Mais aussi les amours impossibles et l'incessant travail de l'écriture en fonction duquel s'organise la conclusion. À la façon de *L'Été 80*, son économie repose sur une confusion de plus en plus contrôlée du réel et du fictif. Personnages et personnes devenues personnages sont le produit d'une combinatoire telle que chaque page met en perspective le destin parallèle de la langue et de la vie. Les possibilités infinies du dire renvoient aux possibilités infinies des êtres et vice versa. Émily, le Captain ou le jeune gardien ont un statut égal à celui de la narratrice ou de son interlocuteur qu'on identifie à Marguerite Duras et à Yann Andréa. Le sens passe entre le dialogue des *Je* et ce qu'il prend en charge, c'est-à-dire la parole d'Émily, du Captain et d'autres. Des retours en arrière viennent grossir le livre : l'histoire de la jeunesse d'Émily écrivain et celle de sa rencontre avec le gardien de la villa. Dans la complexité des rapports ainsi établis, chaque élément renforce la cohésion : mot, silence, regard.

Tout autre semble d'abord *La Pluie d'été* : « C'est un roman, complètement[365] », mais un roman de la famille, de la pauvreté, de l'enfance libre et inquiète qui s'incarne en Ernesto. En 1971, dans un livre interdit aux plus de dix-huit ans, « *ah ! Ernesto* »[366],

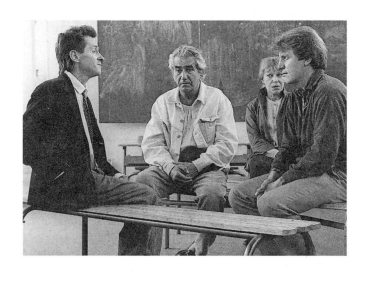

Les Enfants *(1985).*
De gauche à droite : Axel Bogousslavsky (Ernesto),
Daniel Gélin (le père), Tatiana Moukhine (la mère)
et André Dussolier (l'instituteur).

apparaît, pour la première fois, le personnage de cet insolite garçon, rebelle au système éducatif, qui compte apprendre ce qu'il sait déjà « en rachâchant ». À peu près comme Colin rêve de danser le *bigle-moi* dans *L'Écume des jours* de Boris Vian, c'est-à-dire avec la grâce de ceux qui n'ont que condescendance devant l'esprit de sérieux[367]. En 1983, Marguerite Duras écrit, en collaboration avec son fils Jean Mascolo et Jean-Marc Turine, un scénario adapté de « *ah ! Ernesto* » qu'elle porte au cinéma, en 1985, sous le titre *Les Enfants*. Malgré les conditions imposées par la production qui indignent les coauteurs, ce travail partagé s'accomplit « dans le fou rire[368] ». Le parcours d'Ernesto montre, à l'évidence, la variété d'un talent. Il faut se rappeler que 1971 est la date de *L'Amour* dont l'écriture et le sujet ne sont nullement de la même veine que celle de « *ah ! Ernesto* ». L'année 1983 suit la publication de *La Maladie de la mort* et 1985 est l'année de *La Douleur*. Or, au même moment, le film *Les Enfants* porte toutes les marques de son adaptation jubilatoire. Il donne à voir ce qu'est le comique ou plutôt la drôlerie pathétique chez Marguerite Duras. *Les Eaux et Forêts*, *Le Shaga* et *Yes, peut-être* en ont usé auparavant. Comique, *Les Enfants* l'est autant par les réponses d'Ernesto aux maladresses involontaires des adultes, toujours en porte à faux, que par la surprise de voir un comédien d'une trentaine d'années interpréter le rôle d'un petit garçon. L'ironie, l'humour, la malice, le goût de la parodie et de la farce sont ici convoqués, dont on oublie, parce que l'emporte plus souvent l'arroi de la passion désespérée, qu'ils forment une bonne part de la personnalité de l'auteur. Dans *Les Enfants*, le pays des Merveilles n'est pas une vue de l'esprit, mais l'équilibre demeure instable entre la fantaisie de funambule et la clairvoyance de génie dont est pourvu Ernesto.

Né du film, *La Pluie d'été* est de plus large portée que lui. Il fait, en outre, un sort à la crise du langage qui, on le sait, n'empêche personne d'écrire ou de parler. Il apporte enfin un démenti flagrant – mais déjà *Émily L.* – à ceux qui, jugeant l'écrivain sur quelques œuvres des années quatre-vingt, en déduisent, à tort, soit qu'elle a abandonné le mode de la confidence douloureuse, soit qu'elle a renoué avec la grâce des années soixante, en somme qu'elle a opéré une brusque conversion. Tout simplement, à la façon de *L'Amant de la Chine du Nord*, chacun de ses textes n'est-il pas palimpseste?

À l'encontre de la mort

Au moment de *Émily L.*: «J'étais, dit Marguerite Duras, très triste» (...), très réservée, très malade. Je dormais mal, il me semblait, oui, que j'allais y passer avant de toucher le livre[369].» Au moment de *La Pluie d'été*: «J'ai cru pendant un temps que je m'étais retenue de mourir à cause du livre[370].» Le rapport de l'écriture à la mort est familier à l'écrivain, on l'a dit. Cependant, comme Nietzsche, qui voulait que la contradiction subvienne à la raideur du jugement catégorique, comme Hegel, pour qui s'épuisait toute *position* dans l'épreuve qu'en faisait la conscience, Marguerite Duras établit que la vérité est partielle sans la contre-vérité. S'ils trahissent la pensée du *never more*, les deux livres font rempart contre l'usure des jours: «Quand j'écris je ne meurs pas. Qui mourrait quand j'écris?» (*Les Yeux verts*, p. 13).

Avant que *La Pluie d'été* ne décrive «la joie, l'innocence profonde[371]» et, par là, n'écarte les ombres de la mort au profit de la vie innombrable, ces ombres rôdent dans les premières pages de *Émily L.* Elles y ont l'apparence née d'un cauchemar, de touristes déclarés, sans preuves, coréens, en voyage dans le port pétrolier de Quillebeuf-sur-Seine. Tous habillés de blanc, tous assassins, tous cruels, une «société d'eunuques jeunes» (p. 49), ils appellent cette prophétie de la narratrice : « La mort sera japonaise. La mort du monde. Elle viendra de Corée. C'est ce que je crois » (p. 14). Ton de sibylle et peur d'enfant perdu dans le désert de l'été, en qui l'enfance revient comme si la naissance et la mort devaient être conjointes sur la terre asiatique, en qui l'épouvante n'a cessé d'être une « cruauté nue sans langage pour se dire » (p. 51). Aussi bien, à défaut d'épouvante, c'est la tristesse qui se dira dans *Émily L.,* comme dans *La Pluie d'été* le regret. Tristesse à penser au temps écoulé, à la patrie des écrits d'Orient loin derrière, à tout ce qui n'a pas eu lieu : « Je pensais qu'il fallait que moi je vous quitte pour écrire encore sur le Siam, sur d'autres choses (...) dont j'avais pensé alors que j'aurais dû les passer sous silence et dont je croyais maintenant tout au contraire que j'aurais dû m'y tenir ma vie entière » (p. 47-48). *L'Amant de la Chine du Nord* y pourvoit. Regrets d'Ernesto à la fin de l'enfance comme on dirait : à la fin de la vie, au travers des paroles inspirées par un roi d'Israël :

> « J'ai regretté le mensonge et le mal, le doute.
> Les poèmes et les chants (...)
> La mort (...) l'amour, répète Ernesto, il regretta au-delà de sa vie, au-delà de ses forces
> La pluie d'été.
> L'enfance »
> (*La Pluie d'été,* p. 148-150).

Les deux œuvres sont ainsi, mais différemment, traversées d'une fugitive mélancolie. Un même ciel d'orage leur donne des couleurs baroques, renforcées par un climat lyrique, de déconcertants enchaînements et une profusion narrative peuplée de personnages en marge. Nécessité interne que justifie le double jeu avec l'amour et avec la mort. Dans *La Vie matérielle*, rappelant par deux fois que Yann Andréa la protège contre l'échéance de sa propre disparition, Marguerite Duras ajoute : « Et moi je ne veux pas qu'il meure non plus, notre attachement c'est ça, notre amour » (p. 144). *L'Homme atlantique* annonçait la mutation du sentiment : « Je ne vous aime plus comme le premier jour. Je ne vous aime plus. Restent cependant autour de vos yeux ces étendues qui entourent le regard (...). Reste aussi cette exaltation qui me vient à ne pas savoir quoi faire de ça, de cette connaissance que j'ai de vos yeux » (p. 28-29). Dans *Émily L.* court l'interrogation autour d'un amour qui n'en finit pas de finir. Chez l'un, elle entraîne silence ou méfiance, paroles pour dire « n'importe quoi » (p. 23), réticences, brusques pâleurs. Chez l'autre, la volonté de croire : « Nous ne pouvions mentir en rien sur ce sentiment qui nous avait unis et qui nous unissait encore sans doute » (p. 48) ou la réplique tranchante : « Je ne vous aime plus. C'est vous qui m'aimez. Vous ne le savez pas » (p. 27). Amour qui cherche une issue nouvelle et se réfugie dans l'écriture : « Vous ne m'aimiez déjà plus à cette époque-là. Vous ne m'aviez sans doute jamais aimée (...). Et moi j'étais déjà en allée dans ce projet (...) d'écrire cette histoire » (p. 144). Écrire, c'est effacer et remplacer (p. 23). En synchronie progresse l'évocation d'Émily et du Captain chez qui l'on pressent qu'un être unique s'est formé dans le malheur, le bien et le mal, le crime et l'innocence, « jusqu'à l'extrême conséquence d'une mort commune qu'ils avaient toujours évitée, peu importait pourquoi » (p. 43), personnages dont l'alcoolisme ralentit les gestes et maintient la passion, personnages à la Hemingway, égarés dans quelque voyage en mer ou en poésie, elle surtout avec sa « voix chantée du dernier exil » (p. 129).

Au sein de ces deux aventures, une troisième qui culmine dans la scène du petit salon d'hiver. Marguerite Duras s'est plusieurs fois expliquée sur la manière dont elle a écrit *Émily L.* Alors que le manuscrit était déjà remis à l'éditeur, elle y introduit « la nouvelle histoire d'Émily[372] ». Par une remontée dans le temps se retrouve le personnage, jeune encore, dont dix-neuf poèmes ont été publiés

207

à son insu. Peut-être ignore-t-elle aussi, ou veut-elle ignorer, que le vingtième manquant, c'est son mari, le Captain, qui a commis le « crime » de le détruire. Le nouveau gardien de la villa qu'elle habite lit les vers d'Émily et s'en trouve bouleversé. Profitant d'une absence momentanée du Captain, il rejoint l'écrivain. Ensemble, ils parlent de cette publication qu'il lui fait découvrir et surtout de « *Winter Afternoons* », le seul véritable poème puisqu'il a disparu (p. 117). Émily s'approche de lui, pose ses lèvres sur les yeux fermés du jeune homme, sur ses lèvres : « Ils restent ainsi immobiles le temps de se connaître pour toujours » (p. 118), « un temps aussi long que celui d'un amour » (p. 121). Puis Émily quitte l'île de Wight où le gardien l'attendra en vain jusqu'à l'apercevoir un jour encore pour la perdre à jamais. Une lettre qu'il recevra longtemps après lui dit : « Contrairement à toutes les apparences, je ne suis pas une femme qui se livre corps et âme à l'amour d'un seul être, fût-il celui qui lui est le plus cher au monde. Je suis quelqu'un d'infidèle (…). Je voulais vous dire ce que je crois, c'est qu'il fallait toujours garder par-devers soi (…) un endroit, une sorte d'endroit personnel, c'est ça, pour y être seul et pour aimer. Pour aimer on ne sait pas quoi, ni qui ni comment, ni combien de temps. Pour aimer (…) pour garder en soi la place d'une attente, on ne sait jamais, de l'attente d'un amour, d'un amour sans personne peut-être, mais de cela et seulement de cela, de l'amour. Je voulais vous dire que vous étiez cette attente » (p. 135). Cette lettre, que pourraient signer toutes les héroïnes de Marguerite Duras, clôt l'épisode ajouté dont on aperçoit l'intérêt. Émily qui écrit, le jeune gardien qui lui parle, mieux que quiconque, de ses poèmes, l'amour qui naît entre eux de cette rencontre provoquée par le texte, l'« abstinence cruciale » qui les sépare ensuite, tout permet à l'auteur de *Émily L.* de présenter un événement connu sous un éclairage plus intense : « Rien ne peut arriver de plus fort que ce qui est arrivé dans le petit salon entre le jeune garçon et Émily L., rien (…). Je sais ça pour eux. Qu'ils ne peuvent pas aller plus loin, que ce n'est pas la peine. Qu'ils sont faits pour cet amour-là[373]. »

Cependant, *Émily L.* opère une sorte de renversement entre les rôles de l'amour et ceux de l'écriture. L'amour du gardien sauve Émily de sa folie et de la mort. Après la « cérémonie d'innocence où un mariage secret se scelle entre eux[374] », après l'envoi de la lettre qui est parole retrouvée pour les mots perdus de *« Winter Afternoons »*, Émily peut tenter de revivre, fût-ce dans une interminable errance de café de la Marine en café de la Marine, ou en dansant sur la plate-forme de quelque cargo qui remonte vers la Corée (p. 149). L'amour est venu au secours de l'écriture. Inversement, dans l'histoire de la narratrice, l'écriture vient au secours de l'amour incertain. Comme si, le prouvant par le livre même de *Émily L.*, Marguerite Duras était parvenue à mieux dominer tout ce qu'elle disait avoir laissé s'échapper dans *Les Yeux bleus cheveux noirs* où rien ne lui semblait « suffisant » (*La Vie matérielle*, p. 90-91). L'écriture, seule, ayant un devenir est plus forte que la mort (p. 151). C'est elle qui rend Émily si proche de son auteur, qui fait d'elle sa « parente profonde, sa sœur[375] ». L'amour, lui, demeure, plus loin que les discours qu'il appelle ou que les peurs qu'il éveille, plus loin que les mensonges, les erreurs ou les malentendus, dans la contemplation : « Je ne sais pas si l'amour est un sentiment. Parfois, je crois qu'aimer c'est voir. C'est vous voir » (p. 139). Ainsi en était-il dans la lettre écrite par Stein : « Madame, il y a dix jours que je vous regarde. Il y a en vous quelque chose qui me fascine et qui me bouleverse dont je n'arrive pas, dont je n'arrive pas, à connaître la nature (…). Madame, je voudrais vous connaître sans rien en attendre pour moi » (*Détruire, dit-elle*, p. 26). Tout porte à croire, une fois de plus, aux vertus de la pri-

Trouville, 1988.

vation, basse continue dans l'œuvre. Mais, par-dessus, les cadences varient. Et les mélodies. *Émily L.* s'achève non point dans la désolation d'une nuit d'août, mais avec l'aurore fraîche du mois de juin : « On a dit que cette année-ci l'été serait resplendissant (...). Je me souviens d'une certaine tranquillité qui était partout répandue sur la mer et sur nous » (p. 151-152). Cette tranquillité n'est pas pacification définitive. Cependant, *La Pluie d'été* prend ses distances avec l'histoire privée des années quatre-vingt. Une force vive pousse l'écrivain vers d'autres humeurs, d'autres personnages et d'autres paysages. Peut-être Zarathoustra a-t-il raison : « Il faut porter en soi le chaos, pour engendrer une étoile qui danse »...

L'arbre et le livre

Posant sur la grisaille générale la pointe fulgurante de mots neufs et éperonnant la vie qui s'immobilise, Marguerite Duras élabore, cette fois, un livre dans lequel elle installe l'assiette ferme d'un décor précis : Vitry, et des héros issus du quart monde qui ont atteint l'ère radieuse du mélange des peuples et des races. Au sein de cet « Arabie Point[376] » vit une famille d'immigrés : les parents, Jeanne, la fille aînée, Ernesto, dit aussi Vladimir, et, autour de ce grand frère, le troupeau des cinq brothers et sisters qui, sans lui, ne rentreraient jamais à la casa[377] de la ville blanche où passent la Seine, l'autoroute et une voie ferrée (p. 19, 42). Rien de convenu dans la peinture et rien d'arbitraire. L'écrivain emprunte un chemin médian qui lui permet d'adjoindre l'extravagant à l'ordinaire, tandis que les Crespi deviennent ses porte-parole : « Tout ce que je leur mets dans la bouche, je le pense, moi[378]. » Ils vivent dans un état de nature, ignorant combien ils sont « adorables et purs » au milieu des bruits de la cité qui leur écrabouillent le cœur

(p. 42, 111). Dès que le père, Emilio, Italien de la vallée du Pô, baptisé aussi bien Enrico, et la mère, Hanka Lissovskaïa, appelée encore Natacha, Emilia ou Ginetta, reçoivent leurs allocations familiales, ils vont boire dans les bistrots des quais. Le jour, les enfants courent dans les collines, les maisons vides ou le centre commercial. Le soir, la mère chante en russe, le père reprend le chant en faux russe, alors tous crient de joie et pensent, avec Ernesto, qu'ils sont « les plus heureux des habitants de Vitry » (p. 70). Cet air de *La Neva* et « À la claire fontaine », pièce sacrée pour Jeanne et Ernesto[379], laissent les discours en suspens dans un final où se galvanise le seul sentir individuel. Chez eux, la lecture tient une grande place, mais sans ostentation cuistre, sans autre grâce que celle offerte par le hasard. Tout est bon des ouvrages trouvés dans les trains de banlieue ou à côté des poubelles, volés parfois aux étals de libraires indifférents. Forts de l'intuition que lire, c'est remplacer un vide[380], ils n'abandonnent jamais un livre commencé, même le plus ennuyeux, comme *La Forêt normande* d'Édouard Herriot « qui ne parlait de personne, mais seulement du début jusqu'à la fin de la forêt normande » (p. 10); encore moins un livre passionnant comme *La vie de Georges Pompidou*, non point tant parce qu'il s'agit d'une célébrité qu'en raison d'une logique commune à toutes les vies, telle que chacun peut se retrouver et vérifier des ressemblances (p. 9-10). Quant aux enfants, comme leur éducation est bonne, ils se jettent sur des « alboums », par exemple *Tintin au Prisu,* qu'ils feuillettent justement au Prisu, avec la complicité des vendeurs (p. 41). Éloge d'une lecture dont les vertus positives relèvent non d'une culture imposée mais du pur plaisir. Par conséquent, la valeur des livres n'est que secondaire et pareillement la fréquentation de l'école. Ernesto cesse vite de s'y rendre : « Je ne retournerai pas à l'école parce qu'on m'apprend des choses que je ne sais pas » (p. 22).

Mais encore : « Ce qu'il refuse Ernesto, c'est le savoir. Le savoir ne remplace jamais la connaissance[381]. » Derrière le mot « savoir » se cache, pour l'écrivain, la vanité de l'instruction obligatoire quand elle néglige le talent de chacun ou n'en développe pas l'usage : « On ne pourra jamais faire voir à quelqu'un ce qu'il n'a pas vu lui-même, découvrir ce qu'il n'a pas découvert lui seul » (*Les Yeux verts*, p. 28). Le savoir est obéissance aveugle, oubli des doutes féconds et de l'imagination juvénile. *Des journées entières dans les arbres* le dénonce par la voix de la mère : « Tu ne peux pas comprendre la tristesse de ces existences sûres, solides, l'angoisse qui m'envahit quand je pense à ceux-là de mes enfants tellement terminés..., adultes, adultes jusqu'au trognon... jusqu'à leur cadavre plus tard sans un pli » (p. 134). À l'inverse, la connaissance est expérience personnelle, trouvaille de chaque jour et saisie sensible du monde, le plus souvent fruit du dénuement : « Ce que les gens pauvres ont, ces femmes qui élèvent leurs gosses, c'est la connaissance[382]. » Blondeur russe au teint de Pologne (p. 60), Hanka Lissovskaïa semble passer son temps à éplucher des pommes de terre. C'est là l'extérieur de sa vie. Dans le secret – toute la famille le sait –, elle bâtit « une œuvre de chaque jour, d'une importance inexprimable ». Cette œuvre, c'est « l'avenir en marche à la fois visible et imprévisible et de nature inconnue » (p. 49), et tout s'y rassemble : « autant ces petits enfants qu'elle voulait vendre que les livres qu'elle n'avait pas écrits, les crimes qu'elle n'avait pas commis. Et cette autre fois, dans cet autre train russe, cet amant-là, perdu dans l'hiver et maintenant massacré par l'oubli[383] » (p. 50). Connaissance inventive que *La Pluie d'été* met en rapport avec une « certaine mentalité de gauche, toujours très douloureuse, très aux aguets[384] », confirmant ainsi que le marxisme n'est pas un savoir mais bel et bien une connaissance[385].

Cependant, Ernesto ne lit pas *Le Capital*. Ses brothers ont trouvé « un livre très épais recouvert de cuir noir dont une partie avait été brûlée (...). Le trou de la brûlure était parfaitement rond. Autour de lui le livre était resté comme avant d'être brûlé » (p. 13). Ce livre étrange provoque chez Ernesto le souvenir d'un arbre unique à Vitry dont le tronc s'élève, aussi droit qu'un trait sur une page nue (p. 14). Plusieurs jours de suite, le jeune garçon se rend auprès de cet arbre, unissant dans une même perspective son destin solitaire à celui du livre martyr : « Il avait pensé aux deux choses ensemble, à comment faire leur sort se toucher, se fondre et s'emmêler dans sa tête et dans son corps à lui, Ernesto, jusqu'à celui-ci aborder dans l'inconnu du tout de la vie « (p. 15). La structure et le fonctionnement de cette phrase même lancent un défi à la syntaxe traditionnelle. Loin d'être fantaisie, ils permettent à Marguerite Duras – ici et ailleurs dans *La Pluie d'été* – de faire tourner le kaléidoscope verbal, de reproduire la danse des mots innocents : mots d'avant la malédiction qui les oblige à signifier, mots d'avant la chute dans le discours raisonné. Le procédé – sorte de renvoi à l'enfance du langage – sert son propos. Car Ernesto est pur de toute culture. Il s'éveille neuf à un monde neuf. Il ne sait pas lire encore, mais il forge sa méthode. Seul et pour le seul livre brûlé : « Il avait donné à tel dessin de mot, tout à fait arbitrairement, un premier sens. Puis, au deuxième mot qui avait suivi, il avait donné un autre sens en raison du premier sens supposé au premier mot (...). Ainsi avait-il compris que la lecture c'était une espèce de déroulement continu dans son propre corps d'une histoire par soi inventée » (p. 16).

Génie autodidacte, Ernesto rencontre alors les vérités qu'il pressentait en contemplant l'arbre. Car l'arbre est comme celui du jardin d'Éden. Il ressemble à un roi d'Israël et le livre, c'est la Bible. Ernesto y apprend la création de l'univers : « En une seule nuit. Le compte y était. Tout était exact. Sauf une chose. Une seule. (...). On croit qu'on devrait pouvoir dire ce que c'était... en même temps c'est impossible à dire » (p. 37-38). L'impossible à dire, c'est Dieu *ou* la béance que crée son absence : alternative qui rend à jamais Ernesto « heureux dans le malheur de l'être[386] » et son attitude le révèle : « Ce soir-là, la mère avait su que le silence d'Ernesto, c'était à la fois Dieu et pas Dieu, la passion de vivre et celle de mourir » (p. 48).

Capitale du vent

Si la Genèse est le point de départ de la connaissance d'Ernesto, l'Ecclésiaste en marque l'aboutissement. Or, on s'en souvient, comme Jean-Marc de H. auquel il est comparable, Ernesto est issu d'une lecture de l'Ecclésiaste par Marguerite Duras elle-même. Cependant, *La Pluie d'été* sabre les feintes et fait référence explicite aux mots de Qohélet, dont *Le Vice-Consul* s'inspirait plus confusément : « Et voici : j'ai compris que tout est vanité. Vanité des Vanités. Et Poursuite du Vent » (p. 56). Dans la bouche d'Ernesto, la parole biblique devient : « C'était pas la peine. Du tout. Du tout. Du tout » (p. 38). Pas la peine... Marguerite Duras reconnaît l'avoir dit toute sa vie[387], et elle l'écrit à Madeleine Alleins : « Moi je trouve que ce n'était pas la peine que (le monde) ait eu lieu, qu'il y ait des gens, des hommes, de la beauté et vous[388] ? » Différents textes viennent à l'appui de cette opinion : *Le Camion* ou *Détruire, dit-elle*, *La Femme du Gange* ou *Les Yeux bleus cheveux noirs*, *L'Amour* ou *Aurélia Steiner*... Il est vrai que *La Pluie d'été* va plus loin. On s'abuserait pourtant à y voir une préoccupation nouvelle, d'ordre métaphysique : « J'ai toujours parlé de Dieu, le mot est dans presque tous les livres. C'est devenu un nom commun[389]. » Pourquoi, comment Marguerite Duras parle-t-elle de Dieu ?

Dans certains entretiens, elle répète : « Je ne crois pas en Dieu[390] » (*Les Yeux verts*, p. 242). Cette affirmation se nuance dans d'autres : « Je trouve que c'est une infirmité de ne pas croire en Dieu (…). C'est une infirmité admise (…). Je ne sais pas ce que ce mot recouvre (…). Je suis à peu près sûre de ne pas croire en Dieu[391] », ou bien : « Je crois dans les rois d'Israël, dans l'Ecclésiaste, dans David, dans les rois de Jérusalem[392]. » Et dans *Le Vice-Consul* se trouve cette phrase : « La petite fille blanche est là : Dieu existe » (p. 60). De tout cela, en effet, ressort un mot : Dieu. À cette échelle qui est « immense » Dieu existe : « C'est un mot qui a certaines dimensions, et quoi qu'on dise, quoi qu'on fasse, il faut sortir de l'hypocrisie, ce mot *parle*. C'est un discours inintelligible, très obscur, très opaque, mais il parle à tout le monde[393]. » Les contradictions ou les hésitations laissent entrevoir des points intangibles. Baudelaire ne faisait-il pas remarquer : « Dieu est le seul être qui, pour régner, n'ait même pas besoin d'exister » ? Qu'il existe ou non, Dieu est toujours lié à la Genèse. Dans *Le Ravissement de Lol V. Stein*, une plage se fait décor ponctuel, vide, « autant que si elle n'avait pas été finie par Dieu » (p. 172). Dans *L'Été 80* : « Il y a dix kilomètres de ces collines d'argile, sorties des mains de Dieu » (p. 10). Auprès de Luce Perrot, Marguerite Duras s'interroge sur les premiers âges du monde : « Est-ce qu'il y a eu une période sans Dieu ? Je ne crois pas[394]. » Seulement voilà, ce monde est « loupé » et, à chaque orage, Ernesto consigne les « choses détruites par Dieu au cours de la nuit » (*La Pluie d'été*, p. 10, 49). Plus violente, la jeune femme des *Yeux bleus cheveux noirs* cherche raison à sa frustration : « C'est Dieu, elle croit. Celui qui a fait les camps de concentration, les guerres » (p. 133). L'idée suit son chemin : Dieu est à l'origine du mal et du malheur des hommes, et la foi peut se perdre à la seule information quotidienne que dispense la presse[395]. Devant la création déchue, elle est tentée de s'en prendre au responsable[396], comme, dans l'enfance, devant la misère des lazarets hors des villages : « Alors, j'en accusais Dieu » (*Les Yeux verts*, p. 179). La plainte qui s'entend dans *L'Amour* ou *La Femme du Gange* est aussi colère, et révolte, rage impuissante : « Contre quoi ? (...). Dieu. (...). Contre Dieu en général (...) Dieu... ce truc ? » (*L'Amour*, p. 46, 113). L'indifférence offre la « nouvelle grâce d'un ciel sans Dieu » (*Les Yeux verts*, p. 23). C'est là tentation fugace. La complexe et plus durable conviction de Marguerite Duras : « Ne pas croire en Dieu, c'est une croyance. C'est celle d'Ernesto. Donc, c'est la mienne[397] », paraît d'une autre qualité. Si la vie s'accompagne d'une sorte de contre-vie qui est la souffrance, la mort ne pourrait-elle pas s'accompagner d'une contre-mort qui serait la vie même ? Dans la vie – sauf à se donner la mort, et l'obsession du suicide est quasi permanente chez elle, on le sait –, il n'y a pas d'abdication possible. Les distinctions s'avérant superficielles entre croyants et non-croyants puisque le leurre est le même quant au bonheur[398], persiste un désespoir lucide. Comme chez Jean-Marc de H., comme chez Ernesto, comme chez Aurélia Steiner. Désespoir initial « d'enfance presque, on pourrait dire, juste, comme si tout à coup, on retrouvait la connaissance de l'impossible qu'on avait à huit ans, devant les choses, devant les personnes, devant la mer, la vie, devant la limitation de son propre corps » (*La Vie matérielle*, p. 81). Toutefois perdure aussi « quelque chose qui est plus fort que nous[399] », peut-être l'éblouissante lumière du livre de l'Ecclésiaste, de ses phrases « dont on soupçonne la place vide en soi... ou dans l'univers ... je ne sais pas » (*La Pluie d'été*, p. 109). Élan caché et vain, souffle de l'esprit qui va où il veut, connaissance fuyante « comme un vent qui ne s'arrête pas (...). On ne peut ni le représenter, ni l'écrire ni le dessiner » (*La Pluie d'été*, p. 58), centre d'un microcosme secret dont se tracent les géodésiques. C'est la nostalgie d'Ernesto et des siens dans *La Pluie d'été* : « Ils sont tellement nostalgiques de Dieu que Dieu est là quand même, même s'il n'est pas là. On sent la nostalgie de Dieu partout même chez les enfants (...) le connu inconnu. On sent quand même Dieu[400]. » Ou, dans *Le Camion*, le souvenir de l'ancienne foi marxiste : « Dernier avatar du Sauveur suprême : le prolétariat. Sacré Dieu : le prolétariat. Elle l'avait cru » (p. 134). Et, avec *L'Amant*, l'intensité du désir « dans la chambre de la ville chinoise où je vais chaque soir approfondir la connaissance de Dieu » (p. 91). Mais, au fond, rien n'a raison de la détresse que détermine le défaut de Dieu. Et rien n'y est équivalent sinon « le désespoir absolu et sans recours de la fin d'un amour » (*Outside*, p. 170).

Tout sera donc dérivatif. L'amour flou des arbres et des animaux : « C'est ça qui remplace l'absence de Dieu, cet amour-là » (*Le Camion*, p. 134), l'amour extrême de Jeanne et d'Ernesto, parmi d'autres : « Il y a longtemps que je t'aime, jamais je ne t'oublierai. Jamais » (*La Pluie d'été*, p. 135) et puis, l'alcool. Présent dans la plupart des livres, il s'attache à la violence sexuelle, comme dans *Moderato Cantabile*. Mais, dans la vie, il est là aussi pour masquer le « Règne de l'Injustice » (*La Vie matérielle*, p. 20 *sq.*) et pour calmer la douleur que provoque la « force écrasante, inabordable de l'idée de Dieu » (*Les Yeux verts*, p. 162). Après avoir commencé à boire jusqu'à la déraison, c'est-à-dire à « vivre avec la mort à portée de la main » (*La Vie matérielle*, p. 20), Marguerite Duras apprend la cause profonde de cet alcoolisme : l'absence de Dieu et, dit-elle, j'ai été complètement éblouie par cette évidence[401]. De nombreuses déclarations, *L'Amant*, *La Vie matérielle*, montrent qu'en effet, pour elle, dès lors que Dieu manque, l'alcool est un secours : « C'est Dieu... l'alcool. Le monde est vide et voilà, tout à coup il y a Dieu et le monde est bon et resplendissant[402]. » Néanmoins, de même qu'est stérile la quête de Dieu, de même l'alcool ne crée rien qui

« Ils ont coupé peut-être trois cents chênes
qui avaient six cents ans. Je ne pouvais plus bouger,
j'étais complètement paralysée par l'horreur,
comme si on venait de tuer quelqu'un devant moi. »

demeure. Un syllogisme s'établit : « Personne ne peut remplacer Dieu. Rien ne peut remplacer l'alcool. Donc Dieu est irremplacé[403]. » Il n'y a pas de parole plus forte que celle de Pascal : Dieu jusqu'à l'ennui[404]. L'aspiration hypothétique au « religieux » est la marque de cette œuvre où la portée du langage dépasse les aléas de l'existence, où le travail toujours repris de l'écriture revient à cultiver la passion de l'absolu.

Roger Caillois discernait deux formes de sacré : le sacré de respect et le sacré de transgression. Il faudrait ici en ajouter une autre, plus incertaine, qui tiendrait à la création littéraire ou artistique. Dans un monde devenu incompatible avec Dieu parce que s'y perd le sens du sacré[405], dans un monde dont les astrophysiciens eux-mêmes constatent le déclin tout en continuant leurs recherches avec un « émerveillement qui les foudroie[406] », l'indissociable unité de l'amour et de l'écrit semble être le dernier recours parce que « cela a affaire avec Dieu, à une sorte de prémonition très troublée, très troublante de Dieu[407] ». Peut-être est-ce même la seule expression d'une transcendance, peut-être l'écriture ne fonde-t-elle son sens véritable que sur cet inconnaissable : « Dans un monde fini, explorable, l'homme n'écrirait pas. Je dis : écrire comme je dirais : vivre[408]. » Encore que très peu de gens osent le dire parce que c'est un peu « passé », comme l'observe Yann Andréa, Marguerite Duras sème dans *India Song* des signes d'ordre « sacral », affirme qu'*Agatha* « a affaire avec Dieu. Très fort », de même qu'*Aurélia Steiner*, la transcendance alors fût-elle sans causalité et sans issue, sans rédemption[409] : « L'écrit a à voir avec Dieu » (*Les Yeux verts*, p. 157). Faut-il ici faire appel à la mystique, mais laquelle ? sauf à ne pas distinguer Jean de la Croix de Thérèse d'Avila, tous deux des grands Rhénans et ainsi de suite. Faut-il se référer à la théologie ou à d'anciennes cosmogonies ? Faut-il citer Nietzsche, Blanchot et Bataille ? Faut-il vraiment cerner ce

220

débat intérieur, voire le figer ? Tout rapprochement paraît superflu qui, à vouloir tirer au clair ce qui ne saurait l'être, demeure vague et relance les interrogations. Si l'on en revient à l'existence ou à la non-existence de Dieu, comme le dit Ernesto : « C'est pas une question de : plus que ça ou moins que ça, ou de : comme si il existerait ou de : comme si il n'existerait pas, c'est une question, personne ne sait de quoi » (*La Pluie d'été*, p. 133). À peine peut-on suggérer que, si bien des histoires vécues ou écrites par Marguerite Duras « participent du divin », à l'exemple des œuvres de Van Gogh, de Matisse ou de Nicolas de Staël, c'est « à cause de l'enfance qu'on a traversée » (*La Vie matérielle*, p. 82), à cause d'une attention continue à la difficulté d'être que l'écriture veut sans trêve doter de signification, tandis que l'écrivain hésite. De quelles illusions est-il dupe, quelles forces étranges et quelles fragiles vérités l'habitent ? Et que deviendraient-elles sans l'écriture ? Sans elle, qu'en resterait-il ?

Marguerite Duras à « Apostrophes », 28 septembre 1984.
« Elle ne justifie rien. Elle avance (…).
Elle change d'histoire. L'histoire qu'elle raconte
tous les soirs n'est jamais la même (…).
Chaque jour, elle invente son histoire. »

9
Duras Schéhérazade

Je suis un écrivain. Rien d'autre qui vaille
la peine d'être retenu.

MARGUERITE DURAS

Lorsque Marguerite Duras traite de peinture, de photographie, de musique ou de cinéma, elle ne délaisse pas l'écriture. En fonction d'elle, elle détermine ses préférences. C'est dans ce sens qu'elle oppose Dreyer à Bergman. Ce dernier est l'« image du grand cinéaste destiné aux Américains et à toute une partie des spectateurs français qui (...) veut faire accroire qu'elle aime le cinéma comme elle aime la littérature, les "belles choses", les œuvres d'art » (*Les Yeux verts*, p. 67), tandis que chez Dreyer : « C'est un amour complètement anarchique mais complètement maîtrisé dans la forme[410]. » Même différence entre Woody Allen et Charlie Chaplin. L'un traverse New York, et New York est pareil. Au contraire : « Tout devient de Chaplin après son passage. (...). Chaplin se trouve dans un seul numéro, un seul jeu, comme on dirait, une seule fois, un seul silence, un seul amour » (*Les Yeux verts*, p. 49). Et s'il faut expliquer le génie du second : « Il était sans réflexion, sans esprit d'hypothèse, sans jugement (...). L'événement tombait au plus profond de lui. (...). C'est lorsqu'(il) lui revenait, après ce séjour en lui, dans l'inintelligible surtout que Chaplin alors le reconnaissait et en rendait compte » (*Les Yeux verts*, p. 82). Ce trajet est

Lella au panier de fleurs,
photographie d'Édouard Boubat.

pareil à celui qui s'accomplit en Marguerite Duras :
« On voit une fleur un jour – une rose – on l'oublie,
elle passe par la mort – on la revoit ensuite, on la
reconnaît et on l'appelle Anne-Marie Stretter : le
parcours de la rose depuis sa découverte jusqu'à ce
nom (…), c'est l'écrit » (*Le Camion*, p. 124).

Le recours à la comparaison implicite apparaît à
nouveau quand elle s'arrête à *Noces* et à la *Sym-
phonie des Psaumes* de Stravinsky, « champs
sonores créés comme chaque fois pour la première
fois, prononcés jusqu'à la résonance du mot, le son
qu'il a, jamais entendu dans la vie courante » (*La
Vie matérielle*, p. 14-15). Ou aux photographies
d'Édouard Boubat dont l'une figure dans le film
India Song. Proches d'elle par leurs sujets, elles
saisissent le détail d'un visage alors que le modèle
« quitte son identité pour se perdre dans ce qui
existe (…) près ou loin de lui, ailleurs ou à côté, ou
perdu ou mort » (*Les Yeux verts*, p. 161-162). Ce
talent qui permet au public de prendre conscience
en même temps de l'inconnu et du connu, du particulier et de l'universel, se retrouve dans les films de
Jacques Tati quand « il décrit l'individu du monde,
l'individu comme on dirait le poisson, le chien ou le
sanglier[411] ». Le rejet de la préméditation, l'acuité
du regard, l'ambition de la totalité, qui sont des
marques très apparentes chez elle, elle les attribue
aussi à Yves Saint-Laurent : « Je crois qu'il n'analyse rien (…). Le détail et le tout, pour lui, c'est
pareil. (…). Chaque crime ramène à l'humanité
entière. Mais chaque sourire aussi. Il faut prendre
tout. Sans cela il n'y a pas d'écrivain, pas d'Yves
Saint-Laurent[412]. »

En mer on dit qu'un bâtiment file sur son erre
lorsqu'il se laisse glisser, vitesse acquise. Ainsi
Marguerite Duras, qui va s'interrogeant sur sa
vérité. Et dans cette vérité, au cœur de l'affaire-
ment obscur d'où sortira le texte. En 1980 déjà, *Les
Ténèbres* du peintre Akira Kuroda lui sont point
d'application. Ces toiles, réunies sous un seul nom

pluriel, lui semblent « écrites ». L'emploi de l'italique souligne les analogies pour que rien n'échappe d'un itinéraire partagé : « Akira Kuroda édifie le territoire de son propre massacre avec le même soin que celui de son bonheur. C'est là que nous sommes avec lui. (...). Akira Kuroda écrit la *phrase décisive* qui lui permettra de laisser la peinture à d'autres qu'à lui. Et puis non, il recommence à écrire les phrases *illisibles* et il les donne à voir *habillées de peinture*. Le *silence* est ainsi fait par Kuroda sur l'intelligence de la peinture même. (...). La tentative que je fais en ce moment, je la vois aussi comme relevant du silence établi par Kuroda » (*Outside*, p. 261).

Il résulte de ces confrontations diverses que l'écrivain n'en a jamais fini de recomposer les allégories de sa propre activité créatrice, éternel retour à l'en-deçà des textes et impossible dévoilement des lois qui y président, essai cent fois recommencé, toujours frappé d'inanité : « Ce dont je parle et que j'ignore me délivre. Ne me délivre pas », dit le poète Jacques Dupin.

J'écris avec...

Très tôt dans sa carrière, elle manifeste son mépris de la taxinomie :

> « Qui est-elle ? (...)
> La dame ? La dame du Camion ?
> Déclassée
> C'est la seule information »
> (*Le Camion,* p. 16-31).

Or, beaucoup la situent dans le courant qu'il est convenu d'appeler le Nouveau Roman. Du point de vue de Sirius, on peut, en effet, l'enrôler sous la bannière floue de cette modernité qui voulait faire du roman une recherche. À regarder de plus près, la notion est voyante et imprécise. En 1958, Roland Barthes écrivait déjà : « Il paraît que Butor est le disciple de Robbe-Grillet, et qu'à eux deux, augmentés épisodiquement de quelques autres (Nathalie Sarraute, Marguerite Duras et Claude Simon [...]), ils forment une nouvelle École du Roman. Et lorsqu'on a peine – et pour cause – à préciser le lien doctrinal ou simplement empirique qui les unit, on les verse pêle-mêle dans l'*avant-garde*[413]. » Marguerite Duras en est si bien persuadée que, dès 1962, elle se défend contre l'amalgame : « Le Nouveau Roman est perclus de consignes, alors que la seule consigne d'un écrivain serait de n'en avoir aucune. Aucune autre que la sienne[414]. » En 1963, elle ajoute : « Je ne crois pas à ce mouvement littéraire (qui est) un rewrite plus ou moins adroit de la littérature américano-surréaliste[415] », et, en 1971 : « Non. Je ne fais pas partie de ce groupe[416]. » Ces différents avis n'ont pas de quoi étonner. Ils corroborent l'idée qu'elle se fait en général de l'action collective. Ramenée malgré elle du côté du Nouveau Roman : « Je n'en fais pas partie, redit-elle en 1990. (...). C'est Robbe-Grillet qui m'a fait croire ça un jour. J'ai rigolé[417]. »

De fait, elle se distingue d'Alain Robbe-Grillet, de Nathalie Sarraute, de Michel Butor ou de Jean Ricardou, en ce qu'elle n'a jamais écrit d'ouvrage théorique sur la création littéraire. Elle n'assiste pas au colloque de Cerisy consacré en 1971 au Nouveau Roman et ne figure pas sur les célèbres photographies qui rassemblent, en 1959, autour de l'éditeur Jérôme Lindon, Alain Robbe-Grillet, Claude Simon, Michel Butor, Nathalie Sarraute, Claude Ollier, Robert Pinget, Claude Mauriac et Samuel Beckett. De ce dernier elle dit : « J'ai vu de lui une chose qui m'a beaucoup barbée. C'était un type qui écoutait interminablement une bande de magnétophone. Et après j'ai aimé *Godot* et *Les Beaux Jours*[418]. » Voulant parler d'un livre de Jean Ricardou, *Problèmes du Nouveau Roman*, elle l'intitule *Pour un Nouveau Roman* qui, on le sait, est l'œuvre d'Alain Robbe-Grillet[419]. On pourrait objecter à tout cela – refus, jugements sévères, oublis – que l'écrivain n'est pas toujours perspicace et que, tenant avant tout à préserver son originalité, il déteste les comparaisons. Mais Marguerite Duras fait un reproche plus grave au Nouveau Roman. À se fonder sur une doctrine, tombé dans le piège de l'intellectualisme, il s'est nourri d'un langage réservé aux clercs : « Plus c'était obscur, plus c'était profond. Ça a eu une part énorme dans la désaffection de la lecture. Les livres ont commencé à devenir illisibles avec *Tel Quel* (…). Moi, jamais ce vocabulaire n'est entré dans ma vie. (…). C'est un vocabulaire militant pratiquement (…). Vous savez, je n'ai jamais pu lire Sollers. Jamais. Pas un seul article. Rien[420]. » Dira-t-on qu'elle-même n'évite pas l'obscurité ? On parle alors de deux pratiques opposées. Farouchement solitaire dans l'acte créateur, Marguerite Duras trace une frontière entre le sensible et l'intelligible et se cantonne au sensible. Si obscurité il y a, elle vient du caractère intime de son expérience. La question étant, par ailleurs, de savoir quels mots utiliser, elle n'abandonne pas son aire privée, qui est celle de la révélation, pour la pensée spéculative. Voulant « traduire l'intraduisible[421] », l'effet de retour rend son écriture essentiellement poétique et musicale : « S'il n'y a pas la musique dans les livres, il n'y a pas de livres[422]. » Là passe le clivage.

Pourrait-on par ailleurs la ranger aux côtés de Georges Bataille et de Maurice Blanchot dont on la rapproche parfois ? Ce dernier lui écrit en 1959, à propos d'*Hiroshima mon amour* : « Tu ne trouveras pas les limites de l'oubli, si loin que tu puisses oublier[423]… », phrase qu'elle aurait aimé inscrire en exergue au film. *L'Attente, l'Oubli*, publié en 1962, ressemble, par son titre, à ceux de Marguerite Duras, et les textes qu'il tresse autour du *Square* ou de *La Maladie de la mort* sont hommage à un pair. Mais de l'épreuve ambiguë qu'il impose au langage son œuvre tire une qualité abstraite. Ce qui s'y lit d'abord est l'ascèse, le sacrifice de la parole, et on verra dans son œuvre romanesque un « discours méthodique et d'allure essentiellement cartésienne[424] ». Si proche qu'elle soit de lui par bien des aspects – valeur des silences, motifs de la rupture ou de la perte, vertige du vide –, l'œuvre de Marguerite Duras évolue dans des sphères moins désincarnées et, par là, se rallie mieux à celle de Georges Bataille. C'est sur le thème du corps qu'elle lui consacre un article de 1968 (*Outside*, p. 35). Pourtant, malgré ses liens à l'auteur de *Madame Edwarda*, elle l'attaque sur ce même thème en 1973, l'opposant alors à Maurice Blanchot : « La sorte de suspicion que j'éprouve à l'égard de Georges Bataille (je l'avais de son vivant aussi bien, malgré notre grande amitié), (...) c'est (...) que sa composante érotique majeure, à lui, Bataille, participe de la transgression blasphématoire. (...). Je vois toujours une naïveté *physique* dans les admirateurs inconditionnels de Bataille (et jamais, jamais, de Blanchot). Je parle surtout des écrits érotiques de Bataille, pas du *Coupable,* ni de *L'Expérience intérieure*[425]. » En revanche, elle se reconnaît tributaire de l'existentialisme et du surréalisme : « J'ai vécu dans le bain existentiel. J'ai respiré l'air de cette philosophie. (...). Et il en va de même pour le surréalisme[426]. »

Raymond Queneau compare *La Vie tranquille* à *L'Étranger*, mais Marguerite Duras ne cite pas Albert Camus sauf à dire : « Je voyais trop comment ça fonctionnait[427]. » En 1971, elle se rétracte en partie. Est-elle existentialiste ? « Je ne sais pas si je le suis. Je voudrais ne pas l'être mais... je n'aime pas Sartre : je ne veux pas dire en tant que penseur mais en tant qu'écrivain. Il m'est très difficile de parler de Sartre. Je pense que c'est plus ou moins notre père à tous[428]. » Dans *La Vie matérielle*, elle renvoie ce père dos à dos avec Soljenitsyne. Il n'est plus que le Soljenitsyne d'un pays sans Goulag (p. 119). La philosophie existentielle joue un rôle dans l'univers de Marguerite Duras, surtout dans ses premiers livres, mais sans allégeance aucune de sa part.

Il est plus sûr que le surréalisme la touche de près. C'est dans *L'Archibras* qu'elle laisse paraître un entretien avec Jean Schuster[429]. Encore affirme-t-elle : « Le surréalisme, je ne suis pas allée à lui, mais maintenant il vient à moi et j'en suis très heureuse. (…) Le genre de recherches que je fais les attire : le déplacement des valeurs, l'absence de Dieu, de toutes les références à la vision chrétienne, et puis la folie[430]. » Toutefois, si Breton a le mérite d'avoir « posé en principe » l'« acte de naissance du surréalisme », ce n'est pas lui qui émerge du mouvement, mais l'Aragon des débuts et, surtout, Crevel : « Oui. Crevel c'est : le suicide à vingt ans. Cette jeunesse finalement. (…) Ils avaient tous ensemble une sorte de génie. Une sorte de liberté de jugement qui était extraordinaire[431]. » Outre cette liberté, bien d'autres vues rejoignent – qu'on inverse ou non le sens du parcours – celles de Breton : l'immédiateté et la suprématie de la vision – « l'œil existe à l'état sauvage » –, l'attention portée au scriptural – « la plume qui court pour écrire (…) *file* une substance infiniment précieuse » –, la primauté accordée au tréfonds de l'intériorité – « tout ce que le poète ou le peintre recèle d'émotionnel[432] ». Pourtant, ce n'est pas cela qui retient le plus souvent la critique quand elle cherche à baliser les territoires de Marguerite Duras, pour elle, territoires du féminin[433], bien que l'œuvre donne parfois lieu à des opinions divergentes.

Xavière Gauthier, évoquant les « blancs » de certaines phrases, se demande « si ça, ce ne serait pas quelque chose de femme, vraiment de femme, blanc[434] ». Alain Vircondelet soutient : « Son talent est de guerrier, viril[435]. » Marguerite Duras dépasse l'alternative : « Les femmes sont encore dans le roman, pour la plupart – je ne parle pas pour moi parce que je ne crois pas que ce sont des romans

que je fais[436]. » La volonté d'échapper à l'enferme-
ment est plus claire encore dans *La Création étouffée* : « Pendant vingt ans on a parlé de mes livres
comme des livres de femme, jusqu'au jour où j'ai
refusé de répondre à des interviews qui portaient
justement sur le fait d'être femme et d'écrire. J'ai
demandé un jour à un journaliste s'il interviewait
des nègres ou des juifs au même titre[437]. » Et elle
écarte toute parenté avec Nathalie Sarraute, qu'elle
considère, cependant, comme un « grand écrivain[438] ». Il s'agit pour elle de bannir les ghettos.
Elle n'éclaire pas pour autant la question de l'écriture féminine. On croit en trouver l'approche
lorsqu'elle observe : « Quand les femmes n'écrivent
pas dans le lieu du désir, elles n'écrivent pas, elles
sont dans le plagiat[439]. » Elle constate cependant
qu'aucune énergie libidinale propre aux femmes ne
donne à leur écriture des traits distinctifs : « Je
crois que cette énergie-là, qu'elles ont, était commune aux hommes et aux femmes avant et que
c'est à partir de la corruption progressive de
l'homme qu'elles l'ont perdue. Ce n'est pas de
l'énergie masculine ni de l'énergie féminine[440]. »
Elle se place donc dans une perspective historique.
Elle s'élève contre le logocentrisme masculin sans
passer de ce fait dans un hypothétique camp d'écri-
vains-femmes autrement que pour dénoncer la
manifestation d'un pouvoir inacceptable. Si l'on
néglige cette perspective, on s'égare dans des
conjonctures sans poids et sans fin. Denis Roche ne
l'ignore pas : « Je ne pense pas que parce qu'on est
femme on ait un rapport à l'écriture fondamentale-
ment différent par principe, encore moins par
essence[441]. » Aussi n'est-ce pas dans le cadre étroit
des particularités présumées féminines qu'il convient d'aborder ses textes. Il y a plus à gagner lorsqu'on la devine à travers une influence par elle
subie ou dans ses lectures préférées.

Marguerite Duras lit moins pour se distraire,
moins pour acquérir une technique ou un savoir

que pour célébrer un culte fervent. Elle lit pour faire vivre et revivre le livre qui, tel un rideau rouge, se lève sur une scène déserte encore où se tient le livre qu'elle-même écrira. Elle commence tôt : « Sous l'escalier où se trouvaient les quelque dix livres de la maison, il y avait *Les Misérables*. Je me souviens aussi de *Sur la route mandarine* de Dorgelès, je crois. Et il me semble aussi le *Discours de la méthode*, égaré qui sait par quelqu'un qui avait cru sans doute à une Méthode pour Réussir dans la Vie[442]. » Elle découvre Loti et *La Petite Illustration théâtrale*, une littérature de second ordre[443] : « Je pense qu'en fait c'était le phénomène du livre lui-même qui m'attirait : le fait d'écrire *en soi*, plutôt qu'un auteur ou un autre[444]. » Ces premiers textes sont pour elle parole de vie, déjà et pour toujours, préhistoire de son écriture. D'autres s'y superposent peu à peu. Ceux de Melville : « Je me rappelle la lecture de *Moby Dick* comme un événement frappant dans ma vie[445] », ou de Conrad : « Un nouveau Conrad tous les ans, quel bonheur » (*La Vie matérielle*, p. 119), les romanciers américains et, parmi eux, Hemingway. Son influence se profile derrière *Un barrage contre le Pacifique* et *Le Marin de Gibraltar* écrit dans l'enthousiasme de la lecture des *Vertes Collines d'Afrique* : « Moi aussi j'ai lu avant d'écrire et j'ai imité des gens. C'est inévitable[446]. »

Ensuite on ne peut plus parler d'influence, mais d'intertextualité ou, pourquoi pas ? de culture. Marguerite Duras « écrit avec » puisque, aussi bien, nul écrivain n'avance en terrain découvert. Franchi le stade où le talent est fait de souvenirs juxtaposés, il parvient à lui-même. Quand elle cite pêle-mêle Gide, Kafka, Rimbaud, Proust, s'esquisse un choix éclectique qui la conduit à adapter des pièces de James, de Tchekov ou de Strindberg. Noms importants, mais le plus grand demeure celui de Baudelaire : « L'éternité est atteinte dans une vingtaine de poèmes (...). Il y a "Les Amants", "La Beauté"

L'Amant, *prix Goncourt 1984.*

aussi. Il y a une violence mortelle, terrible, qui conditionne tout. (...) Dans Baudelaire on ne fait la part de rien. » Auprès de lui, Verlaine est « un suiviste, un menteur[447] ». Très loin d'elle, Balzac, et tout près, Virginia Woolf ou Louise Labbé évoquée dans *L'Amant de la Chine du Nord* (p. 61-62). Que *L'Homme sans qualités* inspire *Agatha* ou qu'elle songe à Kierkegaard avant d'écrire *La Maladie de la mort* n'enlève rien à sa fougue : « Les autres que j'ai lus avec passion ces années-ci c'est Ségalen et Musil » (*La Vie matérielle,* p. 119), et, avis définitif : « Kierkegaard au moins se laisse aller à son écriture, à son génie, Sartre non[448]. » Cet abandon au génie place Mme de Lafayette dans ses ancêtres totémiques : « Je peux dire : c'est moi qui ai écrit *La Princesse de Clèves* (...). C'est un dérèglement de l'écrit. Ça va presque jusqu'à la démence comme Mme de Lafayette la remonte, cette femme. Elle la remonte comme un fleuve[449]. » Et si on demande quels sont les écrits qui, pour elle, parlent bien de la sexualité : ceux de Breton ? ou de Genêt ? elle la nomme, à nouveau, avec Racine, parce qu'« ils n'en parlent jamais mais elle est toujours là, latente, entière ». Puritaine ? « Bien sûr. Comme tous les gens qui sont très sexuels[450]. » Au-delà de la confidence qui justifie la manière dont elle traite elle-même, la plupart du temps, des rapports amoureux – le feu sous la cendre –, le tragique de la passion, peut-être le seul tragique, l'attire vers les « forêts de Racine (...). C'est Racine, pas détaillé, pas lu, pas pensé. C'est la musique de Racine » (*La Vie matérielle*, p. 82). Tragique encore dans *Guerre et Paix* : « La pure écriture de Tolstoï (...), la grande coulée centrale de la douleur du Prince mourant[451]. »

Les contemporains ne sont pas absents de ce panorama : Michel Leiris, René-Louis des Forêts qui ont en commun une « passion irrésistible de la recherche romanesque », l'auteur du *Guépard :* « Il y a une sorte de fureur littéraire chez Lampedusa. Il est porté par la littérature. Cela, c'est tellement rare que je m'incline[452]. » D'autres encore, Robert Linhart pour *L'Établi*, Leslie Kaplan pour *L'Excès-L'Usine*, Jean-Pierre Ceton dont elle préface *Rauque la Ville* ou Jean-Marie Dallet qui échappe, avec *Les Antipodes,* à la « tentation aragonienne de l'avalanche ». Mais, en général, elle revient aux écrivains du passé qu'elle dépouille des ennuyeuses gloses sous lesquelles on les ensevelit. Parmi eux, Rousseau – celui des *Confessions*, lues et relues –, Diderot – celui des lettres à Sophie Volland –, Stendhal, Michelet qu'elle raconte avec constance quand elle songe au statut de la femme dans la société, éclairant ainsi plusieurs de ses personnages : « Elles attendent, leurs maris partent à la guerre, elles attendent, ils partent au bureau, elles attendent (...). Ah c'est admirable. C'est dans *La Sorcière* (...). Dans le Haut Moyen Age les femmes étaient seules dans les fermes, seules dans la forêt (...) – cette histoire, je la trouve sublime – et elles s'ennuyaient (...), c'est comme ça qu'elles ont commencé à parler, seules, aux renards et aux écureuils, aux oiseaux, aux arbres[453]. » « On les a appelées les sorcières et on les a brûlées[454]. » Cette forme de lecture compréhensive au sens que Claudel donne au mot *comprendre* est plus nette encore à propos d'Ernest Renan : « J'ai souvent lu Renan aussi, *La Vie de Jésus-Christ*. Un immense auteur. C'est merveilleux ce type d'attitude qu'il a quand il nous apprend que Jésus était un enfant terrible ! Très dur ! Coléreux ! Il ose dire cela, lui. Ce n'est pas un livre saint[455]. » Ernesto, qui « vit un bonheur contradictoire, douloureux, au plus près de l'adoration de la vie d'une part, et de la violence d'autre part[456] », lui doit beaucoup, peut-être même son prénom. Pareille admiration pour Pascal, qu'elle cite à propos de Leslie Kaplan : « Il s'agirait d'une *pensée* à la fois invivable et insensible qui s'élaborerait dans l'ignorance même de son expression[457]. » La référence majeure reste la Bible : « Je la lis à intervalles réguliers. Je la relis. Jamais je ne l'ai abandonnée. Comment peut-on éviter de lire ce livre quand on l'a abordé? Comment peut-on le quitter? Je parle aussi du Nouveau Testament, surtout de Luc et de Matthieu[458]. » Or, *biblia* en grec signifie « livres ». La Bible, ce sont, en effet, des livres réunis dans une sorte de bibliothèque sacrée. Tout, ici, a donc de quoi s'imposer à Marguerite Duras : l'esprit et la lettre, l'écriture, le livre en tant que tel qui exerce le charme.

Rebelle à un temps qui néglige les bienfaits de la lecture, Marguerite Duras refuse la civilisation de l'image. Le livre écrit, lu, est incomparable. Elle s'en souvient lorsqu'elle aborde le genre cinématographique ou théâtral.

Je suis quelqu'un qui écrit avant tout

C'est, à l'en croire, comme malgré elle, que Marguerite Duras s'est intéressée au cinéma. Pourquoi des films? Pour occuper le temps, parce qu'elle n'a pas la force de ne rien faire, pour passer l'hiver[459]. Ou parce qu'elle n'aime pas le cinéma qu'elle voit, parce que les films qui ont été tirés de ses livres n'ont pas correspondu à ce qu'elle en attendait : « J'ai fait des films moi-même parce que les films qu'on a faits à partir de mes livres étaient nuls. Alors je me suis dit : "Je ne peux pas faire des choses aussi nulles que ça." Et c'est pour cela que j'ai fait du cinéma[460]. » Cette raison est la plus fréquemment avancée.

Elle commence avec *La Musica*, puis tourne *Détruire, dit-elle* et *Jaune le soleil*. Son activité, qui se poursuit jusqu'en 1985 avec *Les Enfants,* ne la détourne ni de l'écriture, ou à peine, ni de la méfiance qu'elle conserve à l'égard de l'art cinématographique en général. Les reproches variés qu'elle lui adresse sont, à terme, conciliables : « Après l'écriture du texte tout venait trop tard, tout, parce que l'événement avait déjà eu lieu, l'écriture » (*Le Navire Night*, p. 11). Qu'en déduire? En premier lieu, aucune image n'a la valeur d'un mot. Rappelant les motifs et les figures qui peuplent *L'Été 80*, elle poursuit : « Quand je dis un mot : "l'enfant aux yeux gris", c'est beaucoup plus vaste qu'une image quelle qu'elle soit[461] » et, à propos d'*India Song* : « Il n'y a pas de doute quand elle dit : "Écoutez les pêcheurs du Gange", aucune image ne peut remplacer la phrase. Aucune image ne peut remplacer la phrase : "Bruits de Calcutta"[462]. » De même, le film entier est impuissant à tout dire : « Mes films sont fragmentaires, pas mes écrits[463]. » Destitué pour incapacité, il frappe en outre de mort la descendance du texte, c'est-à-dire l'imaginaire. D'où une hésitation inquiète quand elle réalise, en juillet 1978, *Le Navire Night* à partir d'un premier état du manuscrit : « Peut-être n'avais-je pas le droit ici – ici je crois au mal, au diable, à la morale – une fois l'écriture passée, (...) de faire passer le gouffre, ce premier âge des hommes, des bêtes, des fous, de la boue, par l'épouvantail de la lumière » (*Le Navire Night*, p. 10). L'image filmique pervertit les vérités nocturnes qui scintillent dans le texte. Elle est descriptive, univoque, trop crue, trop nue. Aussi a-t-elle toujours « désespérément » filmé, consciente de l'impuissance du film à traduire le « noir » de l'écrit comme le noir du désir[464]. Car, pour elle, le cinéma « part de la nullité fondamentale qui est de croire qu'on peut montrer le désir[465] ». N'y parvenant pas ou rarement, il lui apparaît comme une technique qui ne nécessite aucun don particulier. Il manque de cette « précipitation dans le livre » (*Les Yeux verts*, p. 171) qui l'approcherait de l'écrit. C'est pourquoi elle revient si souvent sur son inutilité : « À chaque film que je fais je trouve que ce n'est pas la peine » (*Les Yeux verts*, p. 136). Elle l'affirme du *Navire Night* : « C'était inévitable d'écrire le *Night* – on le sait cela – oui, c'était plus fort que soi. Mais c'était

Pendant le tournage du Camion *(1977).*
À la table, Marguerite Duras et Gérard Depardieu.

évitable de le filmer » (p. 11). D'*Aurélia Steiner* : « Je l'ai écrit dans le bonheur de ne pas le tourner après » (*Les Yeux verts*, p. 92). De *L'Homme atlantique* : « Un texte est imprenable[466]. »

Pourquoi donc Marguerite Duras fait-elle des films ? Parfois, pour se délivrer de l'écriture. Entre deux livres, il lui faut délaisser ce travail épuisant[467] : « Le livre n'est pas un assouvissement, ne clôt rien. Pour détruire ce qui est écrit et donc ne finit pas, il faut faire du livre un film (…). Dans *La Femme du Gange*, trois livres sont embarqués, massacrés. C'est-à-dire que l'écriture a cessé[468]. » À l'inverse, le film est un moyen de développer l'écriture, de la déployer sur un écran qui offre « au centuple l'espace du livre[469] ». Alors, le spectateur contemple des « écrits collés sur des images » (*Les Yeux verts*, p. 91) comme dans *Hiroshima mon amour*, un « roman écrit sur pellicule[470] ». Enfin, par exception, un texte comme celui de *L'Homme atlantique* peut devenir un « acte privé porté au cinéma ». Le thème exige une image noire : « Je crois que cette partie noire représente aussi l'absence de votre image, donc vous. Ici le film converge tout entier vers moi devenue, à moi seule, un monde de cendres. Vous êtes devenu inimaginable. C'est moi qui parle de ça. Je parle de ce monde laissé en moi, à votre place, après votre départ[471]. » Marguerite Duras utilise le cinéma à une fin symbolique, qui entraîne la destruction de l'image. Et, sans doute, cette destruction est-elle la véritable cause qui la mène vers lui : « Je suis dans un rapport de meurtre avec le cinéma. J'ai commencé à en faire pour atteindre l'*acquis créateur de la destruction du texte*. Maintenant c'est l'image que je veux atteindre, réduire » (*Les Yeux verts*, p. 93, 131). Elle suppute cette éventualité et filme « dans le désir complètement, et dans le tournage et dans le fond et dans le traitement du sujet et dans la technique aussi bien, (…) dans une même dimension du désir, de la passion » (*Le Camion*, p. 97).

Cette disposition fait de son cinéma un cinéma de recherche, un « autre cinéma », élaboré dans l'assurance qu'il ne modifie en rien sa manière d'être ou sa manière d'écrire : « Il faut rester en soi. Dans sa singularité. Dans sa perversion, presque (…). C'est la partialité, le cinéma. Celle d'une personne, en tout cas[472]. » Grâce à cette partialité, elle établit une sorte d'égalité entre livre et film, entreprise de Sisyphe qui lui fait inventer des ruses. Dans *Le Camion*, par exemple, elle parle d'un film qui n'est pas tourné, et son film est l'absence même du film dont elle parle. Le public assiste à une remise en cause radicale de la représentation traditionnelle : « Pourquoi je ne proposerais pas l'envers des choses ? Le plus intéressant, c'est comment ça peut fonctionner[473]. » *Nathalie Granger* se voulait déjà le « négatif du cinéma ». La visée étant de rendre au texte la suprématie que l'image cherche à lui ravir, *India Song* offre un espace « nettoyé » pour que s'y inscrive la seule histoire d'une « poursuite », celle d'Anne-Marie Stretter par le vice-consul. De la sorte, le spectateur n'a « que ça à regarder, rien d'autre[474] ». La bataille avec l'écran suscite aussi *Agatha* où « la totalité du potentiel cinématographique contient le texte, est dit par lui, par le texte[475] ». La distance entre l'image et le son – comme dans *Aurélia Steiner* – permet au désir du frère et de la sœur d'apparaître alors même qu'il n'est pas exhibé par l'image, mais lu sur elle, ou écouté. Marguerite Duras considère que ce procédé suffit à provoquer l'attention : « Quand il décrit le corps de sa sœur, la robe par terre, le bleu de la robe, le dessin photographié du soleil sur les seins, le maillot d'enfant sur le sexe, tout cela est concret (…). Donc c'est d'autant moins la peine de le montrer[476]. » La parole prend en charge le désir, et la couleur d'un plan n'est pas séparable du mot qui l'appelle. Dans *India Song*, quand il est fait allusion à la brume sur l'eau : « Delphine (Seyrig) (…) dit le nom d'une couleur : Violette. C'est la lumière du Delta... Tu vois, pour moi, c'est le cinéma, ça (...). Alors le mot "violette" envahit tout. Et c'est la couleur du plan[477]. » India Song est conforme aux intentions de la réalisatrice. Entrelacs de son et de lumière, il se désencombre de tout jusqu'à devenir, avec *Son nom de Venise dans Calcutta désert*, procès de la narration filmique qui n'est qu'un leurre.

C'est le livre qui gagne toujours, c'est l'écriture qui demeure l'« axe d'acier » du film, sauf si l'on considère le cinéma comme un simple divertissement. S'il en est ainsi, mieux vaut qu'il disparaisse. Cela adviendra peut-être « après qu'un homme, une fois, alors qu'il se trouve dans un grand et terrible désarroi moral, prenne par hasard un livre, le lise et oublie tout » (*Les Yeux verts*, p. 245). Dans tout texte, une voix raconte ; dans le film, il devrait en être de même : « Ça rejoindrait donc la grande tradition du conte.... l'écriture porteuse du tout, l'écriture porteuse d'images, comme si l'on avait dévoyé l'écriture, si on l'avait fragmentée » (*Le Camion*, p. 92). Marguerite Duras, conteuse, Marguerite Duras Schéhérazade, ne cesse de solenniser le verbe, à l'écran comme sur les scènes de tous ses théâtres.

Le théâtre, pourtant, elle n'y avait « jamais pensé[478] » avant que Claude Martin ne lui demande de transformer en pièce son roman *Le Square*. Il n'y a pas de tentation théâtrale chez elle, mais, comme pour le cinéma, une fois engagée dans un genre, elle le soumet à elle : « Le théâtre doit se traiter comme un corps étranger. Fait. Fabriqué du dehors. En dehors de soi. Il n'y a pas cette proximité entre le texte et soi. C'est du livre que je suis le plus proche[479]. » On le voit, le théâtre non plus ne se hausse pas jusqu'à la place qu'elle réserve à l'écrit, c'est-à-dire au texte en soi. L'étymologie du mot *théâtre* fait du *drama*, de l'action, sa racine. Il suppose toujours une représentation. Celle-ci est inscrite dans sa nature même et exige son existence. Or, l'obligation d'une mise en scène est perçue par

La Musica Deuxième *(1985).*
Miou Miou (Anne-Marie Roche)
et Sami Frey (Michel Nollet).
« *L'attrait fabuleux du théâtre, l'attrait irrémédiable et*
en même temps son terrible danger, c'est là quand même,
dans le fait que l'acteur est dans sa taille véritable,
et qu'il n'y a pas possibilité de tricher là-dessus. »

Marguerite Duras comme une contrainte. Elle y est frustrée d'elle-même. Elle met en mouvement des événements dont elle n'est plus le seul maître et perd ainsi son autonomie[480]. Après sa première pièce directement écrite pour le théâtre, *Les Viaducs de la Seine-et-Oise*, elle a conscience de ce fait : « Un romancier, vous savez, qui écrit pour le théâtre, n'a pas l'impression de parler pour lui[481]. » Un regret transparaît dans cette phrase, s'enfle avec *La Musica deuxième* – où l'on ne connaît l'histoire des personnages que par échappées, car « on est au théâtre ici, on n'est pas dans un livre. L'auteur n'a pas la parole ici. Il n'a que la parole qu'il a déléguée aux comédiens. C'est ça la différence énorme entre la littérature et le théâtre » – et renforce la réflexion présente au moment du *Camion* : « Dans la représentation théâtrale ou cinématographique, qui parle ? Je ne crois pas que ce soit l'auteur. C'est le metteur en scène et le comédien (...). Ils appréhendent le texte, le traduisent. Ou bien l'auteur le reconnaît, ou bien c'est l'épouvante » (*Outside*, p. 173). À cette épouvante une autre peut faire écho. Celle du comédien. Mais lorsque Jean-Louis Barrault avoue qu'il craint de voir son art colonisé par la littérature, Marguerite Duras répond : « Nous n'avons jamais nié le théâtre ni le cinéma. Ce que nous cherchons à faire, c'est à intégrer les choses, à les rendre dans le théâtre, à les mettre, à les prendre là du texte et à les mettre ici, dans l'espace du théâtre. *C'est ça*[482]... » La protestation ne cache pas l'intention. Songeant au *Ravissement de Lol V. Stein*, dont elle reconnaît qu'il « appelle » le théâtre, elle n'en ajoute pas moins : « Je peux rendre la joie du visage, je peux rendre l'ombre, je ne peux pas rendre le mot minerai de chair. Je ne peux pas faire ça. La froideur[483]. » Comme l'écran, la scène disperse et appauvrit le texte. La matière de l'écrit, même si on parvient à la préserver, se dégrade. Elle est privée de la lecture intime qui lui donne son naturel prolongement. Il y a déperdition de substance. Le langage alors n'atteint plus, dans celui qui l'écoute, la part de secret en lui enfouie, auquel il se destine en première instance : « Il y a une sorte de passage à l'acte du texte qui l'use et le vieillit » (*Outside*, p. 172).

Marguerite Duras aborde donc le genre théâtral pour le changer : « Je trouvais que c'était mal foutu, le théâtre. Pourquoi tant de gens s'y ennuient ? On n'entend pas au théâtre. On subit la gesticulation théâtrale, on ne ressent jamais l'écriture, d'où elle vient[484]. » Il lui faut abolir les lois conventionnelles de la mise en scène dont elle dit qu'elle ne l'intéresse pas pour faire un autre théâtre, le théâtre de la voix. Ainsi dans *Savannah Bay* où tout est parlé sans être joué, où « l'on en passe totalement par le langage », car, « tandis que le langage a lieu, qu'y a-t-il à jouer[485] ? » Elle s'achemine vers une célébration du texte : immobilité des comédiens, peu ou pas de gestes et une diction lente. Le drame entier se concentre dans l'énonciation de la parole. Non seulement ses propres pièces tendent vers le dépouillement du récitatif, mais lorsqu'elle adapte *Les Papiers d'Aspern* ou *La Bête dans la jungle,* tout son effort porte sur des simplifications. À plus long terme, et lorsqu'il ne convient pas de rire ou de faire rire comme dans *Le Shaga*, de fustiger la guerre comme dans *Yes, peut-être* ou de dénoncer le stalinisme comme dans *Un homme est venu ce soir*, son entreprise tend à rapprocher le théâtre du cérémonial religieux : « Je ne connais aucune parole théâtrale qui égale en puissance celle des officiants de n'importe quelle messe. Autour du Pape on parle et on chante un langage étrange, complètement prononcé, sans accent tonique et qui n'a pas d'égal, ni au théâtre ni à l'opéra (…). Je ne crois qu'à ça » (*La Vie matérielle,* p. 14). Malgré ses carences, le théâtre lui permet de faire « exploser l'écrit ». Elle souhaite donc modifier aussi la conception que d'ordinaire on se fait du jeu. Le théâtre a l'avantage

Savannah Bay *(1982).*
Bulle Ogier (la jeune femme)
et Madeleine Renaud (Madeleine).
« Le rôle du personnage nommé Madeleine
dans Savannah Bay *ne devra être tenu que par*
une comédienne qui aurait atteint la splendeur de l'âge.
La pièce Savannah Bay *a été conçue et écrite*
en raison de cette splendeur. »

sur le cinéma d'être un « présent[486] », mais également une présence, se constituant ainsi dans un rapport conjugué au temps et à l'existence. L'acteur entre en scène et dans l'instant on le voit. Sa tâche consiste à donner corps au personnage, à le rendre vivant. C'est cette immédiateté qui la retient. Dès lors, elle en exploite les virtualités. Citant Jeanne Moreau, elle attend de l'acteur qu'il s'efface devant le texte : « Un acteur c'est fait pour proférer, c'est une bouche qui s'ouvre pour dire des paroles que les autres ont écrites » (*Outside*, p. 209). C'est en cela que réside le génie de Madeleine Renaud pour qui elle écrit *Savannah Bay* : « Je crois que le large de l'intelligence, il est aussi bien dans l'incompréhension, dans la fidélité à la prononciation des mots, dans la mémoire grammaticale d'un texte – le jeu banni comme une corruption du sens ouvert qui détruit l'amplification[487]. » À ce prix, l'acteur n'encombre plus le théâtre par son « poids humain », il le rend plus audacieux, l'audace de l'auteur étant de laisser toute la place à la musique des paroles.

Chez Marguerite Duras, porter un texte au cinéma ou au théâtre relève du pari d'inventer une forme qui parvienne à articuler, malgré tout, ce texte à sa représentation. Elle reprend *Suzanna Andler*, qu'elle n'aime pas, sous le nom de *Véra Baxter ou les Plages du Pacifique*. De la scène il passe à l'écran. *Le Navire Night* est, dans le même temps, texte, pièce, film, et elle modifie *La Musica* en une *Musica deuxième*. Mais elle fait de *La Maladie de la Mort* ou des *Yeux bleus cheveux noirs* des textes prêts à être joués et de *L'Amant de la Chine du Nord* un roman pour cinéma futur. Tous ses livres sont porteurs de voix, porteurs d'images, et toujours, seule la lecture l'emporte, qu'elle soit faite à voix haute ou dans le silence d'une maison. Car la lecture, si elle est bonne, ne descend pas vers l'« éclatement du texte », elle fait remonter vers lui et en lui, vers le « lieu où il n'est pas encore dit » (*Outside*, p. 172). C'est celle de l'écrivain : « Mais les

Avec Madeleine Renaud en 1965, à la première de
Des journées entières dans les arbres.
« *Tu es la comédienne de théâtre, la splendeur*
de l'âge du monde, son accomplissement,
l'immensité de sa dernière délivrance. »

grands corps des personnages de Racine, défaillants de désir, est-ce que vous les avez vus s'avancer vers vous ? Et où ? Je dis : dans ma chambre la nuit, tout à coup, au son fabuleux de la lecture, en cadence, ils sortent du noir et traversent le temps[488]. »

Histoire d'images noires

Toute œuvre dépend d'un « principe concret d'organisation[489] » autour duquel se déploie un monde. Quel est-il chez Marguerite Duras ? « Ce qu'il me plaît de faire, c'est une sorte d'investigation impitoyable dans des régions mentales qu'on disait jusqu'ici relever de la voirie psychologique[490]. » La phrase laisse-t-elle supposer que la psychanalyse, elle, ne relèverait pas de la voirie ? Que son objet servirait, en quelque sorte, de pôle de référence à l'objet élu par l'écrivain ? Après tout, cet objet, le désir, la folie, en forment l'armature. Elle irait donc vers ce que la psychanalyse découvre, et cela expliquerait que ses lecteurs soient aussi, assez souvent, ceux de Freud et de Lacan. De l'*Hommage* que lui rend ce dernier elle se rappelle surtout une parole qui la concerne : « Elle s'avère savoir sans moi ce que j'enseigne[491] » pour la commenter ainsi : « C'est un mot d'homme, de maître (...), c'est un hommage énorme qui ricoche sur lui[492] » et poussée à dire plus : « Je suis dans une méconnaissance et une méfiance très grandes de la psychanalyse. Je ne sais pas très bien, pour tout dire, profondément je n'y crois pas. Voilà. Je crois que des gens qui se croient la proie de la psychanalyse sont atteints d'un narcissisme aigu et qu'ils ne s'en sortiront pas. Je ne peux pas parler de ça comme ça, c'est un peu léger de ma part, mais je me sens étrangère à la psychanalyse[493]. » Néanmoins, tout en refusant de s'allonger sur le divan, elle commence une analyse dans les années soixante. Après quelques séances, il apparaît qu'écrire remplace

248

pour elle cette thérapie[494], et l'expérience ne la dispose à aucune mansuétude. Rude à l'égard de Freud, elle l'accuse d'avoir « dénoncé » la sexualité : « (Il) a pris le mot. Il l'a sorti au grand jour (...). Ça a fait rater la littérature pendant trente, quarante, cinquante ans. Tout le monde parlait de la psychanalyse comme on aurait parlé d'une médecine de famille. Et les romans sont alors devenus illisibles[495]. » Au-delà, elle se montre peu favorable aux apports mêmes de la doctrine. Elle préfère s'avancer seule, à tâtons, vers cette « région non creusée » où elle a choisi d'installer son « champ d'expérimentation[496] ». Dès 1955, elle écrit à Mathieu Galey : « Ce que j'essaye, voyez-vous, je le crois, c'est de fixer l'obscurité même, d'en saisir quoi, le négatif[497]. » Le terme revient en 1959 : « Ce qui m'intéresse dans une situation romanesque, c'est son ombre ou celle qu'elle projette sur les êtres alentour. Chacun de mes romans se présente comme un négatif (...). Je n'avance qu'avec incertitude[498]. » Le texte, en effet, n'a pas affaire avec des figures provisoires qu'à terme l'écrivain, en vérifiant leur mécanisme, risquerait d'altérer. Le but est, au contraire, d'en consacrer l'existence et d'en maintenir la rigoureuse opacité. Octave Mannoni semble en convenir, pour qui l'écriture est « désir impossible d'écrire sur le désir impossible[499] ». La métaphore de l'« image du tapis » chez Henry James illustre le même phénomène. Après *Détruire, dit-elle*, Marguerite Duras persiste dans ses vues : « Il y a des choses très obscures. Qui ne sont pas claires pour moi du tout, même encore maintenant. Mais que je veux laisser comme ça. Ça ne m'intéresse pas de les éclaircir[500]. » Ces refus et ces réticences en entraînent d'autres.

À reconnaître qu'il n'y a d'« intéressant que ce qui se passe en soi et qui n'est donc pas de nature narrative[501] », elle en vient à désintégrer l'ordonnance classique du récit. Elle proscrit la narration qui fait crédit à un système chronologique, topologique et psychologique, etc. Elle lui préfère une évocation tissée d'analogies où s'oublient les superficielles disparités entre soi et soi, entre soi et les autres, entre soi et le monde et à laquelle on ne peut donner de nom. Formelle sur cet aspect de sa recherche, elle écrit dans les notes sur *India Song* : « Ce qui peut être nommé tragique, ici, je crois que ce n'est pas la teneur de l'histoire racontée, ni le genre auquel elle se rapporte dans la classification habituelle (…). La mise en scène de cette histoire, la seule possible, c'est celle d'un va-et-vient incessant de notre désespoir *entre cet amour et ce corps* : l'empêchement même à toute narration. » Écartée aussi la notion de genre, tout livre digne de ce nom s'élaborant « dans la méconnaissance des lois du genre » (*Les Yeux verts*, p. 171). Que les éditeurs veuillent ranger ses œuvres dans la catégorie du roman, elle le justifie par des raisons commerciales au moment de la publication de *L'Amant* : « On m'a demandé de mettre : roman. J'ai dit que je pouvais le mettre et puis je ne l'ai pas mis. J'ai préféré la sécheresse du blanc. Qu'on dise roman ou non, au fond, ça les regarde, les lecteurs[502]. » Au vrai, mis à part les toutes premières œuvres comme *Les Impudents* ou encore *Le Marin de Gibraltar*, le roman, si roman il y a, ne peut être, suivant le mot de Joë Bousquet, que ce qu'il n'était pas encore, tel *Moderato Cantabile*. *Hiroshima mon amour* ne relève ni du scénario ni du récit. *India Song* se veut texte théâtre film. *La Vie matérielle* est « loin du roman mais plus proche de son écriture – c'est curieux du moment qu'il est oral – que celle de l'éditorial ou du quotidien » (p. 7-8). En revanche, *La Pluie d'été*, on l'a vu, et *L'Amant de la Chine du Nord* marquent un retour au roman. Qu'en penser ? « Il y a un terme pratique : je fais des textes[503]. » Pourquoi des textes ? La réponse se trouve chez Roland Barthes : « Le texte (…) figure l'infini du langage[504]. » Une opposition s'aménage entre ce discours-là et la littérature, comme chez Aristote, entre poésie et rhétorique. Des correspondances se précisent qui soulignent la permanence de l'intention initiale : rien n'a d'intérêt sinon la seule écriture.

Au lieu de se resserrer sur eux-mêmes, les espaces, les héros, les qualifications, les temps échangent continuellement leurs valeurs spécifiques dans une économie faite de leurs rapports implicites : d'un paysage l'autre, d'un personnage l'autre, d'un âge l'autre. Paris, à 6 heures du matin, avec ses Noirs et ses Portugais, vers qui se porte l'amour des *Mains négatives*, ressemble soudain à l'Indochine, et Créteil devient un « New York dispersé[505] ». Aussi n'est-ce « pas la peine d'aller à Calcutta, à Melbourne ou à Vancouver, tout est dans les Yvelines, à Neauphle. Tout est partout » (*Les Yeux verts*, p. 61). Dénonçant la maladie du réalisme qui traîne depuis le XIXe siècle, elle s'intéresse moins à la variété factice des détails pittoresques qu'à de plus larges composantes où s'annule tout détail, dans une redéfinition de la ressemblance. Le nom de lieu, riche de connotations, ne se limite pas à désigner un espace. Ses références secondes lui font dépasser sa stricte fonction utilitaire. Il devient personnage ou bien le personnage devient lieu, par une étroite concomitance : « Savannah Bay, c'est toi » (p. 82), « Hi-ro-shi-ma. C'est ton nom. (...). – C'est mon nom. Oui. Ton nom à toi est Nevers. Ne-vers-en-Fran-ce » (p. 102-103). Cette pratique, qui tient de la polyphonie, est primordiale. D'elle découle, dans l'ordre de la temporalité, le télescopage des années, des siècles, des millénaires. À la fin de *Détruire, dit-elle*, Alissa n'a plus d'âge. Dans *La Pluie d'été*, Ernesto a « entre douze et vingt ans » (p. 12). La reine des Juifs de *Césarée* est « très jeune, dix-huit ans, trente ans, deux mille ans » (p. 101) et *Les Mains négatives* font entendre une plainte immémoriale :

> « Depuis trente mille ans je crie devant la mer le spectre blanc
> Je suis celui qui criait qu'il t'aimait, toi » (p. 114).

*La maison de Marguerite Duras
à Neauphle-le Château.*

Par ailleurs, la description ou le portrait sont traités à la façon d'une épure. Les personnages ne tirent pas leur existence d'un environnement qui leur servirait de preuve, mais de la dispersion des notations. Encore portent-ils en eux cette densité charnelle, ou les brûlures, ou les désirs que leur confère leur archéologie. Cette « fragmentation de l'écrit » (*Les Yeux verts*, p. 12), par quoi Marguerite Duras dit devoir passer, fait du *décrochage* une méthode appliquée : rupture de tons, passage à différents niveaux de langage, enchâssement d'un récit dans un autre ou juxtaposition, cassures dans le temps, changements de lieux, œuvre en archipel.

La volonté d'indétermination, l'unité de la composition formelle et de la traduction sensible du monde conduisent Marguerite Duras vers un horizon total. Elle retrouve l'humanité contre son histoire et l'écriture contre la littérature. Chaque élément, délivré de sa primauté, est à la fois centre et périphérie, origine première et ultime effet. L'œuvre touche ainsi à l'universalité, voire à la seule universalité possible.

« *Écrire et aimer.*
Elle voit que cela se vit dans le même inconnu.
Dans le même défi de la connaissance
mise au désespoir. »

10
Duras telle qu'en elle-même

> Ce qui m'émeut, c'est moi-même, Ce qui me
> donne envie de pleurer, c'est ma violence,
> c'est moi.
>
> MARGUERITE DURAS

Au début des *Essais,* Montaigne écrit : « Je suis
moi-même la matière de mon livre » et, comme en
écho, l'auteur de *L'Amant* : « J'ai découvert que le
livre c'était moi. Le seul sujet du livre, c'est l'écriture. L'écriture, c'est moi. Donc moi, c'est le
livre[506]. » Marguerite Duras revendique, sans hypo-
crite retenue, une place centrale dans sa création.
Bien qu'elle ait souvent écrit sur sa mère, elle lui
vole le premier rang : « Elle n'est pas le héros principal de mon œuvre, ni le plus permanent. Non,
c'est moi le plus permanent[507]. » « Star » du *Camion,*
parce que personne d'autre qu'elle ne peut le jouer,
elle « qui l'a écrit et qui l'improvise et qui entend le
texte[508] », d'*India Song* : « Moi, c'est tout. Moi, c'est
Calcutta, c'est la Mendiante, tout, c'est le Mekong,
c'est le poste. Tout Calcutta. Tout le quartier blanc.
Toute la colonie. Toute cette poubelle de toutes les
colonies, c'est moi[509] », et de *La Vie matérielle* :
« J'écris sur les femmes pour écrire sur moi, sur moi
seule à travers les siècles » (p. 53).

Voir là quelque reviviscence de l'égotisme ou la
preuve d'un égocentrisme batailleur ne mène nulle
part. Elle ne se complaît pas dans des comptes
qu'elle rendrait à son for intérieur, et elle ne se

livre pas à une forme de culte ou de culture du moi. N'écrivant pas non plus pour répondre à de grandes questions existentielles, elle procède à une affirmation de soi sans introduire de dichotomie entre le dehors (je vis) et le dedans (j'écris). On aboutit donc à une permanente mise en scène du moi, mais celle-ci est textuelle. Le moi se manifeste à travers une fiction, parce que la fiction est le plus sûr moyen de le manifester. Sans se contredire, elle peut juger que tout est vrai dans *L'Amant* et que tout y a été inventé[510]. Il est probable qu'il en va de même dans *L'Amant de la Chine du Nord*. N'était-ce pas déjà un propos de Boris Vian : « Cette histoire est entièrement vraie puisque je l'ai imaginée d'un bout à l'autre[511] » ? Tout tient dans le « puisque ». Il renvoie là où le vrai et le faux pervertissent leurs données, où tout, à terme, devient vrai parce que la seule vérité est celle de l'écrit. Rien donc de moins anecdotique, de moins purement autobiographique que cette œuvre, si l'on prend le mot dans le sens adéquat : « Écrire son autobiographie, c'est essayer de saisir sa personne dans sa totalité, dans un mouvement récapitulatif de synthèse du moi[512]. » Pas de synthèse chez elle, pas de saisie complète de sa personne. Et si l'on veut, à tout prix, s'en tenir à la notion de genre parmi ceux qui fondent la littérature dite intime − mémoires, journaux, etc. −, l'ensemble ressortit davantage à un vaste autoportrait éclaté. Si, dans les premiers livres, la part du *narratif* est encore grande, elle va s'estompant devant l'*analogique* ou le *métaphorique*, tandis que le récit perd sa linéarité et que s'y substituent entrecroisements et superpositions. Contre la rhétorique ancienne, qui affirme que l'écriture doit servir à quelque chose ou à quelqu'un, l'autoportrait est libre et gratuit, non engagé à d'autre tâche que celle de la manipulation du moi : « J'écris comme il faut écrire, il me semble. J'écris pour rien » (*La Vie matérielle*, p. 53). Enfin, assumant le solipsisme, il « s'adresse à lui-même, faute de pouvoir apostropher Dieu[513] ». Telle est l'œuvre de Marguerite Duras. On pourrait aussi bien évoquer la fugue puisque cette composition dans le style contrepoint unit un thème et ses reprises successives : « Je parle toujours de moi, vous savez. Je ne me mêlerais pas de parler des autres. Je parle de ce que je connais[514]. »

En effet, dans ses textes, dans ses films, elle ne parle que d'elle. Mais dans les entretiens, dans les articles de journaux, dans l'« écriture flottante » de *La Vie matérielle*, elle dit ce qu'elle pense du monde, de son bruit et de sa fureur. C'est toujours, il est vrai, une voix très personnelle que l'on entend.

Une moralité douteuse

Dans *Hiroshima mon amour*, prend place ce dialogue :

« Je suis d'une moralité douteuse, tu sais.
— Qu'est-ce que tu appelles être d'une moralité douteuse ?
— Douter de la morale des autres » (p. 41).

Pour douter de la morale des autres, il faut avoir d'abord durement ressenti son altérité. Il faut s'être découvert différent, mal à l'aise en public, en état d'exil intérieur. Tel est souvent, dans la jeunesse, le premier rapport du futur écrivain à la société qui l'entoure. Marguerite Duras en retire des humiliations, en garde l'impression de multiplier les erreurs :

« Elle aurait dit s'être trompée durant toute sa vie :
avoir pleuré quand il fallait rire...
rire quand il fallait pleurer...
pleurer quand il fallait pleurer » (*Le Camion,* p. 67).

Plus limpide encore : « Je n'ai jamais été là où j'aurais été à l'aise. (...). Pour des raisons diverses, la honte recouvre toute ma vie » (*La Vie matérielle*, p. 26). À certains affleurements dans l'œuvre on en mesure la profondeur et combien elle tient à l'être même dont elle dévoile l'envers blessé. Mais elle est très tôt à la source d'une prise de conscience, puis d'un sursaut du moi. Élève, étudiante, Marguerite Duras forge une « parole chanceuse » pour vaincre les adversaires du jury : « Il en était comme d'une confrontation entre mon corps et le corps social qui était là pour me perdre. » Plus tard viendra le regret d'avoir élaboré des systèmes pour « faire tout ce que les autres faisaient », d'avoir été « réglementaire mais jamais contente » (*La Vie matérielle*, p. 115). Regret d'une concession au conformisme, regret de laisser circonvenir en soi la part où s'affûte la personnalité que, peu à peu, la pratique de l'écriture affermit jusqu'à lui faire retrouver son impétuosité native. C'est cette impétuosité qui la pousse à s'affranchir des conditionnements sociaux, moraux ou culturels, qui explique des prises de position tranchées et le rejet de toute attitude ou jugement trop convenus. Certes, il lui aura fallu beaucoup de détermination et de ressources pour affirmer : « Moi, je me fais confiance comme à une autre. Je me fais complètement confiance[515]. » Si le doute revient quelquefois, il n'entame pas l'assurance qui la guide dans l'acte d'écrire. Là se transfigurent en épanouissement, en liberté, les dérisoires entraves qu'impose la vie. L'audace ne s'y ressent pas comme un risque. Elle y reste posée en exigence éthique et esthétique : « C'est sûr qu'il y a là une sauvagerie. Mais j'ai toujours été comme ça, un peu à côté. Toujours[516]. » Le blâme qu'elle porte à l'encontre de Roland Barthes, en dépit de l'amitié qu'elle lui voue, c'est d'avoir voulu donner de lui une image trop respectable : « Il faut ouvrir la loi et la laisser ouverte pour que quelque chose entre et trouble le jeu habituel de la liberté. Il faudrait ouvrir aussi à l'impie, à l'interdit pour que l'inconnu des choses entre et se montre » (*La Vie matérielle*, p. 42). Quant à Queneau, il a été « un peu tué par sa pudeur, par une sorte de frein biologique qui l'empêchait d'aller au bout de lui-même[517] ». À l'opposé, elle s'insurge contre les astreintes qui pèsent sur l'individu, se félicite quand on y résiste comme Elia Kazan : « Je crois qu'il reste toujours quelque chose en soi, en vous, que la société n'a pas atteint, d'inviolable, d'impénétrable et de décisif » (*Les Yeux verts*, p. 221). Bien des phénomènes passent au crible de sa critique : les préjugés, la force écrasante des institutions, la destruction de la nature ou de l'animal, l'oubli des marginaux, ou le contentement béat. *L'Amante anglaise* est l'histoire d'un crime, d'une folie, le drame d'un écrivain qui n'écrit pas, un pamphlet. Claire Lannes tue Marie-Thérèse Bousquet par écœurement de la voir trop bien dormir, trop souvent se gaver de viandes en sauce, hautement symboliques ici puisqu'elles représentent le « dégoût de l'opulence, de la graisse, de l'accommodation à la vie, du bonheur qu'on s'arrange, du bien-vivre, du confort, même du confort intellectuel[518] ». Le repas des nantis, leur cuisine ou leur arrière-cuisine – *Moderato Cantabile* y consacre un chapitre entier – est une situation archétypique. Le rituel gastronomique permet à Marguerite Duras de dresser deux catégories de personnages : ceux qui encensent la nourriture à l'égal du Veau d'or et ceux qui ne peuvent ni ne veulent y sacrifier, tourmentés d'autres soifs et d'autres faims, vers qui va sa préférence. Mais, plus qu'aux coutumes de la société, c'est à sa morale qu'elle s'en prend.

Toute morale étant enseignée et de nature variable selon qui la met en pratique, elle ne peut modifier l'ordre des choses. La seule grandeur de l'homme, « malfaisance de la nature », réside dans l'intelligence de sa condition. Affirmant : « L'envie de tuer est une constante de ma vie. Je le dis. C'est une des constantes les plus constantes[519] », elle ajoute : « Sauf tuer, tout est permis. J'espère que bientôt le vol de la nourriture ne sera plus puni. J'espère qu'un jour on trouvera comment éviter l'institution la plus abominable entre toutes, la prison[520]. » Condamnation de principes coupés de toute base affective ou bien exaltation de l'individu – être moral, c'est être soi-même –, son jugement oscille entre ces deux pôles. Le « ne supporte pas » d'Anne-Marie Stretter, le « ne supportait pas » du vice-consul dans *India Song* la peignent en entier. Cependant, elle ne bannit pas toute morale de son univers. Elle lui fraie une voie vers un domaine où on ne l'attend guère, la littérature : « La morale consistant à redresser une sorte de situation vicieuse de l'écrit, peut-être, la situation mensongère de l'écrit en général, eu égard à l'amour, au désir, au monde, à soi quant au monde[521]. »

Cette morale-là n'a que des liens assez lâches avec la morale commune. Morale d'écrivain chez qui mensonge et vérité sont des notions mouvantes, parce qu'il lui importe d'abord de ne pas se payer de mots. Aucune fraude n'est légère qui entache la création. Être moral, là encore, c'est être soi-même, mais, cette fois, dans la contradiction, face à l'inquiétude de l'arbitraire, jusqu'à parvenir à la « parole pleine », celle que Lacan définit par son identité à ce dont elle parle. Marguerite Duras, alors, brise d'autres jougs. À propos d'un film manqué : « Si j'étais plus jeune, j'aurais refait *Moderato Cantabile*, pas le script, le livre seulement. Le script fait avec Gérard Jarlot était mauvais, faux » (*Les Yeux verts*, p. 57) ; à propos d'un livre, *Les Yeux bleus cheveux noirs* : « C'est comme si j'apprenais que tout ne peut pas relever de l'écriture, que celle-ci s'arrête, qu'on le veuille ou non, devant des portes qui sont fermées alors que je crois le contraire, qu'elle traverse tout » (*La Vie matérielle*, p. 90). Elle s'accuse même d'un manque de sincérité à propos de l'héroïne : « Je veux bien dire mon âge, pourquoi j'en ai fait une belle fille[522] ? », mais se félicite que *L'Amant* s'achève sur un coup de téléphone : « C'est arrivé comme le reste, alors pourquoi le cacher[523] ? » Et elle aime le livre de Yann Andréa :

Marguerite Duras et Yann Andréa, en 1984.

« Je me suis retrouvée, là, j'ai reconnu une sorte de brutalité que j'ai, cette sauvagerie qui était là encore et qui s'est montrée sans correctif aucun dans *M. D.* » Le refus des correctifs sous-entend une puissance d'indignation dont doit se montrer capable le véritable écrivain. C'est ce qui le distingue de celui qui n'est que « quelqu'un qui écrit ». Sans doute l'âge renforce-t-il ce courage et cette hardiesse nouvelle qui vient à savoir que la mort approche : « La violence est beaucoup mieux admise qu'on croit. La vérité aussi. Et elle a un charme que n'a pas le mensonge[524]. »

Qu'arrive-t-il si les lecteurs acceptent mal cette vérité ? Si naît un malentendu ? Du moment que l'écrivain n'impose rien, mais propose des instants à l'imagination ou à la sensibilité, le malentendu ne peut porter sur la littérature. Il est donc négligeable. Ainsi en ce qui concerne *L'Amant* : « Il est évident que ce que je trouve être une chance dans la vie de la petite Blanche, je parle de la rencontre avec l'amant, les mères de famille, entre autres, doivent la trouver atroce. Mais alors ça ne me regarde plus[525]. » S'agit-il encore de morale ? Sans doute. Celle qui apprend à discerner désir et raison. On retrouve, d'autre façon, la défiance envers tout mouvement de pensée qui s'impose comme un avatar du pouvoir et n'en reste pas au « primitivisme » cher à Céline ou à Artaud. Défiance qui vise autant le travail des romanciers s'ils partent d'une histoire, d'une « histoire faite, toute faite, voyez, déjà avant d'écrire, avec un commencement, un milieu, une fin[526] », que toutes les « idées » : « Je ne m'ennuie jamais des idées (...). Ce dont je m'ennuie maintenant, c'est de la liberté seulement, de toute liberté, la liberté d'esprit en fait partie » (*Le Camion*, p. 128). La hantise devient obsidionale et met en cause les excès du discours interprétatif. Semblables à l'effigie de Glaucos, chez Platon, méconnaissable sous les concrétions marines qui la défigurent, la beauté et la force de l'art sont séquestrées par quelques-uns, au lieu d'être réservées dans un silence dont elles sont solidaires : « Je fuis les gens qui, au sortir d'apprendre ces choses ou de les voir, savent déjà penser, et quoi, et quoi dire, et conclure (...). Il faut fuir ces gens (...) qui parlent de la musique dans la musique, qui, tandis qu'on joue une suite pour violoncelle parlent de Bach, qui, tandis qu'on parle de Dieu, parlent de religion » (*L'Été 80*, p. 46). Quant à la prétendue objectivité de l'approche, elle gâche la découverte d'une œuvre et la rend superficielle, dérisoire, comme est superficielle et dérisoire la perception indirecte des êtres et des choses : « Je ne crois absolument pas à l'objectivité d'un document, il n'y a de documents que subjectifs[527] », « Voyez-vous, lorsque j'entends quelqu'un employer le mot "réalité" je me méfie de lui. Et le mot objectivité me fait fuir[528]. » Ainsi évite-t-elle la tentation la plus fréquente peut-être de l'écrivain, celle qui le transforme en maître à penser. Elle ne se veut que « maître à dépenser » : « Je propose qu'on n'y croie plus. Rien. À rien de ce qu'on décide en dehors de soi[529]. »

Le tout du monde

Chacun sait, depuis Marcel Proust, que le livre est le « produit d'un autre moi » que celui qui se manifeste dans la société. Cette réserve faite, Marguerite Duras s'emploie à empêcher un court-circuit toujours possible entre ce moi et l'autre, et se déclare arrivée au point où les discordances s'évanouissent : « Le principal que je puisse dire de moi, c'est que j'ai l'impression qu'il n'y a plus de hiatus entre ce que je fais et ce que je suis[530]. » Qui, au demeurant, la blâmerait d'avoir rendu son plein emploi au naturel – « Je m'admets comme telle, je ne peux m'éviter[531] » – du moment que ce naturel abolit l'écart entre l'être et la « chose abominable » qu'est le paraître[532] ? et, du même coup, entre l'être et l'univers langagier qu'il habite ? Elle plaide, dans une même envolée, pour une nouvelle vision du monde et pour un nouveau traitement du langage, où la noblesse ne serait pas le fruit de la préciosité, mais celui de la banalité. Banalité dont rayonnent la femme du *Camion*, la jeune fille du *Square* ou le vieil Andesmas. Noblesse du cœur dont elle veut sa part : « Je me l'attribue aussi. Si noblesse il y a en Duras, c'est celle-là. Je la vois complètement de cet ordre[533]. » Grâce à cette disposition, elle ne se coupe pas de son moi profond pour en donner aux autres des figures factices : « La grâce d'un être, c'est de se laisser aller à sa nature[534]. » Réminiscence de sa toute première vie familiale, « on était ce qu'on paraissait être. On ne prenait jamais aucune précaution pour paraître autres, c'était notre noblesse, cette sauvagerie[535] ». Ayant levé les obstacles que posent les soucis de l'amour-propre ou la frayeur du jugement d'autrui, ses personnages de *L'Éden Cinéma* représentent un idéal qui disqualifie toute civilité : « C'est une humanité adorable, c'est-à-dire une humanité sans dignité, sans honorabilité, qui se laisse aller à son bon plaisir, qui dort l'après-midi, qui ne mange pas, qui est un peu à vau-l'eau, dans ce que les bourgeois appellent la veulerie. C'est ça que j'appelle adorable[536]. » Si l'écrivain est quelqu'un qui, par essence, doit reconstruire le monde à sa manière parce que, éloigné le temps béni du naturel, il ne trouve plus où plonger ses racines, Marguerite Duras, plus déracinée que d'autres puisqu'elle a maintenu la sincérité de ce naturel, était dans les plus justes conditions pour devenir écrivain. Sans doute, ces conditions sont-elles bien insuffisantes pour expliquer tout son art, mais elles lui donnent ses couleurs, comme à elle-même : « Cette élégance insigne de ne jamais paraître autrement[537] » que ce qu'elle est.

Recréant une fraternité autour de l'écriture, elle affirme : « Écrire, c'est devenir l'écriture de tous, sinon il n'y a pas d'écrit (...), j'écris avec vous tous[538]. » Dès lors, l'événement extraordinaire, aussi bien que le poncif, voire toute la *doxa*, deviennent matière de l'œuvre. Elle écrit *L'Amant* dans un style qui ne fait pas montre de son savoir, un « style de laisser-aller, d'abandon, "beau d'abandon", d'indifférence profonde devant la critique, de retrouvailles avec le parler aussi des régions frontalières dans le monde. Je pense au patois du Nord, au yiddish, quand les langues s'interpénètrent les unes les autres pour devenir une langue nouvelle[539] ». Elle ne départage rien. Dans *Le Camion*, tout est fondu en un seul bloc, en une seule « masse noire et close qui avance (...) prête à servir à tout. Aux plus grandes erreurs politiques de l'histoire des peuples. À un poème de Mallarmé. À une souffrance sans cause apparente qui traverse une femme, un soir, quelque part, et dont rien ne sera dit nulle part » (p. 106). Les inflexions varient, mais la voix reste pareille qui dit le « tout du monde[540] ». Pour que ce « tout du monde » ait force de dessillement, Marguerite Duras révoque le polissage culturel. *Un barrage contre le Pacifique* et *Les Petits Chevaux de Tarquinia* s'annexent *Blue Moon* parce que « ça traverse le cœur des gens[541] ». *Savannah Bay* s'est d'abord appelé : *C'est fou c'que je peux t'aimer*, paroles de la chanson d'Édith Piaf, là devenues « vocalises contre la mort », et le premier titre auquel elle avait songé pour *L'Après-midi de M. Andesmas* était *Chérie, je t'aime*, refrain d'une rengaine de l'époque[542]. D'apparence incongrus et témoignant d'une indifférence absolue à la valeur ou au rang que d'aucuns leur assignent, ces choix n'ont d'autre but que ceux de « la musique facile, des images puériles, de la vulgate langagière » dont George Steiner observe qu'elles « pénètrent jusqu'au plus profond de nos besoins et de nos rêves ». Et, avoue-t-il, certaines mesures d'un *accelerando* martelé justement par Édith Piaf « font vibrer toutes mes fibres, brûlent froidement au fond de moi et m'induisent à commettre Dieu sait quelles infidélités à la raison[543] ». Par là les textes de Marguerite Duras sont textes du lieu commun, si celui-ci est bien « lieu de rencontre de la communauté[544] ». La folie même, semble-t-il, séparation et exception, se transforme chez elle en espace d'itération. Elle commente ainsi une opinion d'Alain Resnais sur l'héroïne d'*Hiroshima mon amour* (« Elle est dans la déraison ») : « Il voyait juste, mais cette déraison peut être commune à tous les êtres[545]. » Ou la peur définie par les personnages du *Square*: « Celle d'être comme on est (…) oui, c'est ça, d'être à la fois comme les autres, tous les autres, et d'être, en même temps, comme on est » (p. 65). Ou la douleur : « Le petit frère. Mort. D'abord c'est inintelligible et puis, brusquement, de partout du fond du monde, la douleur arrive » (*L'Amant*, p. 127). Et si « rien n'est plus beau que le lieu commun », comme l'écrivait Baudelaire, c'est que, déjà su, déjà vu, déjà entendu, il engage à prouver qu'il donne encore à savoir, à voir et à entendre. Avec une grande science du langage, Marguerite Duras conduit l'écriture tantôt sur un « chemin mal fréquenté[546] » et tantôt sur la voie d'un extrême raffinement, sorte de métissage où l'on verra son caractère le plus singulier. Même quand elle joue d'un vocabulaire abstrait, elle se dirige toujours vers le « sens le plus concret[547] ». Esthétique de la densité, esthétique de la plénitude, qui s'impose par un renforcement de l'expressivité et ne prend pas en compte les états intermédiaires. À Alain Veinstein qui lui demande : « Qu'est-ce qui vaut la peine ? » elle répond : « Rien et tout. Parce que c'est beaucoup plus près que "Tout" et "Un peu moins"[548]. » Il en résulte dans les livres une double conséquence et un effet unique.

D'un côté, ils font grand cas du *blanc* – ce *blanc* dont Proust disait qu'il était, mieux qu'une phrase, « la plus belle chose dans *L'Éducation sentimentale* ». Bien qu'étant aux antipodes de la parole ou du mot, il n'implique ni chez Flaubert ni chez elle une conception nihiliste du langage qui serait invinciblement attiré vers un silence définitif. Du seul point de vue de l'écriture, il est, certes, conscience de la déficience des mots, de leur insuffisance à rendre les virtualités innombrables de la sensation ou même de la pensée profonde. De là, la récurrence des modalisations et l'utilisation fréquente du métalangage, par exemple dans *Le Vice-Consul* : « J'ai l'impression que si j'essayais de vous dire ce que j'aimerais arriver à vous dire, tout s'en irait en poussière (...), les mots pour vous dire à vous, les mots... de moi... pour vous dire à vous, ils n'existent pas » (p. 125). Cependant, le silence n'est pas que « pis-aller du langage[549] ». Il dit ce que le dire réduirait à néant. Sa valeur est positive, qui autorise le retour à la parole dont se mesure mieux le prix. Ce que l'on observe dans *Agatha* : « Ils se taisent longtemps. Et puis ils bougent. Reprise des forces visibles, abandonnées momentanément. La parole est là de nouveau » (p. 40). Le silence est donc appel, appel à faire silence, appel à peser la parole, pour que progresse le texte avec ses phrases inachevées, ses points de suspension, sa syntaxe elliptique, à quoi s'adjoint la formulation claire des demandes : « Redis-moi l'histoire » (*Savannah Bay*, p. 29), « Encore. Parle-moi encore » (*La Musica deuxième*, p. 89), « Dites-moi encore davantage » (*Agatha*, p. 24), « Continuez » (*Moderato Cantabile*, p. 113). D'un autre côté, le grossissement, voire le pléonasme ou l'insistance : « Au moment où moi je m'aperçois que l'amour n'est pas celui que je crois (...), je ne dis pas que l'amour abandonné était faux, je dis qu'il est mort » (*La Vie matérielle*, p. 37). Marguerite Duras cherche la formule frappante, l'antithèse, l'aphorisme catégorique, la métaphore vive, elle retrouve l'expression *mythique*, c'est-à-dire celle qui comprend et excède son propre sens, éludant toute négociation avec lui.

Les récits peuvent également contenir une parole envahissante, un bavardage d'aspect futile, la « par-

« *Je voulais vous dire que ce n'était pas assez d'écrire bien ou mal, de faire des écrits beaux ou très beaux, que ce n'était plus assez pour que ce soit un livre à lire dans une avidité personnelle et non pas commune. Que ce n'était pas assez non plus d'écrire comme ça, de faire accroire que c'était sans pensée aucune, guidé seulement par la main, de même que c'était trop d'écrire avec seulement la pensée en tête qui surveille l'activité de la folie.* »

lerie ». Cette prolifération de mots ne semble pas tant devoir combler une lacune fondamentale – l'impossibilité de la communication – que mettre fin au mutisme : « Le directeur du Cercle sait s'y prendre avec le vice-consul, il raconte des choses anodines que le vice-consul n'écoute pas mais qui, quelquefois, à la fin, déclenchent sa voix sifflante » (*Le Vice-Consul*, p. 75). Anne-Marie Stretter procède pareillement : « Elle ne demande pas, ne répond pas, n'invite pas à continuer » (p. 125). Mais elle a une « façon comme confidentielle de parler du climat de Calcutta », de la chaleur, de l'humidité qui désaccorde le piano (p. 122). Autant d'entrées en matière, dans la matière d'un langage moins insignifiant.

Si l'écriture est nécessité personnelle, travail solitaire et caché, le texte, lui, est attente d'un retour à la communauté : « Lorsque nous écrivons, lorsque nous appelons, déjà nous sommes pareils (...). Ce premier mot, ce premier cri on ne sait pas le crier. Autant appeler Dieu. C'est impossible. Et cela se fait » (*Le Navire Night*, p. 12). Chacun, alors, peut s'approprier l'œuvre. Chez Marguerite Duras, cela se produit jusque dans des effets reculés. Pour *Hiroshima mon amour* au sujet duquel elle garde des lettres affirmant : « Ça ne s'est pas passé pendant la guerre mais c'est mon histoire[550]. » Pour *Le Ravissement de Lol V. Stein*, à propos duquel Kevork Kutturdjian dit : « C'est moi qui ai écrit *Lol V. Stein*[551]. » Pour *Le Vice-Consul*, dont Renaud Camus, avec son approbation, mais sans indication d'origine, insère plusieurs extraits dans son roman *Passage*[552], tandis qu'elle-même inclut dans *Les Yeux verts* le message d'un inconnu ainsi que cette parole de Pierre Goldman : « Notre seule patrie, c'est l'écriture, c'est le verbe » (p. 157).

Sur la mer d'encre noire

Souvent un paysage – « la platitude fabuleuse et soyeuse du Delta » (*L'Amant de la Chine du Nord*, p. 48) –, une ville, un jardin, une maison, un fleuve, en un mot : un lieu, incitent Marguerite Duras à l'écriture. Pour *L'Après-midi de M. Andesmas,* elle s'est souvenue d'une villa, au-dessus de Saint-Tropez, dont elle a gardé l'image en tête pendant six mois[553]. *Nathalie Granger* s'est élaboré à partir de sa propriété de Neauphle-le-Château où elle met en scène le film. Et elle confie à Denise Bourdet qu'elle est « visuelle *intérieurement* surtout », précisant : « Quand j'ai imaginé un lieu, une maison, ils restent en moi indestructibles. Peter Brook a élu Blaye et le Médoc pour *Moderato Cantabile.* Mais (...) quand je repense à la maison d'Anne Desbaresdes, je la revois toujours dans ce port de la Manche où je l'ai située. (...) J'ai besoin de trouver une situation physique avant une situation psychologique[554]. » L'écriture paraît vouloir dénouer ses liens avec le temps pour inaugurer une investigation de l'espace. Mais cet espace, qui donnera au texte son équilibre, est ensuite à redécouvrir au fond de soi (*Les Yeux verts*, p. 17). Du *topos* on transite vers le *pathos.* Écrire est un combat douloureux dont *La Vie matérielle* examine les différentes phases : « J'ai eu souvent ce sentiment de confrontation entre ce qui était déjà là et ce qui allait être à la place de ça. Moi, au milieu, j'arrache, je transporte la masse qui était là. Je la casse, c'est presque une question musculaire. D'adresse » (p. 30-31). Enfoui dans le psychisme, « l'écrit est déjà là dans la nuit » (p. 30), écrit premier, écrit non écrit, « bloc noir » d'avant l'écriture que l'écrivain tente de faire venir jusqu'aux mots. Alors « crève l'ombre noire » qui se répand sur le blanc du papier (*Le Camion*, p. 124). Le moment initial de la création littéraire survient lorsqu'on reconnaît ce que l'on ignore avoir écrit : « On écrit, on écrit encore puis on relit et il faut jeter parce que ce n'est pas ça qui était dans le noir[555]. » Dans le noir, c'est-à-dire dans une cohérence désordonnée et irremplaçable (*Les Yeux verts*, p. 17).

Il s'ensuit que, chez Marguerite Duras, le mot est essentiel. C'est par lui, et par lui seul, que s'ébauche le texte : « Je pose des mots beaucoup de fois. Des mots d'abord[556]. » Ces mots s'assemblent à la façon des éléments d'une mosaïque, assemblage hétéroclite, puis dessin achevé : « Eux seuls étayent mes récits[557]. » Certains ont une valeur talismanique : « Le mot nuit, par exemple, soleil et nuit, le mot temps, le mot travail, le mot table, maison, le mot mort, le mot vent, fleuve, plat, platitude, mer, platitude, sable, immensité, manger[558]. » Découpés, prélevés, hors de tout contexte, ils sont phares dans le lent maelström de l'inspiration, signaux fixes et lumineux : « Je les vois, je les place et la phrase vient après, elle s'accroche à eux, elle les entoure, elle se fait comme elle peut. Les mots, ils ne bougent pas, ils ne bronchent pas[559]. » Tout sens dénotatif s'estompe, chaque vocable reprend son éclat, s'enrichit de longs échos. Et si la phrase semble pantelante ou disloquée, c'est bien que son arrivée est seconde, que le sens vient après le son, tandis que les mots font ricochet et s'exaltent les uns les autres :

« Morte.
Fait tout détruire
En meurt » (*Césarée,* p. 102).

Écriture des commencements, signe vers l'antérieur, « le vietnamien est une langue monosyllabique, simple, qui ne comporte pas de conjonctions de coordination. Il n'y a pas de temps non plus. On ne dit pas : "Je suis allée hier, on dit : je vais hier. (…). Au lieu de dire : cette femme, je l'ai beaucoup aimée. On dit : je l'ai beaucoup aimée… cette femme." C'est beaucoup cela mon style, un report à la fin du mot majeur. Du mot qui compte[560]. » Comme compte le mot dans l'écriture hébraïque, dégagé de toute scorie, le mot pur, le verbe de la Bible : « Je suis très habituée à ce texte. C'est devenu comme un langage quotidien[561]. »

Écriture que modulent des harmoniques, *terra obscura* où l'extériorité éparse, la survenue des choses et le passage des heures se recomposent aux confins des mots, écriture « déchirante d'ombres, d'arêtes, de traits de lumière brisée reprise dans les angles, les triangles d'une géométrie fugitive qui s'écroule au gré de l'ombre des vagues de la mer. Pour ensuite, de nouveau, inlassablement, encore exister » (*L'Amant de la Chine du Nord*, p. 218-219).

Écriture courante aussi, qu'une simple erreur de la main mène à quelque trouvaille inattendue : « Je parlais de l'humidité du parc, le parc ruisselant de moiteur, etc. Et puis j'ai relu le texte et j'ai vu que j'avais mis des pluriels. J'avais écrit : les humidités du parc. Alors que j'avais pensé : l'humidité du parc. Bien sûr, j'ai laissé le pluriel (…). C'était tellement plus juste[562]. » Quand Breton décrit les dessins d'André Masson comme le résultat de « cette main éprise de son mouvement propre et de lui seul », quand Yann Andréa contemple Marguerite Duras occupée à sa tâche : « Votre main rature quelques ponctuations. Je vous regarde, je vois votre main écrire[563] », peut-on parler d'automatisme ? Il est vrai que les états affectifs déclenchés par la découverte de l'écrit fondateur – celui de la « région écrite » dont elle est dépositaire – n'apparaissent pas dans le texte par le biais d'une composition rigide : « On ne peut pas, à la fois, se retenir et assagir cette émotion. Je ne peux pas[564]. » Pour conserver sa force native, l'écriture, faussement négligée, plus pressée d'attraper les choses que de les dire, court sur la crête des mots[565]. Mais elle ne se départit pas d'une pensée qui lui donne sa forme dernière sans en ruiner la spontanéité. Marguerite Duras se veut ainsi aux frontières d'une prise hâtive du réel intérieur et de sa reprise mûrie dans un langage tel qu'il n'en masque pas la coulée

« *Si je ferme les yeux je sens encore l'effort
de ma main pour écrire vite, ne pas oublier.* »

fluide : « Je voulais vous dire que ce n'était pas assez d'écrire bien ou mal, de faire des écrits beaux ou très beaux, que ce n'était plus assez pour que ce soit un livre à lire dans une avidité personnelle et non pas commune. Que ce n'était pas assez non plus (...) de faire accroire que c'était sans pensée aucune, guidé seulement par la main, de même que c'était trop d'écrire seulement avec la pensée en tête qui surveille l'activité de la folie » (*Émily L.*, p. 153). Entre ce « trop » et ce « pas assez » s'affine un style dont la règle est d'échapper aux règles. N'ayant pas plus affaire à la logique qu'à la syntaxe usuelles, on a un peu vite tendance à le déclarer « parlé ». Parlé comme l'inverse d'écrit, comme d'un écrit qui voudrait cacher ses origines, d'un écrit truqué. C'est au contraire parce qu'il exhibe ses origines qu'il donne cette illusion : « L'écrit vient d'ailleurs, d'une autre région que celle de la parole orale. C'est une parole d'une autre personne qui, elle, ne parle pas[566]. » En fait, l'écriture s'empare de cette voix des profondeurs, comme autrefois l'aède ou le ménestrel de son chant improvisé, dans un élan d'apparence soudaine, au vrai maîtrisé.

La prose avoue de plus en plus ses liens privilégiés avec la musique et la poésie. « Il n'y a de composition que musicale[567] », juge Marguerite Duras dont bien des textes sont partitions, *adagio* ou *allegro appassionato*. La répétition y impose ses mesures, comme dans cet air de Schubert qu'Anne-Marie Stretter joue au piano : « La phrase musicale est déjà deux fois revenue. La voici pour la troisième fois. On attend qu'elle revienne encore. La voici » (p. 162). « Valse Désespérée » de l'Enfance lointaine (*L'Amant de la Chine du Nord*, p. 34), la musique est partout dans l'œuvre, expressément liée à l'émotion amoureuse : « La musique, mon amour » (*Moderato Cantabile*, p. 18) dit Anne Desbaresdes, et le vice-consul : « J'écoute *India Song* (...). Cet air me donne envie d'aimer » (*India Song*, p. 77). L'intuition aiguë de sa correspondance avec

274

l'univers psychique, pénombre où s'ouvre une blessure à peine visible, indéfinissable, ne la dissocie pas de la poésie. Et quand on lui parle de son œuvre comme de celle d'un grand poète : « Si j'avais à en dire quelque chose, je pense que je dirais que c'est de cela que ça se rapproche le plus sans doute[568]. » Le dernier secret est : « Laisser tout dans l'état de l'apparition » (*Émily L.*, p. 153). Le mot s'investit comme par miracle de son contenu. Les accents, les coupes, les pauses des phrases insoumises se combinent avec lui pour que le lecteur appréhende cette écriture telle qu'elle est : appariée avec l'expérience d'un hiérophante, déléguée par lui, intacte, dans le jeu nuptial de l'ombre et de la lumière, entre mystère nocturne et impérative clarté.

On conçoit que la livraison d'une œuvre au public ne soit jamais un événement banal. Certes, cette œuvre est faite pour que d'autres s'en emparent. Mais œuvre et destinée de l'œuvre sont de si près nouées à sa propre destinée que, lorsqu'elles lui échappent, elle en est désemparée. Une tristesse survient aux jours mauvais de la fin du livre (*La Vie matérielle*, p. 79), comme si l'amertume l'envahissait à savoir qu'elle a donné au-dehors « ce qui est de nature à rester intrinsèquement lié à la personne et qui devrait l'accompagner jusqu'à la mort[569] ». Pris dans cette perspective particulière, réapparaissent les motifs de la prostitution et du meurtre. Ils illustrent une contradiction inéluctable qui se manifeste quand elle forme le projet de filmer le bal du *Ravissement de Lol V. Stein*. Y verra-t-on Lol ? « Oui, elle, elle, mais détruite, (...) mais déjà abîmée par les commentaires, les lectures. C'est quand même un livre qui est traduit partout (...), c'est déjà une prostitution, Lol V. Stein. Mais Lol V. Stein surgissante, alors qu'elle sortait de moi, je ne la retrouverai plus jamais[570]. » Et chaque fois qu'un livre nouveau est publié, l'écrivain se retrouve comme un roi banni : « Du moment qu'un texte est livré – oui – dans l'édition, l'auteur en vie est atteint de mort. Quand je mourrai, je ne mourrai à presque rien puisque l'essentiel de ce qui me définit sera parti de moi. Un écrivain se tue à chaque ligne de sa vie ou bien il n'écrit pas[571]. »

Quel est alors le statut du public ? Où doit-il choisir ses prises ? Comment conquérir ces textes d'une « force nue[572] » ? La stratégie de Marguerite Duras se fonde sur des questions, non sur des réponses, sur l'invitation à se frayer un chemin dans ses paroles divulguées d'un long discours : « Qui veut bien les entendre les entend » (*L'Après-midi de M. Andesmas*, p. 76). Le lecteur a une part dans le livre, non pas à prendre, mais à construire. De même le spectateur du film. Est-il prévenu, garde-t-il quelque arrière-pensée ? « Il faut l'abandonner à lui-même, s'il doit changer, il changera, comme tout le monde, d'un coup ou lentement, à partir d'une phrase entendue dans la rue, d'un amour, d'une lecture, d'une rencontre » (*Les Yeux verts*, p. 28). N'engage-t-elle pas, de la sorte, à prolonger sa propre tentative ? À entrer dans l'espace ouvert par le texte comme elle entre dans l'espace ouvert en elle par le monde ? À ne pas se laisser prendre aux tapages inessentiels, mais à braver à son tour, hardiment, les puissances du langage ? À leur faire face sans aide ni recours ? C'est ainsi que Jacob affronte l'Ange : « On doit partir seul vers le continent de la lecture. Découvrir seul. Opérer cette naissance seul. Par exemple, de Baudelaire, on doit être le premier à découvrir la splendeur. Et on est le premier. Et si on n'est pas le premier, on ne sera jamais un lecteur de Baudelaire[573]. » Personne, en outre, ne peut bien lire qui ne pénètre pas dans la « chambre noire » où écriture et lecture se confondent, où le texte est « à l'état de lecture intérieure » (*Outside*, p. 198), où la lecture relève de l'obscurité et de la nuit, car « même si on lit en plein jour, dehors, la nuit se fait autour du livre » (*Le Camion*, p. 103). À ce prix, la lecture devient, comme l'écriture, « cet arrachement de soi qui vous laisse abandonné et perdu lorsqu'il cesse avec le livre ». Une gémellité s'établit entre l'écrivain et son lecteur. Tous deux entrent ensemble dans le « malheur merveilleux » (*Les Yeux verts*, p. 167).

Qui se formaliserait de ces exigences ? Ceux qui n'auraient pas compris que cette œuvre est, au sein d'un idéal sans concessions, liberté accomplie. Les navigateurs antiques avaient une orgueilleuse devise : naviguer est nécessaire, vivre n'est pas nécessaire. Comme le poète portugais Fernando Pessoa le fit à son usage, Marguerite Duras pourrait la transformer ainsi : vivre n'est pas nécessaire ; ce qui est nécessaire est créer, soit rompre les vieilles amarres, franchir les passes et, Navire Night, partir pour une écriture au long cours, sur la mer d'encre noire.

« *On doit partir seul vers le continent de la lecture.*
Découvrir seul.
Opérer cette naissance seul. »

Notes

1. *L'Arc*, n° 98. Cf. « Inter 13/14 », entretien avec Patricia Martin et Gérard Courchelle, France Inter, 20 juin 1991 : « Ma vie est écrite... Ma vie écrit. »

2. *Outside*, Note sur le classement des articles, Albin Michel, 1981 ; *M. D.*, Éd. de Minuit, 1983, p. 124 ; *Les Yeux verts*, Éd. Cahiers du cinéma, 1987, p. 12 ; *Le Nouvel Observateur*, 24-31 mai 1990 ; « Au-delà des pages », émission proposée par Luce Perrot, TF1, 26 juin, 3, 10, 17 juillet 1988, etc.

3. Marguerite Duras, *Œuvres cinématographiques,* Édition vidéographique critique, ministère des Relations extérieures, 1984, livret, p. 15.

4. *M. D., op. cit.*, p. 135.

5. Dans l'entretien qu'elle accorde à Patrick Poivre d'Arvor, « Ex-libris », TF1, 15 février 1990, elle dit d'elle-même : « Elle exagère Duras (...). J'ai ça inscrit sur le front. »

6. *Brèves,* Éd. du Seuil, 1984, p. 166.

7. *Cahiers Renaud-Barrault*, Gallimard, n° 52, décembre 1965, p. 48.

8. *Lettres volées*, J.-C. Lattès, 1988, p. 77-78.

9. *Territoires du féminin,* Éd. de Minuit, 1977, p. 59.

10. *Duras, une lecture des fantasmes*, Cistre-Essais, 1985, p. 223-224.

11. *Marguerite Duras, médium du réel*, L'Age d'homme, 1984, p. 169.

12. *Soleil noir, dépression et mélancolie*, Gallimard, 1987, p. 237.

13. *Marguerite Duras et l'Autobiographie,* Le Castor astral, 1990, p. 12.

14. *Cahiers Renaud-Barrault, op. cit.*, p. 47.

15. *Le Magazine littéraire*, n° 278, juin 1990.

16. *Œuvres cinématographiques, op. cit.*, livret, p. 33. Elle le confirme en 1991 : « Dans le récit il y a une jouissance incomparable à extraire ça de soi et à le montrer. C'est du narcissisme, de l'exhibitionnisme aussi, c'est fait de tout bois » (« Inter 13/14 », *op. cit.*).

17. Marie-Pierre Fernandes, *Travailler avec Duras*, Gallimard, 1986, p. 37.

18. Madeleine Chapsal, *Quinze Écrivains*, Julliard, 1963, p. 58.

19. *Ibid.*, p. 58.

20. M.-P. Fernandes, *op. cit.*, p. 146.

21. Marguerite Duras, Michelle Porte, *Les Lieux de Marguerite Duras*, Éd. de Minuit, 1977, p. 98-99.

22. M.-P. Fernandes, *op. cit.*, p. 106.

23. Hubert Nyssen, *Les Voies de l'écriture*, Mercure de France, 1969, p. 141.

24. Suzanne Horer, Jeanne Socquet, *La Création étouffée,* Pierre Horay, 1973, p. 86.

25. *Marguerite Duras à Montréal*, textes et entretiens réunis par Suzanne Lamy et André Roy, Québec, Éd. Spirale, 1981, p. 50.

26. Bettina Knapp, « Interviews avec Marguerite Duras et Gabriel Cousin », *The French Review*, n° 4, mars 1971.

27. *Cahiers Renaud-Barrault, op. cit.*, n° 106, 1983, p. 32.

28. M. Duras, M. Porte, *op. cit.*, p. 98.

29. *Cahiers Renaud-Barrault, op. cit.*, n° 91, 1976, p. 23.

30. Daniel Sibony in *Le Magazine littéraire*, n° 244, juillet-août 1987.

31. M.-P. Fernandes, *op. cit.*, p. 163.

32. H. Nyssen, *op. cit.*, p. 140.

33. M.-P. Fernandes, *op. cit.*, p. 46.

34. *Libération*, 4 septembre 1986. Cf. Dominique Arban, *Je me retournerai souvent…*, Flammarion, 1990, p. 82.

35. Marguerite Duras, Xavière Gauthier, *Les Parleuses*, Éd. de Minuit, 1974, p. 55.

36. Préface à *Yves Saint-Laurent et la Photographie de mode*, Albin Michel, 1988.

37. *Marguerite Duras à Montréal, op. cit.*, p. 52.

38. Alain Vircondelet, *Marguerite Duras*, Seghers, 1972, p. 179. Voir aussi *Les Parleuses, passim*.

39. *Les Inrockuptibles,* Entretien avec Renaud Monfourny, n° 21, février-mars 1990.

40. Cf. M. Duras, X. Gauthier, *op. cit.*, p. 114.

41. *Marguerite Duras à Montréal, op. cit.*, p. 59.

42. *Alternatives théâtrales,* « Marguerite Duras », Bruxelles, Maison du Spectacle, n° 14, mars 1983, p. 13.

43. *Lire*, n° 136, janvier 1987.

44. A. Vircondelet, *op. cit.*, p. 179.

45. *Marguerite Duras à Montréal, op. cit.*, p. 68.

46. M.-P. Fernandes, *op. cit.*, p. 194.

47. *Marguerite Duras à Montréal, op. cit.*, p. 68.

48. *Œuvres cinématographiques, op. cit.*, livret, p. 23.

49. *Le Monde*, 29 mars 1967.

50. *L'Espace littéraire*, Paris, Gallimard, 1955, p. 119.

51. *Les Inrockuptibles, op. cit.*

52. *Œuvres cinématographiques, op. cit.*, livret, p. 63.

53. *Marie-Claire*, n° 297, mai 1977.

54. M. Duras, X. Gauthier, *op. cit.*, p. 58. Cf. H. Nyssen, *op. cit.*, p. 133.

55. *Marguerite Duras à Montréal, op. cit.*, p. 68.

56. *Ibid.*, p. 14.

57. *Marie-Claire, op. cit.*

58. H. Nyssen, *op. cit.*, p. 130.

59. *Le Nouvel Observateur*, 28 septembre 1984.

60. M. Duras, X. Gauthier, *op. cit.*, p. 12.

61. *Marguerite Duras à Montréal, op. cit.*, p. 21.

62. « Au-delà des pages », *op. cit.*

63. M. Duras, M. Porte, *op. cit.*, p. 94.

64. *Ibid.*, p. 101-102.

65. *Les Inrockuptibles, op. cit.*

66. M.-P. Fernandes, *op. cit.*, p. 195.

67. *Alternatives théâtrales, op. cit.*, p. 13.

68. *Paris-Théâtre*, n° 198, s.d. (1963). Ce texte est repris dans *Lettres et Médecins*, mars 1964.

69. *Libération*, 4 septembre 1984.

70. *Ibid.*

71. *Marguerite Duras à Montréal, op. cit.*, p. 66.

72. M. Duras, X. Gauthier, *op. cit.*, p. 135.

73. M. Duras, M. Porte, *op. cit.*, p. 60.

74. M. Duras, X. Gauthier, *op. cit.*, p. 135. Cf. M. Duras, M. Porte, *op. cit.*, p. 60 : « Nous étions d'une liberté totale, je n'ai jamais vu des enfants aussi libres que nous. »

75. *Les Inrockuptibles, op. cit.*

76. *Œuvres cinématographiques, op. cit.*, livret, p. 21.

77. *Alternatives théâtrales, op. cit.*, p. 14.

78. Marcel Bisiaux, Catherine Jajolet, *À ma mère*, Pierre Horay, 1988, p. 162.

79. M. Duras, X. Gauthier, *op. cit.*, p. 139.

80. *Libération*, 4 septembre 1984.

81. M. Duras, X. Gauthier, *op. cit.*, p. 142.

82. *Ibid.*, p. 136-139.

83. M. Duras, M. Porte, *op. cit.*, p. 78.

84. *Ibid.*, p. 84.

85. M. Duras, X. Gauthier, *op. cit.*, p. 138. Cf. M. Duras, M. Porte, *op. cit.*, p. 26.

86. M. Duras, M. Porte, *op. cit.*, p. 26.

87. *Ibid.*, p. 28.

88. M. Duras, X. Gauthier, *op. cit.*, p. 139.

89. Denise Bourdet, *Brèves rencontres*, Grasset, 1963, p. 66.

90. *Le Matin*, 28 septembre 1984.

91. *Ibid.*

92. *Le Nouvel Observateur*, 28 septembre 1984.

93. *Le Matin, op. cit.*

94. *Études freudiennnes*, n° 23, 1984. Voir aussi sur ce point *Esquisses psychanalytiques*, n° 9, 1988.

95. M. Duras, X. Gauthier, *op. cit.*, p. 24.

96. *Ibid.*, p. 23.

97. *Lire*, n° 136, janvier 1987.

98. *Le Nouvel Observateur, op. cit.*

99. M. Bisiaux, C. Jajolet, *op. cit.*, p. 163.

100. *Ibid.*

101. *Le Monde*, 10 février 1977. Cf. « Caractères », entretien avec Bernard Rapp, Antenne 2, 5 juillet 1991 : « J'adorais ma mère, elle ne m'aimait pas. »

102. M. Bisiaux, C. Jajolet, *op. cit.*, p. 163.

103. *Ibid.*, p. 164.

104. *Figures de l'étranger*, Denoël, 1987, p. 95.

105. *Le Nouvel Observateur, op. cit.*

106. *Libération*, 13 novembre 1984.

107. *Le Matin, op. cit.*

108. *Libération*, 4 septembre 1984.

109. Cf. *L'Amant de la Chine du Nord*, p. 52.

110. *Le Nouvel Observateur, op. cit.*

111. M. Bisiaux, C. Jajolet, *op. cit.*, p. 161.

112. *Ibid.*, p. 164.

113. S. Horer, J. Socquet, *op. cit.*, p. 174.

114. *Le Nouvel Observateur, op. cit.*

115. *Le Matin, op. cit.*

116. *Grand Reportage*, Éd. du Seuil, 1980, p. 187.

117. *Antimémoires*, Gallimard, 1967, p. 10.

118. *Une aussi longue absence*, écrit avec Gérard Jarlot pour le réalisateur Henri Colpi en 1961, confronte Thérèse Langlois – le même prénom désigne Marguerite Duras elle-même dans *La Douleur* (p. 134) – et Robert Landais, un clochard amnésique en qui elle croit reconnaître son mari déporté en juin 1944. Divers motifs inscrivent ce scénario dans la continuité de l'œuvre de M. Duras : l'attente, l'absence, les étrangetés de la mémoire, etc., mais l'Histoire y passe au second plan.

119. Georges Bataille, *Œuvres complètes*, Gallimard, 1971, t. IV, p. 166.

120. *Le Nouvel Observateur*, 14-20 novembre 1986.

121. *Marguerite Duras à Montréal, op. cit.*, p. 27.

122. Michèle Manceaux, *Éloge de l'insomnie*, Hachette, 1985, p. 43.

123. *Œuvres cinématographiques, op. cit.*, livret, p. 63.

124. Claude Roy, *Nous*, Gallimard, 1972, p. 121.

125. *Marguerite Duras à Montréal, op. cit.*, p. 27.

126. Clément Rosset, *Logique du pire*, PUF, 1971, p. 56.

127. Ce livre parut aux Éditions de la Cité universelle que Robert Antelme et M. Duras avaient fondées à la fin de 1945. Publié ensuite aux Éditions Gallimard en 1957, il est accessible aujourd'hui dans leur collection « Tel », 1978, n° 26. Voir aussi, sur ces points, Dionys Mascolo, *Autour d'un effort de mémoire*, Maurice Nadeau, 1987, la revue *Lignes*, Librairie Séguier, n° 11, 1990 et *L'École des lettres*, « Autour de la Seconde Guerre mondiale », numéro spécial, 15 juillet 1991.

128. Production Lunga Gittata, RAI (Radio Télévision italienne), 1982.

129. *Cahiers du cinéma*, n° 426, décembre 1989.

130. « La souffrance inutile », in *Giornale di Metafisica*, IV, 1982, p. 17.

131. *Œuvres cinématographiques, op. cit.*, livret, p. 55.

132. *Ibid.*, p. 56.

133. *Marguerite Duras à Montréal, op. cit.*, p. 27-28. Cf. « Au-delà des pages », *op. cit.* : « Auschwitz (...), c'est une connaissance commune à toute l'humanité. » Même opinion dans « Caractères », *op. cit.*, en 1991.

134. *Ibid.*, p. 73.

135. *Œuvres cinématographiques, op. cit.*, livret, p. 58.

136. *Marguerite Duras à Montréal, op. cit.*, p. 33.

137. *Œuvres cinématographiques, op. cit.*, livret, p. 23-24. Cf. *Les Yeux verts*, p. 157, 229.

138. *Ibid.*, p. 56.

139. *Le Nouvel Observateur*, 24-30 mai 1990.

140. D. Mascolo, *op. cit,* p. 66-67.

141. *Cahiers du cinéma*, *op. cit.*
142. « Au-delà des pages », *op. cit.*
143. Le premier titre prévu était *L'Écriture bleue*.
144. Dans *Brèves*, *op. cit.*, p. 158, M. Manceaux écrit : « Ils sont aussi nécessaires au monde que l'air ou la pensée parce qu'ils représentent l'irrationnel du monde. C'est là leur damnation et leur gloire, comme il est glorieux d'être fou, d'être seul contre tous. »
145. *Œuvres cinématographiques*, *op. cit.*, livret, p. 56.
146. Fayard, 1983.
147. *Marguerite Duras à Montréal*, *op. cit.*, p. 38.
148. Dans *À ma mère*, *op. cit.*, p. 165-166, M. Duras écrit : « J'ai très mal élevé mon fils. J'avais perdu un enfant avant lui, à la naissance, et il en a souffert. Je l'ai trop gâté. J'avais peur tout le temps. Finalement, je pense que la maternité se vit dans l'indécence. La mère donne libre cours à tous ses jeux. »
149. *Œuvres cinématographiques*, *op. cit.*, livret, p. 18.
150. *Marguerite Duras à Montréal*, *op. cit.*, p. 66-67.
151. M. Duras, M. Porte, *op. cit.*, p. 23.
152. S. Horer, J. Socquet, *op. cit.*, p. 185. Cf. M. Duras, X. Gauthier, *op. cit.*, p. 105.
153. Voir *Autrement*, « La mère », n° 90, mai 1987, p. 100-105.
154. *Marguerite Duras à Montréal*, *op. cit.*, p. 67.
155. S. Horer, J. Socquet, *op. cit.*, p. 187.
156. *Marguerite Duras à Montréal*, *op. cit.*, p. 67.
157. Yann Andréa, *M. D.*, p. 17. Cf. *Marguerite Duras à Montréal*, *op. cit.*, p. 61 : « Un enfant sait quand il a fait quelque chose de valable à ses propres yeux. Non seulement on ne le lui dit pas, mais on lui interdit de le dire (...). C'est un diktat qui fait le fumier de la psychanalyse. »
158. *Ibid.*, p. 91.
159. M. Duras, X. Gauthier, *op. cit.*, p. 69.
160. *Marguerite Duras à Montréal*, *op. cit.*, p. 67.
161. *Op. cit.*, p. 120.
162. S. Horer, J. Socquet, *op. cit.*, p. 187.
163. « Le bon plaisir de Marguerite Duras », réalisation Marianne Alphant, avec Jean Daniel, Denis Roche, ainsi que Gérard Desarthe, Nicole Hiss, Catherine Sellers, France Culture, 20 octobre 1984.
164. M. Manceaux, *Grand reportage*, *op. cit.*, p. 236. Cf. M. Duras, X. Gauthier, *op. cit.*, p. 222 *sq.*
165. *Marie-Claire*, *op. cit.*
166. Denis de Rougemont, *L'Amour et l'Occident*, Plon, 1939, chap. I.
167. *L'Autre Journal*, « L'amant magnifique », entretien avec Aline Issermann, n° 11, 1986.
168. M.-P. Fernandes, *op. cit.*, p. 105.
169. Voir, entre autres, M. Duras, X. Gauthier, *op. cit.*, *passim*, et *Les Yeux verts*, *passim*.
170. M. Duras, X. Gauthier, *op. cit.*, p. 46.
171. M.-P. Fernandes, *op. cit.*, p. 106.
172. *Les Inrockuptibles*, *op. cit.*
173. M.-P. Fernandes, *op. cit.*, p. 64.

174. *Le Nouvel Observateur*, 14 juin 1985. Cf. *Les Yeux verts*, p. 89-90.

175. M. Duras, X. Gauthier, *op. cit.*, p. 224.

176. *Micromegas*, « *Intervista a Marguerite Duras* », *a cura di Flavia Celotto*, n° 41-42, 1988.

177. *Le Nouvel Observateur*, 14-20 novembre 1986.

178. Cf. Nietzsche, *Par-delà le bien et le mal* : « C'est le désir qu'on aime et non pas l'objet du désir. »

179. M. Duras, X. Gauthier, *op. cit.*, p. 223-224. Cf. « L'amour ou la sexualité, c'est pareil. Quand les voyageurs revenaient de la mer et se rendaient au bordel, ils disaient "je t'aime" aux putains » (*Globe*, n° 30, juillet-août 1988) et « L'Arabe qui couche avec la pute, c'est le visage de cette femme-là qu'il aime finalement, ce visage à qui s'adresse son désir » (*Le Nouvel Observateur*, 14-20 novembre 1986).

180. *Marie-Claire*, *op. cit.*

181. M. Duras, X. Gauthier, *op. cit.*, p. 232.

182. *Le Nouvel Observateur*, 14 juin 1985.

183. *Elle*, 8 décembre 1986.

184. *L'Autre Journal*, *op. cit.*

185. M. Duras, X. Gauthier, *op. cit.*, p. 45.

186. M. Chapsal, *op. cit.*, p. 61.

187. *Éthique III*.

188. *Marie-Claire*, *op. cit.*

189. *Marguerite Duras à Montréal*, *op. cit.*, p. 49.

190. Une première version a paru dans *L'Arc*, n° 20, 1962.

191. Voir *Micromegas*, *op. cit.*

192. Voir Yvonne Guers-Vilatte, « De l'implicite à l'explicite : de *Moderato Cantabile* à *L'Homme assis dans le couloir* », *The French Review*, n° 3, février 1985.

193. *L'Amour fou*.

194. Cependant, on découvre dans *Chéri* cette phrase : « (Elle) sombra dans cet abîme d'où l'amour remonte pâle, taciturne et plein du regret de la mort. »

195. Voir Marcelle Marini, « La mort d'une éthique », *Cahiers Renaud-Barrault*, *op. cit.*, n° 106, 1983, et Danielle Bajomée, *Duras ou la Douleur*, Bruxelles, Éditions universitaires, De Boeck Université, 1989.

196. Voir *La Sagesse de l'amour*, Gallimard, 1984.

197. Maurice Blanchot, *La Communauté inavouable*, Éd. de Minuit, 1983.

198. *Marguerite Duras à Montréal*, *op. cit.*, p. 74.

199. *Totalité et Infini*, Essai sur l'extériorité, La Haye, M. Nijhoff, 1961.

200. *Le Matin*, 14 novembre 1986.

201. *Poétique de la prose*, Éd. du Seuil, 1971, p. 116.

202. *Cahiers Renaud-Barrault*, *op. cit.*, n° 96, 1977, p. 24.

203. *Marguerite Duras à Montréal*, *op. cit.*, p. 49.

204. Voir *L'École des lettres*, « L'Utopie », n° 11, 15 mars 1981.

205. M. Duras, X. Gauthier, *op. cit.*, p. 143.

206. Jean Grenier, *Carnets*, 1944-1971, Seghers, 1991, p. 472.

207. *La Clandestine*, Maren Sell, 1988, p. 101-102.

208. *Le Monde*, 5 avril 1969.

209. *Cahiers Renaud-Barrault, op. cit.*, n° 52, décembre 1965, p. 76 *sq.*

210. Voir, entre autres, *Les Yeux verts, Les Parleuses, Le Camion, Marguerite Duras à Montréal*, etc.

211. M. Duras, X. Gauthier, *op. cit.*, p. 63.

212. *Ibid.*, p. 237.

213. Voir D. Mascolo, *op. cit.*, p. 70.

214. *Marie-Claire*, n° 297, mai 1977.

215. *Globe*, février 1987.

216. « Du jour au lendemain », entretien avec Alain Veinstein, France Culture, 16 mars 1990.

217. *L'Événement du jeudi*, 1-7 février 1990.

218. M. Duras, X. Gauthier, *op. cit.*, p. 236.

219. *Le Monde*, 29 mars 1967.

220. « Au-delà des pages », *op. cit.*

221. *L'Autre Journal*, n° 8, novembre 1985.

222. M. Duras, X. Gauthier, *op. cit.*, p. 47.

223. *La Chaise-longue* était le titre d'un premier roman ou script dans lequel Stein n'apparaissait pas. C'est par son arrivée que M. Duras a commencé *Détruire, dit-elle* (M. Duras, X. Gauthier, *op. cit.*, p. 47).

224. *Le Monde*, 17 décembre 1969.

225. *Cahiers du cinéma*, n° 217, novembre 1969.

226. Sauf dans *Le Ravissement de Lol V. Stein* et encore. La maladie mentale de Lol dépasse largement le « délire cliniquement parfait » qu'y voyait Lacan.

227. Voir *Micromegas, op. cit.*: « Je pense que l'intelligence n'apporte rien. »

228. A. Vircondelet, *op. cit.*, p. 164.

229. *Cahiers du cinéma, op. cit.*

230. « Discothèques privées », émission de Jean-Christophe Marty, France Musique, 5, 6, 7, 8, 9 août 1991.

231. « Du jour au lendemain », *op. cit.*

232. Pierre Dumayet, *Vu et entendu*, Stock, 1964.

233. *Cahiers du cinéma, op. cit.* Voir aussi *Le Magazine littéraire*, n° 278, juin 1990 : « L'analyse marxiste, il ne faut plus chercher à en faire une quelconque pratique. C'est un mythe, et sans ce mythe la vie va être abominable. »

234. M. Duras, X. Gauthier, *op. cit.*, p. 236-237.

235. *Le Monde, op. cit.*

236. M.-P. Fernandes, *op. cit.*, p. 98.

237. S. Horer, J. Socquet, *op. cit.*, p. 186.

238. *Ibid.*, p. 180.

239. *Ibid.*, p. 187.

240. M. Duras, X. Gauthier, *op. cit.*, p. 33.

241. *Ibid.*, p. 78.

242. S. Horer, J. Socquet, *op. cit.*, p. 179.

243. M. Duras, M. Porte, *op. cit.*, p. 21.

244. M.-P. Fernandes, *op. cit.*, p. 167.

245. *Marie-Claire, op. cit.*

246. *Ibid.* Cf. M. Duras, X. Gauthier, *op. cit.*, p. 43-45, *Le Nouvel Observateur*, 14-20 juin 1985 et *Les Yeux verts*, p. 54.

247. Voir M. Duras, M. Porte, *op. cit.*, p. 16-21. Cf. Eugénie

Lemoine-Luccioni, *Partage des femmes*, Éd. du Seuil, 1982, p. 156 *sq.*

248. S. Horer, J. Socquet, *op. cit.*, p. 184.

249. *Marguerite Duras à Montréal*, *op. cit.*, p. 35-37.

250. M. Duras, X. Gauthier, *op. cit.*, p. 150.

251. *Elle*, 9 novembre 1987.

252. « Interlire », entretien avec Pierre Assouline *et al.*, France Inter, 5 juillet 1987.

253. Agatha a cependant pour second prénom Diotima (*Agatha*, p. 62).

254. « Interlire », *op. cit.*

255. M. Duras, X. Gauthier, *op. cit.*, p. 20. Cf. *La Vie matérielle*, p. 32.

256. *Cahiers du cinéma*, *op. cit.*

257. *Le Monde*, *op. cit.*

258. *Le Monde*, 7 mars 1967.

259. *Ibid.*

260. *Marguerite Duras à Montréal*, *op. cit.*, p. 19.

261. *Le Monde*, *op. cit.*

262. *Ibid.*

263. M. Duras, X. Gauthier, *op. cit.*, p. 56-57, 121, 216.

264. Peut-on affirmer avec J. Pierrot (*Marguerite Duras*, Corti, 1986, p. 246 et p. 252) que *La Femme du Gange* a été écrit après *India Song* ? Un doute subsiste. Peut-être s'agissait-il d'un premier état du texte. Il est vrai qu'*India Song* a été écrit en août 1972, *La Femme du Gange* en septembre pour être filmé en novembre 1972. Mais le livre *India Song* (p. 10) signale que l'œuvre est consécutive de *La Femme du Gange*. Dans *Les Parleuses*, *La Femme du Gange* est commenté comme une œuvre achevée. Après avoir cité le *Vice-Consul*, M. Duras dit : « Je fais quelque chose là-dessus (…). Ce serait le sujet de… d'un truc à venir » (p. 119). Elle ne semble alors pas sûre du titre : *Indiana Song* ? ou *Les Amants du Gange* pour bien marquer le lien avec *La Femme du Gange* (p. 167)? Les notes de X. Gauthier précisent qu'il s'agira d'*India Song*. Nous sommes en 1973. Voir aussi M. Duras, M. Porte, *op. cit.*, p. 90 : « *India Song* était, dans *La Femme du Gange*, en puissance d'être trouvé (…) mais il a fallu le désensabler. »

265. M. Duras, X. Gauthier, *op. cit.*, p. 21.

266. *Ibid.*, p. 159.

267. *Ibid.*, p. 140.

268. L'hypothèse de J. Pierrot (*op. cit.*, p. 246) qui soutient que la « femme en noir » est Anne-Marie Stretter ne me semble pas pouvoir être retenue. La « femme en noir », certes vêtue de noir comme Anne-Marie Stretter dans *Le Vice-Consul* ou *Le Ravissement de Lol V. Stein*, a, contrairement à cette dernière, dans *L'Amour*, des yeux sombres (p. 79), des cheveux noirs (p. 76), des cheveux noirs teints en noir (p. 83). *La Femme du Gange* la présente expressément comme un « faux-semblant de l'autre : Anne-Marie Stretter » (p. 163), ce qu'elle est, de fait, dans *Le Ravissement de Lol V. Stein*, et la phrase : « nue sous ses cheveux noirs », reprise de ce même livre, ne concerne que Tatiana Karl (p. 133). Les propos des *Parleuses* me confirment dans cette vue (p. 119, 160, 163).

269. M. Duras, X. Gauthier, *op. cit.*, p. 234-235.

270. *Histoire de la folie.*

271. Cf. M. Duras, M. Porte, *op. cit.*, p. 84 : « C'est l'annulation totale de l'habitat. Ils n'habitent pas. Et la déambulation dans les sables, c'est la déambulation pure, animale. »

272. *Marguerite Duras à Montréal, op. cit.*, p. 59.

273. Celle-ci apparaît fugitivement dans la première version de *L'Homme assis dans le couloir, L'Arc*, automne 1962.

274. H. Nyssen, *op. cit.*, p. 133 et voir *Marguerite Duras parle*, « Elle a vendu un enfant », disque enregistré sous le patronage de l'Alliance française, coll. « Français de notre temps ».

275. Marguerite Duras, Jacques Lacan *et al.*, *Marguerite Duras*, Albatros, coll. « Ça cinéma », 1975, p. 84.

276. *Le Nouvel Observateur*, 14-20 novembre 1986. Dans « Au-delà des pages », *op. cit.*, M. Duras dit aussi s'être entretenue avec une jeune schizophrène de Villejuif avant d'écrire *Le Ravissement de Lol V. Stein*. Même indication dans *La Gazette de Lausanne*, 19 septembre 1964.

277. Nicole Lise Bernheim, *Marguerite Duras tourne un film*, Albatros, coll. « Ça cinéma », s. d. (1975), p. 118.

278. M. Duras, M. Porte, *op. cit.*, p. 91.

279. *Œuvres cinématographiques, op. cit.*, livret, p. 21.

280. Ces citations sont extraites de *Art Press*, janvier 1979.

281. M. Duras, X. Gauthier, *op. cit.*, p. 232.

282. M. Duras, M. Porte, *op. cit.*, p. 101. Cf. « Discothèques privées », *op. cit.*

283. M. Duras, X. Gauthier, *op. cit.*, p. 160.

284. M. Duras, J. Lacan *et al.*, p. 84.

285. *Revue du cinéma, Image et son*, n° 291, décembre 1974.

286. *Les Inrockuptibles, op. cit.* Dans *L'Amant de la Chine du Nord*, Anne-Marie Stretter apparaît encore, vêtue de la robe rouge que l'actrice Delphine Seyrig porte dans le film *India Song*.

287. *Le Nouvel Observateur*, 14-20 juin 1985.

288. *Œuvres cinématographiques, op. cit.*, livret, p. 25.

289. *Le Monde*, 5 juin 1975.

290. M. Duras, X. Gauthier, *op. cit.*, p. 172.

291. *Ibid.*, p. 171.

292. *Œuvres cinématographiques, op. cit.*, livret, p. 26-27.

293. N. L. Bernheim, *op. cit.*, p. 106.

294. H. Nyssen, *op. cit.*, p. 131.

295. M. Duras, X. Gauthier, *op. cit.*, p. 212.

296. N. L. Bernheim, *op. cit.*, p. 107.

297. M. Duras, X. Gauthier, *op. cit.*, p. 169.

298. *Libération*, 4 janvier 1983.

299. *Œuvres cinématographiques, op. cit.*, livret, p. 22.

300. *Le Monde, op. cit.*

301. M. Duras, X. Gauthier, *op. cit.*, p. 173.

302. *Ibid.*, p. 175.

303. *Œuvres cinématographiques, op. cit.*, livret, p. 22.

304. *Marguerite Duras à Montréal, op. cit.*, p. 34.

305. *Œuvres cinématographiques, op. cit.*, livret, p. 22.

306. M. Duras, X. Gauthier, *op. cit.*, p. 177.

307. *Ibid.*, p. 183.

308. *Ibid.*, p. 178.

309. *Ibid.*, p. 168.

310. Voir M. Duras, J. Lacan *et al., op. cit.*, p. 86, *Le Matin*, 23 juin 1987 : « La danse. J'adore. J'adore autant que la littérature » et « Discothèques privées », *op. cit.*: « Le bal pour moi (…), c'est un peu les cérémonies funèbres de tous les temps, le faste, les fleurs, les ors (…) pour accueillir la mort, en somme. »

311. *The French Review*, n° 4, mars 1971.

312. *Marguerite Duras à Montréal, op. cit.*, p. 37.

313. Le mot est de J. Kristeva, *op. cit.*, p. 15.

314. Éd. Cahiers du cinéma-Gallimard-Éd. du Seuil, 1980, p. 145.

315. *Marguerite Duras à Montréal, op. cit.* p. 33.

316. M. Duras, J. Lacan *et al., op. cit.*, p. 83.

317. M. Duras, X. Gauthier, *op. cit.*, p. 89.

318. N. L. Bernheim, *op. cit.*, p. 123.

319. *Œuvres cinématographiques, op. cit.*, livret, p. 37.

320. Cette citation et la précédente sont extraites du dossier de presse de *Son nom de Venise dans Calcutta désert*, Festival de Cannes, 1976.

321. *Écran*, juillet 1976. Cf. « Au-delà des pages », *op. cit.*: « C'est terminé tout ça. C'est fini. »

322. Y. Andréa, *op. cit.*, p. 9.

323. *Lire*, n° 136, janvier 1987.

324. *Marguerite Duras à Montréal, op. cit.*, p. 35.

325. Michèle Manceaux, *Brèves, op. cit.*, p. 140.

326. Y. Andréa, *op. cit.*, p. 8.

327. Michèle Manceaux, *op. cit.*, p. 84.

328. *Alternatives théâtrales, op. cit.*, p. 13.

329. M.-P. Fernandes, *op. cit.*, p. 12.

330. *Le Nouvel Observateur*, 28 septembre 1984.

331. « Au-delà des pages », *op. cit.*

332. « Du jour au lendemain », *op. cit.*

333. « Discothèques privées », *op. cit.* Voir aussi M.-P. Fernandes, *op. cit.*, p. 64-65 ; *Les Inrockuptibles, op. cit.*; *Elle*, 15 janvier 1990 ; *Le Nouvel Observateur*, 24-30 mai 1990.

334. *Marguerite Duras à Montréal, op. cit.*, p. 57.

335. *Alternatives théâtrales, op. cit.*, p. 15.

336. *Marguerite Duras à Montréal, op. cit.*, p. 18-20 et p. 51-52.

337. *Elle*, 15 janvier 1990.

338. *Le Nouvel Observateur*, 24-30 mai 1990.

339. *Ibid.*

340. *Le Matin*, 14 novembre 1986.

341. *Op. cit.*, p. 84.

342. *Le Matin, op. cit.*

343. *Des femmes en mouvement hebdo*, n° 57, 11 septembre 1981.

344. M.-P. Fernandes, *op. cit.* p. 116.

345. Y. Andréa, *op. cit.*, p. 40.

346. Voir *M. D.* et *La Vie matérielle*, p. 145 *sq.* et M. Manceaux, *op. cit.*, p. 196-205.

347. Y. Andréa, *op. cit.*, p. 10.

348. *Le Matin, op. cit.*

349. *Marie-Claire, op. cit.*

350. Éd. de Minuit,1983. Le livre reprend en le développant un article publié dans *Le Nouveau Commerce*, printemps 1983.

351. *Le Magazine littéraire*, n° 278, juin 1990.

352. *Ibid.*

353. *Œuvres cinématographiques, op. cit.*, livret, p. 54.

354. *Marguerite Duras à Montréal, op. cit.*, p. 66-69.

355. Lettre à Horkheimer, 28 mars 1937.

356. « Au-delà des pages », *op. cit.*

357. *Le Matin, op. cit.*

358. Voir aussi les commentaires de M. Duras sur *Le Fleuve sauvage* d'Elia Kazan (*Les Yeux verts*, p. 203).

359. *Le Matin, op. cit.*

360. *Ibid.*

361. *Le Temps et l'Autre*, Fata Morgana, 1979. Cf. P. Bruckner, A. Finkielkraut, *Le Nouveau Désordre amoureux*, Éd. du Seuil, 1977.

362. Voir E. Hemingway, *Les Vertes Collines d'Afrique.*

363. *Libération*, 11 janvier 1990.

364. *Cahiers Renaud-Barrault, op. cit.*, n° 106, 1983, p. 8. La « pierre blanche » de *Savannah Bay* est le tombeau d'Anne-Marie Stretter à l'abandon dans une boucle du Gange.

365. « Du jour au lendemain », *op. cit.*

366. Publié par François Ruy-Vidal et Harlin Quist, images de Bernard Bonhomme, 1971.

367. *En rachâchant* est le titre d'un court-métrage (sept minutes) de Jean-Marie Straub et Danièle Huillet, 1982.

368. Voir *Cahiers du cinéma*, n° 374, juin-juillet 1985.

369. « Océaniques », rencontre Marguerite Duras-Jean-Luc Godard, émission préparée par Colette Fellous et Pierre-André Boutang et réalisée par Jean-Didier Verhaeghe, FR3, 28 décembre 1987.

370. *Libération, op. cit.*

371. *Le Nouvel Observateur*, 24-30 mai 1990.

372. « Océaniques », *op. cit.*; *Le Journal littéraire*, n° 2, décembre 1987-janvier 1988 ; « Au-delà des pages », *op. cit.* et « Ex-libris », *op. cit.*

373. *Le Journal littéraire, op. cit.*

374. *Ibid.*

375. « Au-delà des pages », *op. cit.*

376. « Du jour au lendemain », *op. cit.*

377. Ce mot est déjà dans *Les Eaux et Forêts* (p. 46).

378. *Les Inrockuptibles, op. cit.*

379. M. Duras attache grand prix à cette chanson liée pour elle à la Résistance et qui apparaît déjà dans *L'Été 80.* Voir « Du jour au lendemain », *op. cit.*

380. *Ibid.*

381. « Du jour au lendemain », *op. cit.*

382. « Du jour au lendemain », *op. cit.*

383. Cf. *La Vie matérielle*, « Le train de Bordeaux », p. 83.

384. *Les Inrockuptibles, op. cit.*

385. « Du jour au lendemain », *op. cit.*

386. *Elle,* 15 janvier 1990.

387. « Du jour au lendemain », *op. cit.*

388. M. Alleins, *op. cit.*, p. 172.

389. « Du jour au lendemain », *op. cit.*

390. Se référer aussi à « Le bon plaisir de Marguerite Duras », France Culture, 20 octobre 1984 ; *Les Inrockuptibles*, *op. cit.* ; M. Duras, X. Gauthier, *op. cit.*, p. 239 ; M. Alleins, *op. cit.*, p. 171-172, etc.

391. *Lire*, *op. cit.*

392. *Les Inrockuptibles*, *op. cit.*

393. *Marguerite Duras à Montréal*, *op. cit.*, p. 74.

394. « Au-delà des pages », *op. cit.*

395. M. Alleins, *op. cit.*, p. 171.

396. M. Duras, X. Gauthier, *op. cit.*, p. 177.

397. *Les Inrockuptibles*, *op. cit.*

398. M. Alleins, *op. cit.*, p. 171-172, et M. Duras, X. Gauthier, *op. cit.*, p. 239-240.

399. M. Duras, X. Gauthier, *op. cit.*, p. 141.

400. « Du jour au lendemain », *op. cit.*

401. « Le bon plaisir de Marguerite Duras », *op. cit.*

402. *Ibid.*

403. *Ibid.*

404. *Ibid.*

405. *Le Magazine littéraire*, n° 278, juin 1990.

406. *Elle*, *op. cit.*

407. *Marguerite Duras à Montréal*, *op. cit.*, p. 22.

408. *Œuvres cinématographiques*, *op. cit.*, livret, p. 58.

409. *Alternatives théâtrales*, *op. cit.*, p. 13.

410. M.-P. Fernandes, *op. cit.*, p. 189.

411. *Libération*, 27 novembre 1987.

412. Préface à *Yves Saint-Laurent et la photographie de mode*, *op. cit.*

413. In *Arguments*. Repris dans *Essais critiques*, Éd. du Seuil, 1964.

414. *Le Monde*, 20 janvier 1962.

415. *Paris-Théâtre*, *op. cit.*

416. *The French Review*, *op. cit.*

417. « Du jour au lendemain », *op. cit.*

418. *Les Inrockuptibles*, *op. cit.*

419. M. Duras, X. Gauthier, *op. cit.*, p. 197.

420. *Globe*, février-mars 1990.

421. A. Vircondelet, *op. cit.*, p. 174.

422. « Discothèques privées », *op. cit.*

423. *Les Nouvelles Littéraires*, 18 juin 1959.

424. Georges Poulet in *Critique*, numéro spécial « Maurice Blanchot », juin 1966.

425. M. Duras, X. Gauthier, *op. cit.*, p. 240.

426. *Paris-Théâtre*, n° 198, 1963.

427. *Le Nouvel Observateur*, 14-20 novembre 1986.

428. *The French Review, op. cit.*

429. Voir A. Vircondelet, *op. cit.*, p. 171 *sq.*

430. *Le Monde*, 29 mars 1967.

431. *Globe*, juillet-août 1988.

432. Toutes ces citations sont extraites de *La Révolution surréaliste*, juillet 1925.

433. M. Marini, *op. cit.*
434. M. Duras, X. Gauthier, *op. cit.*, p. 36.
435. *Op. cit,* p. 159-160.
436. M. Duras, X. Gauthier, *op. cit.*, p. 36.
437. S. Horer, J. Socquet, *op. cit.*, p. 176.
438. *Le Nouvel Observateur, op. cit.*
439. M. Duras, M. Porte, *op. cit.*, p. 102.
440. *Marguerite Duras à Montréal, op. cit.*, p. 69.
441. *Le Magazine littéraire*, n° 180, janvier 1982.
442. *Elle*, 15 janvier 1990.
443. *L'Arc, op. cit.*
444. *The French Review, op. cit.*
445. *Ibid.*
446. *Le Matin*, 28 septembre 1984. Cf. « Au-delà des pages », *op. cit.*
447. A. Vircondelet, *op. cit.*, p. 168-169.
448. *Alternatives théâtrales, op. cit.*, p. 14.
449. *Libération*, 4 septembre 1984.
450. *Globe*, juillet-août 1988.
451. *L'Autre Journal*, n° 9, novembre 1985.
452. M. Chapsal, *op. cit.*, p. 64.
453. M. Duras, X. Gauthier, *op. cit.*, p. 163.
454. M. Duras, M. Porte, *op. cit.*, p. 13.
455. *Le Nouvel Observateur*, 24-30 mai 1990.
456. *Elle, op. cit.*
457. *L'Autre Journal*, n° 5, mai 1985.
458. *Elle, op. cit.*
459. *Marguerite Duras à Montréal, op. cit.*, p. 25.
460. *Ibid.*, p. 31. Cf. N. L. Bernheim, *op. cit.*, p. 104. Tandis que Jean-Jacques Annaud tourne *L'Amant*, M. Duras écrit *L'Amant de la Chine du Nord*: « Le lieu le plus loin de la littérature (...), du langage, c'est le cinéma », *Libération*, 13 juin 1991. Voir aussi *Le Monde*, 13 juin 1991.
461. *Marguerite Duras à Montréal, op. cit.*, p. 24.
462. *Cahiers Renaud-Barrault, op. cit.*, 1976, n° 91, p. 15.
463. *Marguerite Duras à Montréal, op. cit.*, p. 76.
464. *Cahiers du cinéma*, n° 86, décembre 1989. Cf. *Le Camion*, p. 93 sq.
465. *Alternatives théâtrales, op. cit.*, p. 13.
466. *Cahiers du cinéma, op. cit.*
467. Voir *Marguerite Duras à Montréal, op. cit.*, p. 22 et *Alternatives théâtrales, op. cit.*, p. 16.
468. *Art Press*, octobre 1973.
469. M. Duras, M. Porte, *op. cit.*, p. 91.
470. *Paris-Théâtre, op. cit.*
471. *Libération*, 4 janvier 1983.
472. *Œuvres cinématographiques, op. cit.*, livret, p. 41.
473. *Ibid.*, p. 44.
474. *Le Monde*, 5 juin 1975.
475. *Marguerite Duras à Montréal, op. cit.*, p. 18.
476. *Alternatives théâtrales, op. cit.*, p. 13.
477. *Œuvres cinématographiques, op. cit.*, livret, p. 31.
478. *L'Arc, op. cit.* Cf. *L'Express*, 14 septembre 1956.
479. *Le Matin*, 28 septembre 1984.

480. Sur ces points, voir Henri Gouhier, *L'Essence du théâtre*, Plon, 1943, *passim*.

481. *Paris-Théâtre*, *op. cit.*

482. *Cahiers Renaud-Barrault*, *op. cit.*, p. 20.

483. *Ibid.*

484. *Les Inrockuptibles*, *op. cit.*

485. *Le Matin,* 29 septembre 1983.

486. *Libération*, *op. cit.*

487. *Les Inrockuptibles*, *op. cit.*

488. *L'Autre Journal*, n° 9, novembre 1985.

489. *L'Univers imaginaire de Mallarmé,* Éd. du Seuil, 1961, p. 24.

490. *Le Monde*, 7 mars 1967.

491. Voir *Cahiers Renaud-Barrault*, *op. cit.*, n° 52, 1965, p. 9 ; J. Lacan *et al.*, *op. cit.*, p. 93.

492. *Marguerite Duras à Montréal*, *op. cit.*, p. 61.

493. *Ibid.*, p. 20.

494. *Études freudiennes*, *op. cit.*

495. *Globe*, juillet-août 1988.

496. M. Duras, X. Gauthier, *op. cit.*, p. 18.

497. Mathieu Galey, *Journal 1952-1973*, Grasset, 1987.

498. *Les Nouvelles littéraires*, 18 juin 1959.

499. *Clefs pour l'imaginaire*, Seghers, 1969, p. 105.

500. *Cahiers du cinéma*, n° 217, novembre 1969.

501. *Œuvres cinématographiques*, *op. cit.*, livret, p. 63.

502. *Libération*, 4 septembre 1984.

503. *Marguerite Duras à Montréal*, *op. cit.*, p. 44.

504. *Op. cit.*, p. 123.

505. « Du jour au lendemain », *op. cit.*

506. *Libération*, 13 novembre 1984.

507. M. Bisiaux, C. Jajolet, *op. cit.*, p. 163.

508. *Marguerite Duras à Montréal*, *op. cit.*, p. 35.

509. *Œuvres cinématographiques*, *op. cit.*, livret, p. 22.

510. Voir *Lire*, janvier 1985 et « Apostrophes », *op. cit.*

511. *L'Écume des jours*, avant-propos.

512. Philippe Lejeune, *L'Autobiographie en France*, Armand Colin, 1971, p. 19.

513. Michel Beaujour, *Miroirs d'encre,* Éd. du Seuil, 1980, *passim*.

514. *Marguerite Duras à Montréal*, *op. cit.*, p. 36.

515. M. Duras, M. Porte, *op. cit.*, p. 32.

516. *L'Événement du jeudi*, 1-7 février 1990.

517. *Le Nouvel Observateur*, 14-20 novembre 1986.

518. *Le Monde*, 29 mars 1967.

519. *Alternatives théâtrales*, *op. cit.*, p. 14.

520. *Elle*, 15 janvier 1990.

521. *Marguerite Duras à Montréal*, *op. cit.*, p. 62.

522. *Micromegas*, *op. cit.*

523. *Lire*, janvier 1985.

524. *Œuvres cinématographiques, op. cit.*, livret, p. 52.

525. *Le Matin*, 28 septembre 1984.

526. M. Duras, M. Porte, *op. cit.*, p. 37.

527. *Cahiers Renaud-Barrault*, *op. cit.*, n° 91, 1976.

528. *Le Monde*, 20 janvier 1962.

529. *Œuvres cinématographiques, op. cit.*, livret, p. 48.
530. *Marie-Claire, op. cit.*
531. *Libération*, 4 janvier 1983.
532. *Marguerite Duras à Montréal, op. cit.*, p. 64.
533. *Ibid.*
534. *Elle*, 9 novembre 1987.
535. *Le Nouvel Observateur*, 28 septembre 1984.
536. *Marguerite Duras à Montréal, op. cit.*, p. 65.
537. Y. Andréa, *op. cit.*, p. 129.
538. *Marguerite Duras à Montréal, op. cit.*, p. 23. Cf.
M. Duras, X. Gauthier, *op. cit.*, p. 217.
539. *Libération*, 13 novembre 1984.
540. *Alternatives théâtrales, op. cit.*, p. 13.
541. M. Duras, X. Gauthier, *op. cit.*, p. 231.
542. D. Bourdet, *op. cit.*, p. 68.
543. *Réelles présences*, Gallimard, 1991, p. 220.
544. Préface à *Portrait d'un inconnu* de Nathalie Sarraute,
Gallimard, 1956.
545. *Les Nouvelles littéraires*, 18 juin 1959.
546. *Libération*, 11 janvier 1990.
547. *L'Arc, op. cit.*
548. « Du jour au lendemain », *op. cit.* Cf. *Marguerite Duras
à Montréal, op. cit.*, p. 62.
549. Le mot est de René Girard, *Critique dans un souterrain*,
Lausanne, L'Age d'homme, 1976.
550. M. Duras, X. Gauthier, *op. cit.*, p. 161.
551. *Ibid.*, p. 195.
552. Flammarion, 1975.
553. M. Duras, M. Porte, *op. cit.*, p. 36.
554. D. Bourdet, *op. cit.*, p. 68.
555. *Cahiers du cinéma, op. cit.*
556. « Apostrophes », *op. cit.*
557. *Le Nouvel Observateur*, 28 septembre 1984.
558. *Œuvres cinématographiques, op. cit.*, livret, p. 63.
559. *Le Nouvel Observateur, op. cit.*
560. *Le Nouvel Observateur*, 14-20 novembre 1986.
561. *Ibid.*
562. M. Duras, M. Porte, *op. cit.*, p. 31.
563. Y. Andréa, *op. cit.*, p. 129.
564. *Libération*, 11 janvier 1990.
565. « Apostrophes », *op. cit.*
566. *Le Magazine littéraire*, n° 278, juin 1990.
567. *Le Nouvel Observateur*, 28 sept. 1984. Cf. *Paris-Théâtre,
op. cit.*: « Je suis extrêmement sensible à la musique du style. »
568. *Marguerite Duras à Montréal, op. cit.*, p. 44.
569. *Des femmes en mouvement hebdo*, n° 57, sept. 1981.
570. M. Duras, M. Porte, *op. cit.*, p. 100-101 et « Discothèques privées », *op. cit.*
571. *Libération*, 4 janvier 1983. Cf. Nicolas de Staël : « Fond
de meurtre. Pour chaque grand peintre, cela veut dire : aller
jusqu'au bout. »
572. Michel Foucault in *Cahiers Renaud-Barrault, op. cit.*,
n° 89, 1976.
573. *L'Autre Journal*, n° 9, 1985.

Repères biographiques

1914 Naissance de Marguerite Donnadieu à Gia Dinh, Cochinchine (actuel Sud-Vietnam). Père professeur de mathématiques, mère institutrice à l'école indigène. Elle est le troisième enfant. Deux frères la précèdent.

1918 Mort du père.

1924 Vit à Phnom-Penh, Vinh-Long, Sadec. Achat par la mère d'une concession incultivable à Prey-Nop (Cambodge).

1930 Saigon. Loge à la pension Lyautey. Études secondaires au lycée Chasseloup-Laubat.

1932-1933 Retour définitif en France après le baccalauréat. Vit à Paris. Études de mathématiques, de droit, de sciences politiques.

1937 Emploi au ministère des Colonies.

1939 Mariage avec Robert Antelme.

1940-1942 Publie, en collaboration avec Philippe Roques, *L'Empire français,* aux Éditions Gallimard. Travaille au Cercle de la Librairie. *La Famille Taneran* est refusé par Gallimard.
Mort du premier enfant. Mort du plus jeune frère durant la guerre sino-japonaise. Rencontre avec Dionys Mascolo.

1943 Publication des *Impudents* sous le pseudonyme de Marguerite Duras.
Vit au 5, rue Saint-Benoît (Paris VIe).
Fréquente J. Genêt, G. Bataille, H. Michaux, M. Merleau-Ponty, R. Leibowitz, E. Morin, etc.
Adhère avec R. Antelme et D. Mascolo au Mouvement national des prisonniers de guerre (MNPDG, qui deviendra MNPDGD par l'ajout du mot « déporté »). Activités dans la Résistance auprès de Morland (François Mitterrand).

1944 Arrestation et déportation de R. Antelme à Buchenwald, puis Dachau (voir *La Douleur*). Adhésion au parti communiste. Devient secrétaire de cellule de la rue Visconti. Crée un service de recherches qui publie le journal *Libres,* où sont rassemblées les informations recueillies sur les prisonniers et les déportés. Publication de *La Vie tranquille.*

1945 Retour de R. Antelme. Rue Saint-Benoît, auprès de lui, de Dionys Mascolo et de Marguerite Duras se réunissent, parmi d'autres, G. Martinet, J.-T. Desanti, E. et G. Vittorini, J.-F. Rolland, C. Malraux, J. Duvignaud et C. Roy qui donne dans *Nous* ce portrait d'époque de l'écrivain : « Elle avait un esprit abrupt, une véhémence baroque et souvent cocasse, une ressource infinie de fureur, d'appétit, une brutalité de chèvre, une innocence de fleur (...), une douceur de chat et ces aigrettes de folie qui jaillissent parfois des chats. (...). Avec cela solide, gaiement vorace, les pieds sur terre. »

Fonde avec R. Antelme les Éditions de la Cité universelle, qui publient, en 1946, *L'An zéro de l'Allemagne* d'Edgar Morin, les *Œuvres* de Saint-Just présentées par D. Mascolo et, en 1947, *L'Espèce humaine* de R. Antelme.

1946 Été en Italie. Divorce d'avec R. Antelme.

1947 Naissance de son fils Jean Mascolo.

1950 Publication du *Barrage contre le Pacifique.* Exclusion du parti communiste.

1952 *Le Marin de Gibraltar.*

1953 *Les Petits Chevaux de Tarquinia.*

1954 *Des journées entières dans les arbres.*

1955 Première pièce de théâtre : *Le Square.*

1957 Se sépare de D. Mascolo.

1958 *Moderato Cantabile.* Lutte depuis 1955 contre la poursuite de la guerre d'Algérie, puis contre le pouvoir gaulliste. Collabore à divers hebdomadaires et revues (voir *Outside*).

1959 Scénario de *Hiroshima mon amour* pour Alain Resnais. À partir de 1960, appartient au jury du prix Médicis, dont elle démissionne quelques années après :

« S'il existait un jury de contestation, j'y entrerais »,
déclare-t-elle à Jean Schuster (*L'Archibras*, n° 2, 1966).
Publie des articles dans *Le 14 juillet,* revue dirigée par
D. Mascolo et J. Schuster.
Fréquente M. Blanchot.

1961 Écrit *Une aussi longue absence* pour le film d'Henri
Colpi. Ce scénario est le fruit d'une collaboration avec
Gérard Jarlot, prix Médicis 1963 (voir « L'Homme menti »
in *La Vie matérielle).* Vit à Paris et à Neauphle-le-Château où elle possède une maison.

1962 *L'Après-midi de M. Andesmas.*

1964 *Le Ravissement de Lol V. Stein.*

1965 *Le Vice-Consul.*

1966 Coréalise *La Musica* avec Paul Seban.

1968 Participe aux événements de Mai. Lire dans *Les
Yeux verts* le texte politique sur la naissance du Comité
d'action étudiants-écrivains, texte rejeté par le Comité
qui se disloque rapidement.

1969 Porte au cinéma *Détruire, dit-elle.*

1970 *Abahn Sabana David.*

1971-1976 *L'Amour.* Tourne *Jaune le soleil* d'après
Abahn Sabana David, puis successivement *Nathalie
Granger, La Femme du Gange, Baxter, Véra Baxter, Son
nom de Venise dans Calcutta désert.* Vit à Trouville dans
l'ancien hôtel des Roches noires, à Paris et à Neauphle-le-
Château.

En 1975, *India Song* obtient le prix de l'Association française des cinémas d'art et d'essai au Festival de Cannes.
En 1976, *Des journées entières dans les arbres* est récom-
pensé par le prix Jean Cocteau.

1977 *Le Camion.* Se consacre régulièrement au cinéma
et publie les textes de ses films.

1978-1980 Tourne *Le Navire Night, Césarée, Les Mains
négatives, Aurélia Steiner.*

1981 Voyage au Canada pour une série de conférences
de presse à Montréal, aux États-Unis, en Italie : *Dialogue
de Rome.*

1982   Cure de désintoxication à l'hôpital Américain de Neuilly (voir *M. D.* de Yann Andréa).
Publication de *La Maladie de la mort*.

1984   Prix Goncourt pour *L'Amant*. Publication de *Outside*.

1985   Publication de *La Douleur*. La prise de position de Marguerite Duras dans l'affaire criminelle dite « affaire Villemin » soulève, à partir d'un article publié dans *Libération* le 17 juillet, l'hostilité d'une partie des lecteurs et la polémique chez plusieurs féministes. Tourne *Les Enfants*.

1986   Prix Ritz-Paris-Hemingway pour *L'Amant*, « meilleur roman publié dans l'année en anglais ». Donne *Les Yeux bleus cheveux noirs*.

1987   Publie *Émily L.* et *La Vie matérielle*.

1988-1989   Grave coma. Hospitalisation.

1990   Publication de *La Pluie d'été*. Mort de R. Antelme.

1991   *L'Amant de la Chine du Nord*.

Œuvres littéraires et théâtrales

Sauf indication contraire, tous les ouvrages dont les références suivent ont été publiés à Paris.

Bibliographie

Les Impudents, Plon, 1943.

La Vie tranquille, Gallimard, 1944.

Un barrage contre le Pacifique, Gallimard, 1950.

Le Marin de Gibraltar, Gallimard, 1952.

Les Petits Chevaux de Tarquinia, Gallimard, 1953.

Des journées entières dans les arbres, suivi de : « Le Boa », « Madame Dodin », « Les Chantiers », Gallimard, 1954.

Le Square, Gallimard, 1955.

Moderato Cantabile, Éd. de Minuit, 1958.

Les Viaducs de la Seine-et-Oise, Gallimard, 1959.

Dix Heures et demie du soir en été, Gallimard, 1960.

Hiroshima mon amour, Gallimard, 1960.

L'Après-midi de M. Andesmas, Gallimard, 1962.

Le Ravissement de Lol V. Stein, Gallimard, 1964.

Théâtre I : Les Eaux et Forêts – Le Square – La Musica, Gallimard, 1965.

Le Vice-Consul, Gallimard, 1965.

L'Amante anglaise, Gallimard, 1967.

Théâtre II : Suzanna Andler – Des journées entières dans les arbres – Yes, peut-être – Le Shaga – Un homme est venu me voir, Gallimard, 1968.

Détruire, dit-elle, Éd. de Minuit, 1969.

Abahn Sabana David, Gallimard, 1970.

L'Amour, Gallimard, 1971.

« ah ! Ernesto », Harlin Quist, 1971.

India Song, Gallimard, 1973.

Nathalie Granger, suivi de *La Femme du Gange*, Gallimard, 1973.

Le Camion, suivi de « Entretien avec Michelle Porte », Éd. de Minuit, 1977.

L'Éden Cinéma, Mercure de France, 1977.

Le Navire Night, suivi de *Césarée, Les Mains négatives, Aurélia Steiner,* Mercure de France, 1979.

Véra Baxter ou Les Plages de l'Atlantique, Albatros, 1980.

L'Homme assis dans le couloir, Éd. de Minuit, 1980.

L'Été 80, Éd. de Minuit, 1980. Extraits lus par M. Duras sous le titre *La Jeune Fille et l'Enfant,* Éd. des Femmes, coll. « La bibliothèque des voix », 1982.

Les Yeux verts, Cahiers du cinéma, n° 312-313, juin 1980 et nouv. éd., 1987.

Agatha, Éd. de Minuit, 1981.

Outside, Albin Michel, 1981.

L'Homme atlantique, Éd. de Minuit, 1982.

Savannah Bay, Éd. de Minuit, 1982, 2ᵉ éd. augmentée, 1983.

La Maladie de la mort, Éd. de Minuit, 1982.

Théâtre III : La Bête dans la jungle, *d'après Henry James, adaptation de James Lord et Marguerite Duras –* Les Papiers d'Aspern, *d'après Henry James, adaptation de Marguerite Duras et Robert Antelme –* La Danse de mort, *d'après August Strindberg, adaptation de Marguerite Duras,* Gallimard, 1984.

L'Amant, Éd. de Minuit, 1984.

La Douleur, POL, 1985.

La Musica deuxième, Gallimard, 1985.

Les Yeux bleus cheveux noirs, Éd. de Minuit, 1986.

La Pute de la côte normande, Éd. de Minuit, 1986.

La Vie matérielle, POL, 1987.

Émily L., Éd. de Minuit, 1987.

La Pluie d'été, POL, 1990.

L'Amant de la Chine du Nord, Gallimard, 1991.

Le Monde extérieur, POL, à paraître.

Adaptations théâtrales

Les Papiers d'Aspern, d'après Henry James, adaptation théâtrale de Michael Redgrave, adaptation fr. de Marguerite Duras et Robert Antelme, 1961, in *Théâtre III,* Gallimard, 1984.

La Bête dans la jungle, d'après Henry James, première adaptation avec Gérard Jarlot, 1962, seconde adaptation, 1981, in *Théâtre III,* Gallimard, 1984.

Miracle en Alabama, de William Gibson, adaptation de Marguerite Duras et James Lord, *L'Avant-scène,* 1963.

La Danse de mort, d'après *Döddansen* d'August Strindberg, adaptation de Marguerite Duras, 1970, in *Théâtre III,* Gallimard, 1984.

Hume, de David Storey, adaptation de Marguerite Duras, Gallimard, 1973.

La Mouette, d'Anton Tchekov, adaptation de Marguerite Duras, Gallimard, 1985.

Entretiens publiés en livres

Denise Bourdet, *Brèves rencontres*, Grasset, 1963.

Madeleine Chapsal, *Quinze Écrivains*, Julliard, 1963.

Pierre Dumayet, *Vu et entendu*, Stock, 1964.

Hubert Nyssen, *Les Voies de l'écriture*, Mercure de France, 1969.

Suzanne Horer, Jeanne Socquet, *La Création étouffée*, Pierre Horay, 1973.

Marguerite Duras, Xavière Gauthier, *Les Parleuses*, Éd. de Minuit, 1974.

Marguerite Duras, Michelle Porte, *Les Lieux de Marguerite Duras*, Éd. de Minuit, 1977.

Marguerite Duras à Montréal, textes et entretiens réunis par Suzanne Lamy et André Roy, Québec, Éd. Spirale, 1981.

Michèle Manceaux, *Éloge de l'insomnie*, Hachette, 1985.

Choix de textes divers

• *Préfaces à...*

Jean-Marie Dallet, *Les Antipodes*, Éd. du Seuil, 1968.

Barbara Molinard, *Viens*, nouvelles, Mercure de France, 1969.

Jean-Pierre Ceton, *Rauque la ville*, Éd. de Minuit, 1980.

Yves Saint-Laurent et la Photographie de mode, Albin Michel, 1988.

• *Articles et entretiens**

L'Express, « Une pièce involontaire », 14 septembre 1956.

Franc-Tireur, entretien avec Henri Marc, 14 septembre 1956.

Le 14 juillet, « Assassins de Budapest », n° 1, 14 juillet 1958.

– « Réponses à l'enquête auprès d'intellectuels français », n° 3, 18 juin 1959 (rééd. intégrale des trois numéros de la revue, Séguier Lignes, 1990).

Cinéma 60, entretien avec Marcel Frère, février 1960.

---

* Ne sont pas retenus ici les textes rassemblés dans *Outside* et dans *Les Yeux verts*.

Paris-Théâtre, entretien avec Pierre Hahn, n° 198, s. d. (1963).

Les Nouvelles littéraires, entretien avec André Bourin, 18 juin 1959 ;
– entretien avec Anne de Gasperi, 25 novembre 1976 ;
– entretien avec Jane Hervé, 3 mai 1981.

Radio Cinéma TV, entretien avec Claude-Marie Trémois, n° 3-4, avril 1960.

Art Press, entretien avec Benoît Jacquot, octobre 1973.

Le Monde, entretien avec Claude Sarraute, 18 septembre 1956 ;
– entretien avec Thérèse de Saint-Phalle, 20 janvier 1962 ;
– entretien avec Nicole Zand, 22 février 1963 ;
– entretien avec Yvonne Baby, 7 mars 1967 ;
– entretien avec Jacqueline Piatier, 29 mars 1967 ;
– entretien avec Claude Sarraute, 6 janvier 1968 ;
– entretien avec Claude Sarraute, 20 décembre 1968 ;
– entretien avec Pierre Dumayet, 5 avril 1969 ;
– entretien avec Yvonne Baby, 17 décembre 1969 ;
– entretien avec Colette Godard, 28-29 juillet 1974 ;
– « Comment, pourquoi *India Song* », 5 juin 1975 ;
– « Mothers », 10 février 1977 ;
– « L'Homme atlantique », avertissement, 27 novembre 1981 ;
– dialogue M. Duras-Jacques Rivette, 25 mars 1982 ;
– entretien avec Jean-Michel Frodon et Danièle Heymann, 13 juin 1991.

The French Review, entretiens avec Bettina L. Knapp, n° 4, 1971.

Signs, an interview with Marguerite Duras by Susan Husserl Kapit, Barnard College, I, 1975.

Cinématographe, entretien avec Pierre Bregstein, n° 13, juin 1975.

Contemporary Literature, interviews conducted by Germaine Brée, vol. 13, 1972 et vol. 14, 1973.

Écran, entretien avec Claire Clouzot et Absis, n° 49, juillet-août 1976.

Jeune Cinéma, entretien avec René Prédal, n° 104, juillet-août 1977.

Le Quotidien de Paris, entretien avec Anne de Gasperi, 8 janvier 1977 ;
– « Simone Signoret », 1er octobre 1985.

Cahiers du cinéma, entretien avec Jacques Rivette et Jean Narboni, n° 217, novembre 1969 ;
– « Le scandale de la vérité », n° 374, juillet-août 1985 ;

- entretien avec Colette Mazabrard, n° 426, décembre 1989.

Marie-Claire, entretien avec Michèle Manceaux, n° 297, mai 1977.

Des femmes en mouvement, « Le noir Atlantique », n° 57, 11 septembre 1981.

L'Arc, « Le château de Weatherend », « La bête dans la jungle », n° 89, 1983.

Libération, « Les Yeux verts » (L'Été 1, 16 juillet 1980, L'Été 2, 23 juillet 1980... L'Été 10, 17 septembre 1980);
- entretien avec Yann Andréa, 4 janvier 1983 ;
- entretien avec Marianne Alphant, 4 septembre 1984 ;
- entretien avec Marianne Alphant, 13 novembre 1984 ;
- entretien avec Marianne Alphant, 12 avril 1985 ;
- « Sublime, forcément sublime, Christine V. », 17 juillet 1985 ;
- « La Pute de la côte normande », 14 novembre 1986 ;
- entretien avec Pierre Léon et Brigitte Ollier, 27 novembre 1987 ;
- entretien avec Michel Platini, 14 et 15 décembre 1987 ;
- entretien avec Marianne Alphant, 11 janvier 1990 ;
- entretien avec Marianne Alphant, 13 juin 1991.

Le Nouvel Observateur, entretien avec Hervé Le Masson, 28 septembre-5 octobre 1984.
- « Les Amants », 14-20 juin 1985 ;
- entretien avec Hervé Le Masson et Pierre Bénichou, 14-20 novembre 1986 ;
- entretien avec Frédérique Lebelley, 24-30 mai 1990.

Lire, entretien avec Pierre Assouline, n° 112, janvier 1985 ;
- entretien avec André Rollin, n° 136, janvier 1987 ;
- entretien avec Pierre Assouline, n° 193, octobre 1991.

L'Autre Journal, « L'Homme nu de la Bastille », n° 4, avril 1985.
- « L'Excès-L'Usine », entretien avec Leslie Kaplan, n° 5, mai 1985 ;
- « La perte de la vérité », n° 8, octobre 1985 ;
- « La lecture dans le train », n° 9, novembre 1985 ;
- « Joëlle Kaufmann, Marguerite Duras : parler des otages ou ne pas parler des otages », n° 5, 26 mars 1986 ;
- « Le froid comme en décembre », n° 9, 23 avril 1989 ;
- « Les chiens de l'histoire », n° 6, 3 avril 1986 ;
- « Moi », n° 10, 30 avril 1986 ;
- « Tjibaou-Duras », n° 13, 22 mai 1986 ;
- « L'Amant magnifique », entretien avec Aline Issermann, n° 16, 11 juin 1986 ;

– entretiens avec François Mitterrand : n° 1, 26 février 1986 ; n° 2, 5 mars 1986 ; n° 3, 12 mars 1986 ; n° 4, 19 mars 1986 ; n° 11, 7 mai 1986.

Télérama, entretien avec Jean-Claude Raspiengeas, 22 juin 1988.

Corriere della Sera, entretien avec Paolo Tortonese, 24 janvier 1988 ;

– entretien avec Ulderico Munzi, 25 janvier 1990.

Le Matin, entretien avec Gilles Costaz, 28 septembre 1984 ;

– entretien avec Gilles Costaz, 14 novembre 1986 ;

– « Ils veulent continuer à lire *Le Matin*», 13-14 juin 1987 ;

– « À tort et à travers *Le Matin*», 23 juin 1987.

Micromegas, Intervista a Marguerite Duras, a cura di Flavia Celotto, n° 41-42, 1988.

Elle, entretien avec Dominique Noguez, 26 novembre 1984 ;

– entretien avec Anne Sinclair, 8 décembre 1986 ;

– entretien avec Françoise Ducout, et Pierette Rosset, 9 novembre 1987 ;

– entretien avec Pierrette Rosset, 15 janvier 1990.

Le Journal littéraire, entretien avec Colette Fellous, n° 2, décembre 1987-janvier 1988.

Globe, février 1987, décembre 1987 ; juillet-août 1988.

Les Inrockuptibles, entretien avec Renaud Monfourny, n° 21, février-mars 1990.

L'Événement du jeudi, entretien avec Jean-Marcel Bouguereau, 1er-7 février 1990.

Œuvres cinématographiques

Filmographie

La Musica, coréalisation : Paul Seban, production : Les Films RP (Raoul Ploquin), distribution : Les Artistes associés, 1966.

Détruire, dit-elle, production : Ancinex, Madeleine Films, distribution : SNA, 1969.

Jaune le soleil, production : Albina Productions, non distribué, 1971.

Nathalie Granger, production : Luc Moullet et Cie, laboratoire : Les Films Molière, 1972.

La Femme du Gange, production : Service de la Recherche de l'ORTF, 1973.

India Song, coproduction : Sunchild, Les Films Armorial, S. Damiani, A. Valio-Cavaglione, distribution : Josepha Productions, 1975.

Baxter, Véra Baxter, production : Stella Quef (Sunchild), INA, distribution : Sunchild, 1976.

Son nom de Venise dans Calcutta désert, coproduction : Cinéma 9, PIPA, Éditions Albatros, 1976.

Des journées entières dans les arbres, production : Jean Baudot (Théâtre d'Orsay), distribution : Gaumont, 1976.

Le Camion, production : Cinéma 9 (Pierre et François Barrat) et Auditel, distribution : Les Films Molière, 1977.

Le Navire Night, production : MK 2, Gaumont, Les Films du Losange, distribution : Les Films du Losange, 1979.

Césarée, court-métrage, production : Les Films du Losange, laboratoire : LTC, 1979.

Les Mains négatives, court-métrage, production : Les Films du Losange, laboratoire : LTC, 1979.

Aurélia Steiner – « Melbourne » –, court-métrage, production : Paris Audiovisuel, laboratoire : LTC, 1979.

Aurélia Steiner – « Vancouver » –, court-métrage, production : Les Films du Losange, laboratoire : LTC, 1979.

Agatha ou les lectures illimitées, production : Berthemont, INA, Des femmes filment, distribution : Hors Champ Diffusion, 1981.

L'Homme atlantique, production : Berthemont, INA, Des femmes filment, distribution : Hors Champ Diffusion, 1981.

Les Enfants, en collaboration avec Jean Mascolo et Jean-Marc Turine, production : Berthemont, distribution : Films sans frontières, 1985.

En 1982, Marguerite Duras a écrit et réalisé *Dialogue de Rome,* production : Lunga Gittata, RAI (Radio-télévision italienne).

Scénarios et/ou dialogues

Hiroshima mon amour, réalisation Alain Resnais, 1960 ; texte publié par Gallimard.

Une aussi longue absence, réalisation Henri Colpi, en collaboration avec Gérard Jarlot, Gallimard, 1961.

Sans merveille, réalisation Michel Mitrani, en collaboration avec Gérard Jarlot, court-métrage inédit, s. d.

Nuit noire, Calcutta, réalisation Marin Karmitz, court-métrage inédit, 1964.

« Les rideaux blancs », réalisation Georges Franju, court-métrage inédit inclus dans *Un instant de paix,* 1965.

La Voleuse, réalisation Jean Chapot, inédit, 1966.

Adaptations cinématographiques d'œuvres de Marguerite Duras par divers cinéastes

Barrage contre le Pacifique, d'après *Un barrage contre le Pacifique,* René Clément, 1958.

Moderato Cantabile, d'après l'œuvre du même nom, Peter Brook, 1960.

Dix Heures et demie du soir en été, d'après l'œuvre du même nom, Jules Dassin, 1967.

Le Marin de Gibraltar, d'après l'œuvre du même nom, Tony Richardson, 1967.

En rachâchant, d'après « *ah ! Ernesto* », court-métrage de Jean-Marie Straub et Danièle Huillet, 1982.

L'Amant, Jean-Jacques Annaud, 1992.

Travaux consacrés à Marguerite Duras

Ouvrages

Jean-Luc Seylaz, *Les Romans de Marguerite Duras*, Lettres modernes, 1963.

Alfred Cismaru, *Marguerite Duras*, New York, Twayne, 1971.

Alain Vircondelet, *Marguerite Duras* (avec entretien), Seghers, 1972.

Nicole-Lise Bernheim, *Marguerite Duras tourne un film* (avec entretien), Albatros, s. d. (1975).

Marguerite Duras, Jacques Lacan, Maurice Blanchot, Dionys Mascolo, Xavière Gauthier *et al.*, *Marguerite Duras* (avec entretien), Albatros, 1975.

Marcelle Marini, *Territoires du féminin*, Éd. de Minuit, 1977.

Franciska Skutta, *Aspects de la narration dans les romans de Marguerite Duras*, Debrecen (Kossuth Lajos Tudomanyegyetem), 1981.

Il cinema di Marguerite Duras, direction Giorgio Gosetti, avec entretien, Venise, La Biennale de Venise, 1981.

Daniela Trastulli, *Dalla parola allé immagine* (avec entretien), Gênes, Bonini, 1982.

Yann Andréa, *M. D.,* Éd. de Minuit, 1983.

Bernard Alazet, *Écrire l'effacement*, thèse pour le doctorat, université de Lille, 1984.

Madeleine Alleins, *Marguerite Duras médium du réel*, Lausanne, L'Age d'homme, 1984.

Madeleine Borgomano, *Marguerite Duras une lecture des fantasmes*, Petit-Roeulx, Belgique, Cistre-Essais, 1985.

Madeleine Borgomano, *L'Écriture filmique de Marguerite Duras*, Albatros, 1985.

Yvonne Guers-Vilatte, *Continuité et Discontinuité dans l'œuvre durassienne*, université de Bruxelles, 1985.

Micheline Tison-Braun, *Marguerite Duras*, Amsterdam, Rodopi, 1985.

Écrire, dit-elle, Imaginaires de Marguerite Duras, textes réunis par Danielle Bajomée et Ralph Heyndels, Bruxelles, université de Bruxelles, 1985.

Marie-Pierre Fernandes, *Travailler avec Duras* (avec entretien), Gallimard, 1986.

Jean Pierrot, *Marguerite Duras*, Corti, 1986.

Danielle Bajomée, *Duras ou la Douleur*, Bruxelles, De Boeck université, 1989.

Aliette Armel, *Marguerite Duras et l'Autobiographie*, Le Castor astral, 1990.

Madeleine Borgomano, *India Song* (Marguerite Duras), Limonest, L'Interdisciplinaire, 1990.

Alain Vircondelet, *Duras*, François Bourin, 1991.

On peut aussi consulter

Jean Bessière, *Moderato Cantabile de Marguerite Duras*, ULB, Bordas, 1972.

Henri Micciollo, *Moderato Cantabile de Marguerite Duras*, Lire aujourd'hui, Hachette, 1979.

Patricia Lassine, *Marguerite Duras*, Auteurs contemporains, Didier Hatier, 1986.

Marie-Odile André, *Moderato Cantabile de Marguerite Duras*, Profil d'une œuvre, Hatier, 1989.

**Ouvrages partiellement consacrés
à Marguerite Duras**

Maurice Blanchot, *Le Livre à venir*, Gallimard, 1959.

Écrivains d'aujourd'hui 1940-1960, direction Bernard Pingaud, Grasset, 1960.

Gaétan Picon, *L'Usage de la lecture*, Mercure de France, 1961.

Tu n'as rien vu à Hiroshima, analyse de *Hiroshima mon amour* par un groupe d'universitaires, Bruxelles, université libre de Bruxelles, 1962.

Un nouveau roman ? Recherches et traditions, coll. « Situations », n° 23, Lettres modernes, 1964.

Bernard Pingaud, *Inventaire*, Gallimard, 1965.

Pierre A. G. Astier, *La Crise du roman français et le Nouveau Réalisme*, Nouvelles Éditions Debresse, 1969.

Pierre Brunel, *La Mort de Godot*, coll. « Situations », n° 23, Lettres modernes, 1970.

Edgar Morin, *Autocritique*, Éd. du Seuil, 1970.

Positions et Oppositions sur le roman contemporain, textes recueillis par Michel Mansuy, Klincksieck, 1971.

Claude Roy, *Nous*, Gallimard, 1972.

Philippe Boyer, *L'Écarté (e)*, Seghers-Laffont, 1973.

Catherine Clément, *Miroirs du sujet*, 10/18, 1975.

Dominique Desanti, *Les Staliniens*, Fayard, 1975.

Pascal Bonitzer, *Le Regard et la Voix*, 10/18, 1976.

Pierre Daix, *J'ai cru au matin*, Robert Laffont, 1976.

Michèle Montrelay, *L'Ombre et le Nom*, Éd. de Minuit, 1977.

Mieke Bal, *Narratologie*, Klincksieck, 1977.

Wanda Rupolo, *Il linguaggio dell'immagine*, Rome, Bonaci Editore, 1979.

Dominique Noguez, *Éloge du cinéma expérimental*, Musée national d'art moderne, 1979.

Michèle Manceaux, *Grand reportage*, Éd. du Seuil, 1980.

Béatrice Didier, *L'Écriture-femme*, PUF, 1981.

Jaap Lintvelt, *Essai de typologie narrative*, Corti, 1981.

Marie-Claire Ropars-Wuilleumier, *Le Texte divisé*, PUF, 1981.

Jo van Apeldoom, *Pratiques de la description*, Amsterdam, Rodopi, 1981.

Michel de Certeau, *La Fable mystique*, Gallimard, 1982.

Youssef Ishaghpour, *D'une image à l'autre*, Denoël-Gonthier, 1982.

Maurice Blanchot, *La Communauté inavouable*, Éd. de Minuit, 1983.

Gilles Deleuze, *L'Image-mouvement*, Éd. de Minuit, 1983.

Le Récit amoureux, colloque de Cerisy sous la direction de Didier Coste et Michel Zéraffa, Champ Vallon, 1984.

Michèle Manceaux, *Brèves*, Éd. du Seuil, 1984.

Lectures, systèmes de lecture, études réunies par Jean Bessière, PUF, 1985.

Gilles Deleuze, *L'Image-temps*, Éd. de Minuit, 1985.

Jean Mambrino, *Le Chant profond*, Corti, 1985.

Youssef Ishaghpour, *Cinéma contemporain*, Éd. de la Différence, 1986.

Monique Plaza, *Écriture et folie*, PUF, 1986.

Signes du roman, signes de la transition, études réunies par Jean Bessière, PUF, 1986.

Mathieu Galey, *Journal, 1953-1973*, Grasset, 1987.

Abdelkébir Khatibi, *Figures de l'étranger*, Denoël, 1987.

Julia Kristeva, *Soleil noir, dépression et mélancolie*, Gallimard, 1987.

Pierre-Yves Bourdil, *Les Miroirs du moi*, L'École, 1987.

Jorge Semprun, *Netchaïev est de retour*, Lattès, 1987.

Dionys Mascolo, *Autour d'un effort de mémoire*, Maurice Nadeau, 1987.

Evelyne Wilwerth, *Visages de la littérature féminine*, Bruxelles, Pierre Mardaga, 1988.

Jean-Edern Hallier, *Carnets impudiques*, Michel Lafon, 1988.

Liliane Siégel, *La Clandestine*, Maren Sell, 1988.

Arnaud Rykner, *Théâtres du nouveau roman*, Corti, 1988.

Jean-Louis Leutrat, *Kaléidoscope*, Lyon, PUL, 1988.

Marcel Bisiaux, Catherine Jajolet, *À ma mère*, Pierre Horay, 1988.

Gérard Depardieu, *Lettres volées*, J.-C. Lattès, 1988.

Mathieu Galey, *Journal, 1974-1986*, Grasset, 1989.

Dominique Arban, *Je me retournerai souvent...*, Flammarion, 1990.

Maurice Nadeau, *Grâces leur soient rendues*, Albin Michel, 1990.

Marie-Claire Ropars-Wuilleumier, *Écraniques*, Lille, Presses Universitaires de Lille, 1990.

Claude Régy, *Espaces perdus*, Plon, 1991.

Jean Grenier, *Carnets*, 1944-1971, Seghers, 1991.

François Barat, *Le cinéma existe-t-il ?* Presses de la Renaissance, 1991.

Nathalie de Saint-Phalle, *Hôtels littéraires,* Quai Voltaire, 1991.

Jean-Jacques Annaud, *L'Amant,* Grasset, 1992.

Numéros spéciaux de revues

Cahiers Renaud-Barrault, n° 52, décembre 1965*.

L'Avant-Scène, 1er avril 1979.

Recherches sur le roman, Groningue, CRIN 1/2, 1979.

Magazine littéraire, n° 158, mars 1980.

Notes 5, Presses Universitaires de Lille, 1982.

Didascalies, Bruxelles, Ensemble théâtral mobile, avril 1982.

Alternatives théâtrales (avec entretien), Maison du Spectacle, Bruxelles, n° 14, mars 1983.

Documents lettristes, n° 15, mars 1984.

* D'autres *Cahiers Renaud-Barrault* sont partiellement consacrés à Marguerite Duras : n° 89, 1976, n° 91, 1976 (avec entretien), n° 96, 1977, n° 106, 1983 (avec entretien).

L'Arc, n° 98, 1985.
Revue des sciences humaines, n° 202, avril-juin 1986.
Esprit, juillet 1986.
L'École des lettres, n° 6, décembre 1987.
Magazine littéraire (avec entretien), n° 278, juin 1990.
Cahiers du Cerf XX, Brest, université de Bretagne occidentale, n° 7, 1991.

Articles

Esprit, G. Luccioni, « M. Duras et le roman abstrait », n° 263-264, 1958.
Mercure de France, G. Picon, « Les romans de M. Duras », juin 1958.
Radio Télévision Cinéma, C.-M. Trémois, « M. Duras, A. Resnais et P. Brook », 3 avril 1960.
Revue générale belge, S. Young, « La méditation de Duras », n° 4, avril 1960.
La Nouvelle Revue française, R. Micha, « Une seule mémoire », février 1961.
Critique, D. Nores, « Le drame latent dans l'œuvre de M. Duras », avril 1964.
La Gazette de Lausanne, J. Chessex, « Moments littéraires : *Le Vice-Consul* », 5-6 mars 1966.
La Nouvelle Revue française, J. Duvignaud, « Les petits consuls de Calcutta », avril 1966.
La Revue nouvelle, A. Grégoire, « *Le Vice-Consul* ou une littérature du mystère », Bruxelles, 15 mars 1967.
L'Avvenire d'Italia, W. Rupolo, « L'umanita dimissionaria di M. Duras », 24 mai 1967.
Les pages de la SELF, A. Faber, « La présence de l'absence dans l'œuvre de M. Duras », Luxembourg, SELF, XIV, 1968.
Les Temps modernes, C. Zimmer, « Dans la nuit de M. Duras », février 1970.
La Quinzaine littéraire, A. Fabre-Luce, « Un lieu magique », 1er-15 juillet 1970.
Het Franse Boek, F. F. J. Drykoningen, « Les cris dans *Moderato Cantabile* », Groningue, n° 3, juillet 1970.
Studia Minora Facultatis Philosophicae Universitatis Brunensis, J. Sramek, « Le refus de la psychologie traditionnelle chez M. Duras », D 19, 1972.
Collectif Change, P. Fedida, « La douleur l'oubli », n° 12, septembre 1972.
Études romanes de Brno, J. Sramek, « La perspective narrative et temporelle chez M. Duras », VII, 1974.

Romanica Wratislaviensia, J. Sramek, « Le Nouveau roman et M. Duras », n° 265, 1975.

Le Nouvel Observateur, J.-L. Bory, « Le souvenir en miettes », 9 juin 1975.

Les Lettres romanes, Y. Guers-Villate, « L'imaginaire et son efficacité chez M. Duras », XXIX, 1975.

Études romanes de Brno, J. Sramek, « Le rôle de l'espace dans les romans de M. Duras », VIII, 1975.

Nuova Antologia, W. Rupolo, « La Narrativa di M. Duras », 527, 1976.

Cahiers de recherche de sciences des textes et documents, H. Vayssier, *« Le ravissement de Lol V. Stein »*, université de Paris-VII, 1, 1976.

Hebrew Institute of Language and Literature, C. J. Block, *« Narrative and Point of View in Le Vice-Consul »*, Jérusalem, 4, 1976.

Études romanes de Brno, J. Sramek, « Le rôle des personnages romanesques chez M. Duras », IX, 1977.

The French Review, D. Scherzer, « Violence gastronomique dans *Moderato Cantabile* », n° 4, mars 1977.

Annales de la faculté des lettres et sciences humaines de Nice, R. Prédal, « M. Duras, un livre, un film : *India Song* », n° 29, 1977.

The French Review, C. J. Murphy, « Marguerite Duras / le texte comme écho », n° 6, mai 1977.

Esprit, M. Mesnil, « Le dur désir de Duras », novembre 1977.

Le Monde, M. Cournot, « La si simple grandeur de M. Duras », 30-31 octobre 1977.

French Forum, M. Bernard-Coursodon, « Signification du métarécit dans *Le Vice-Consul* », janvier 1978.

The French Review, E. Michalski, M. Cagnon, « M. Duras : vers un roman de l'ambivalence », n° 3, février 1978.

Études françaises, J. Demers, « De la sornette à *L'Amante anglaise* », Presses de l'université de Montréal, 14/1-2, avril 1978.

Audiovisual Performance, H. Chapier, « Cinéma/ M. Duras », juin-juillet 1978.

Poétique, C. Makward, « Structures du silence / du délire », septembre 1978.

Études romanes de Brno, J. Sramek, « Un aspect du style de M. Duras. La simplicité et la rhétorique », VII, 1979.

Ça Cinéma, M. Marie, « La parole dans le cinéma français contemporain : l'exemple d'*India Song* », 1er trimestre 1980.

Cinéma 81, M. Amiel, « *Agatha* et les lectures illimitées », novembre 1981.

Poétique, M. Borgomano, « L'histoire de la mendiante indienne », novembre 1981.

The French Review, D. B. Gaensbauer, « *Revolutionary writing in Marguerite Duras' L'Amour* », n° 5, avril 1982.

L'École des lettres, M. Erman, « M. Duras : *Le Ravissement de Lol V. Stein* », n° 12-13, 1984-1985.

Littérature, M. Borgomano, « Une écriture féminine », n° 53, février 1984.

Études freudiennes, F. Peraldi, « L'attente du père », 23, 1984.

Le Nouvel Observateur, C. Roy, « Duras tout entière à la langue attachée », 31 août 1984.

Le Matin, D. Roche, « Le dur désir de Duras », 4 septembre 1984.

La Quinzaine littéraire, P. de la Genardière, « Duras, quand tu nous tiens », 1er-15 octobre 1984.

Ariane, F. Larsson, « Écriture, mémoire, identité dans *Le Ravissement de Lol V. Stein* », université de Coimbra, III, 1985.

The French Review, Y. Guers-Vilatte, « De l'implicite à l'explicite : de *Moderato Cantabile* à *L'Homme assis dans le couloir* », n° 3, février 1985.

The French Review, M. Druon, « Mise en scène et catharsis de l'amour dans *Le Ravissement de Lol V. Stein* », n° 3, février 1985.

Recherches et Travaux, B. Mallet, « Marguerite au péril de l'image », université de Grenoble, n° 29, 1985.

Revue des sciences humaines, B. Alazet, « L'embrasement, les cendres », octobre-décembre 1986.

Magazine littéraire, D. Sibony, « Repenser la déprime », n° 244, juillet-août 1987.

Cahiers du Cerf XX, F. Skutta, « *L'Amant* de M. Duras : une autobiographie ? », Brest, université de Bretagne occidentale.

– X. Moraud, « Le personnage dans le roman de M. Duras », et « L'écriture de M. Duras », Brest, université de Bretagne occidentale, n° 3, 1987.

Il confronte letterario, W. Rupolo, « *Il sentimento dei luoghi in M. Duras* », université de Pavie, Schena éd., sup. au n° 8, s. d. (1987).

Recherches sur l'imaginaire, A. Bariet, « *Moderato Cantabile* de M. Duras : un mythe de l'éternelle répétition », université d'Angers, XVIII, 1988.

Esquisses psychanalytiques, J. Baladier, « Ravissement et douleur chez M. Duras ou les figurations de l'objet perdu », n° 9, 1988.

Impressions du Sud, I. Oseki-Depré, « M. Duras écrivain étranger », n° 7, 1988.

Roman, V. Mistacco, « M. Duras ou les lectures illimitées », n° 23, juin 1988.

Littérales, J. Huré, « Le lieu oriental chez A. Robbe-Grillet et M. Duras », université de Paris X-Nanterre, n° 5, 1989.

Cahiers du Cerf XX, X. Moraud, « Duras et le roman poétique », Brest, université de Bretagne occidentale, n° 5, 1989.

Lignes, F. Marmande, « Le mot de passe », n° 11, 1990.

Le Magazine littéraire, V. Forrester, « M. Duras, la vie chez les Crespi », n° 274, février 1990.

Le Magazine littéraire, A. Armel, « Duras : retour à *L'Amant* », n° 290, juillet-août 1991.

Annales de la faculté des lettres, arts et sciences humaines de Nice Sophia Antipolis, B. Alazet, « M. Duras et les lieux de l'exil », n° 3, 1991.

La Repubblica, I. Bignardi, « I due amanti di Madame Duras », 4 janvier 1992.

Documents audiovisuels

Émissions radiophoniques

« Le bon plaisir de Marguerite Duras », réalisation Marianne Alphant, avec Jean Daniel, Denis Roche ainsi que Gérard Desarthe, Nicole Hiss, Catherine Sellers, France Culture, 20 octobre 1984.

« Interlire », entretien avec Pierre Assouline *et al.*, émission de France Inter et du magazine *Lire*, France Inter, 5 juillet 1987.

« Les Nuits magnétiques », émission d'Alain Veinstein, France Culture, 1987.

« Du jour au lendemain », entretien avec Alain Veinstein, France Culture, 16 mars 1990.

« Inter 13/14 », entretien avec Patricia Martin et Gérard Courchelle, France Inter, 20 juin 1991.

« Discothèques privées », émission de Jean-Christophe Marty, France Musique, 5, 6, 7, 8, 9 août 1991.

Émissions de télévision

« Les lieux de Marguerite Duras », production INA, réalisation Michelle Porte, TF1, mai 1976.

« Savannah Bay, c'est toi », production INA, réalisation Michelle Porte, 1984.

« Apostrophes », entretien avec Bernard Pivot, Antenne 2, 28 septembre 1984.

« Marguerite Duras », production LWT et RM Arts, réalisation Daniel Wiles et Alan Bens, diffusion : RM Associates, 1987.

« Océaniques », rencontre Marguerite Duras-Jean-Luc Godard, émission de Colette Fellous et Pierre-André Boutang, réalisation Jean-Didier Verhaeghe, FR3, 28 décembre 1987.

« Au-delà des pages », entretien avec Luce Perrot, TF1, 26 juin, 3, 10, 17 juillet 1988.

« Ex-libris », entretien avec Patrice Poivre d'Arvor, TF1,

15 février 1990.

« Caractères », entretien avec Bernard Rapp, Antenne 2, 5 juillet 1991.

Enregistrements sonores

Marguerite Duras parle, 33-tours, série « Français de notre temps. Hommes d'aujourd'hui », sous le patronage de l'Alliance française, réalisation sonore Hugues Desalle, diffusion Adès.

La Jeune fille et l'Enfant, extraits de *L'Été 80*, cassette audio, adaptation de Yann Andréa, lecture par M. Duras, réalisation technique Michelle Muller, Éd. des Femmes, coll. « La bibliothèque des voix », 1982.

Les Petits Chevaux de Tarquinia, cassette audio, lecture par Catherine Deneuve, réalisation technique Michelle Muller, Éd. des Femmes, coll. « La bibliothèque des voix », 1982.

Les musiques des films de Marguerite Duras composées par Carlos d'Alessio (*India Song, Baxter, Véra Baxter, Des journées entières dans les arbres, Le Navire Night*) ont fait l'objet d'enregistrements discographiques : Carlos d'Alessio, Marguerite Duras, « *India Song* et autres musiques de films », Le Chant du Monde, 1984, et Carlos d'Alessio, Raphaël Sanchez, *« Home Movies »,* Le Chant du Monde, 1986. Par ailleurs, la musique d'*India Song* a connu diverses interprétations : celle de Carla Bley, « Kip Hanrahan : coup de tête », American Clavé, 1981, ou encore celle de Jeanne Moreau, Polygram, 1988 (édition CD).

Richard Jobson, poète et musicien écossais, a consacré, en 1987, un Hommage à Marguerite Duras intitulé *Ten-thirty on a Summer Night,* Les Disques du Crépuscule.

Enregistrements vidéographiques

En 1984, les Éditions vidéographiques critiques réalisées et publiées par le Bureau d'animation culturelle du ministère des Relations extérieures, direction Pascal-Emmanuel Gallet, ont consacré leur deuxième livraison à Marguerite Duras. Le coffret comprend cinq cassettes vidéo :

Nathalie Granger suivi de *La Classe de la violence*, entretien de Marguerite Duras avec Dominique Noguez, participation de Gérard Depardieu.

India Song suivi de *La Couleur des mots*, entretien de Marguerite Duras avec Dominique Noguez, participation de Delphine Seyrig, Carlos d'Alessio et Michael Lonsdale.

Son nom de Venise dans Calcutta désert suivi de *Le Cimetière anglais*, entretien de Marguerite Duras avec Dominique Noguez, participation de Delphine Seyrig, Michael Lonsdale et Bruno Nuytten.

Le Camion suivi de *La Dame des Yvelines*, entretien de Marguerite Duras avec Dominique Noguez, participation de Dominique Auvray, Gérard Depardieu et Bruno Nuytten.

Césarée, *Les Mains négatives*, *Aurélia Steiner* (« Melbourne »), *Aurélia Steiner* (« Vancouver »), suivis de *La Caverne noire*, entretien de Marguerite Duras avec Dominique Noguez et de *Work and words*.

Un livret, comportant le texte des entretiens, un article de Marguerite Duras, un article de Dominique Noguez, une description des films, une filmographie, une bibliographie et un index, est joint à l'ensemble.

Par ailleurs, *Hiroshima mon amour* et *Moderato Cantabile* ont été édités en vidéocassettes par Fil à Film.

Enfin, l'émission « Apostrophes » du 28 septembre 1984 a été reportée sur vidéocassette par Vision Seuil, Éd. du Seuil, 1990.

Table

Illustrations

AFP : 113, 178. – AGIP/Robert Cohen : 116, 121, 247. – BN : 84. – CNAC/Jean-Louis Young : 60. – Coll. Cahiers du cinéma : 71, 91, 174. – Coll. Christophe L. : 102. – Coll. part. : 40, 52, 56, 64, 94, 252, 278. – Coll. Viollet : 35, 69. – DR : 136, 198. – Brigitte Enguerand : 245. – Marc Enguerand : 242. – John Foley : 210. – Gamma : 54, 81. – Gamma/Pierre Viallet : 268, 273. – Imapress/Léon Herschtritt : 3, 11. – Élisabeth Lennard : 160, 166, 168, 194. – Érica Lennard : 149, 155. – Viollet/Lipnitzki : 25. – Magnum/Raymond Depardon : 118. – Jean Mascolo : 132, 144, 182, 190, 203, 238. – Odyssey/Hélène Bamberger : 17, 32, 172, 219, 233, 254. – Ottawa, musée des Beaux-Arts du Canada : 78. – Pic : 124. – Sygma/Jean Mascolo : 30, 45, 48, 86, 110. – Sygma/Gérard Schachmes : 222, 261. – TOP/Édouard Boubat : 138, 224. – Vu/Pierre-Olivier Deschamps : 200.

RÉALISATION : ATELIER PAO ÉDITIONS DU SEUIL
IMPRESSION : MAME IMPRIMEURS, À TOURS
DÉPÔT LÉGAL : MARS 1992. N° 12226 (27935)